연마 수학

수학Ⅱ

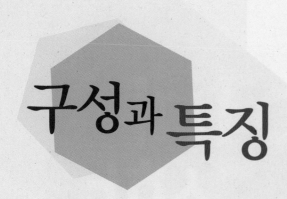

구성과 특징

연마
고등 수학의 특징

01 스스로 원리를 터득하는 **개념 완성 시스템**
- 풀이 과정을 채워 가면서 스스로 수학의 원리를 이해할 수 있습니다.
- 주제별, 유형별로 묻는 문제를 반복하여 풀면서 자연스럽게 개념을 완성할 수 있습니다.

02 계산 및 적용 능력을 키우는 **기본기 확립 시스템**
- 탄탄한 기본 연산력이 수학 실력 향상의 밑거름이 될 수 있습니다.
- 주제별, 유형별로 쉽고 재미있는 문제들을 통해 다양한 문제 접근 방법을 습득, 문제에 대한 적용 능력을 키웁니다.
- 기본기가 탄탄하게 강화되어 자신감을 가지게 됩니다.

03 문제 해결 능력을 높이는 **체계적 실력 향상 시스템**
- 단원별, 유형별 다양한 문제 접근 방법으로 문제 해결 능력을 향상시킵니다.
- 주제별, 유형별 다양한 집중 문제 풀이를 통해 체계적으로 실력이 업그레이드 됩니다.

연마
고등 수학의 구성

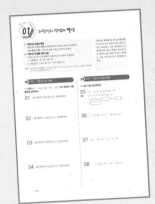

개념정리
핵심 내용정리는 단원에서 꼭 알아야 하는 기본적인 개념과 원리를 창(Window) 형태로 이미지화하여 제시함으로 이해하기 쉽고, 기억이 잘됩니다.

개념 적용/연산 반복 훈련
기본 원리를 적용하여 같은 유형의 문제를 반복적으로, 스몰스텝으로 단계화하여 풀게함으로써 실력을 키울 수 있습니다. 직접 풀이 과정을 쓰면서 개념을 익힐 수 있도록 하세요. 쉽고 재미있는 문제들을 통하여 수학에 대한 자신감을 가질 수 있습니다.

TIP / 문제 풀이에 필요한 도움말을 해당 문항의 하단에 제시하여 첨삭지도합니다.

학교시험 필수예제
연산 반복 훈련을 통해 터득한 개념과 원리를 확인합니다. 각 유형별로 배운 내용을 정리하고 스스로 문제를 해결함으써 학교 시험에 대비할 수 있습니다.

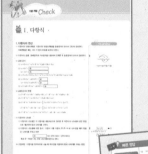

대단원 기본 개념 CHECK
문장력 강화와 서술형 대비를 위해 문장 속 네모박스 채우기로 개념을 정리하며, 부분적으로 공부했던 내용들을 한데 모아 전체적으로 조감할 수 있게 하여 단원을 체계적, 종합적으로 마무리하게 합니다.

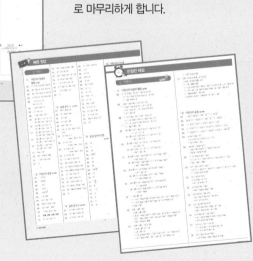

빠른정답 & 친절한 해설
가독성을 고려하여 빠른 정답을 새로 배치하여 빠르게 정답을 체크할 수 있도록 구성하였습니다.
또한 기본 문항들 중에서 자세한 해설이 필요한 문항들은 학생들 스스로 해설을 보고 문제를 해결할 수 있도록 친절하게 풀이하였습니다.

학습 방법

이 책은 수학의 가장 기본이 되는 연산 능력뿐 아니라 확실하게 개념을 잡을 수 있도록 하여 수학의 기본 실력이 향상되도록 하였습니다.
다음과 같이 본 책을 학습하면 효과를 극대화 할 수 있습니다.

01. 개념, 연산 원리 이해
글과 수식으로 표현된 개념을 창(Window)을 통해 시각적으로 표현하여 직관적으로 개념을 익히고, 구체적인 예시와 함께 연산 원리를 이해합니다.

02. 연산 반복 훈련
동일한 주제의 문제를 반복하여 손으로 풀어 봄으로써 풀이 방법을 익힙니다. 유형별로 문제를 제시하여 약한 유형이 무엇인지 파악할 수 있어 약한 부분에 대한 집중 학습을 합니다.

03. 학교시험 대비
연산 반복 훈련을 통해 개념과 원리를 터득하고, 학교시험 필수 예제 문항을 통해 실제 학교 시험 문제에 적용하여 풀어 봅니다. 또한 교과서 수준의 개념을 한눈에 확인할 수 있도록 빈칸 채우기 형식의 문제로 대단원 기본 개념 CHECK를 통해 전체적인 개념과 흐름을 확인합니다.

차례

항공기

항공기는 출발지를 이륙해서 도착지에 내릴 때까지 적어도 한 번은 같은 고도를 지나게 된다.

일출

일반적으로 오전과 오후에 같은 온도가 되는 시각이 존재하는데 기온의 변화가 연속적이기 때문이다.

터미네이터 2

자유자재로 형태가 변하는 T－1000이 쇠창살을 뚫고 나오는 장면은 몰핑(morphing)이라는 특수 효과로 제작되었다.

어떻게?

영화 터미네이터2에서 사이보그 T－1000은 쇠창살을 뚫고 나왔을까?

그 답은 바로 함수의 연속을 활용한 영상 처리 기술 덕분!

제임스 카메론 감독은 1991년, 2번째 시리즈인 '터미네이터:심판의 날'을 내놓는다. 그사이 카메론은 할리우드의 대표적 감독으로 성장해 있었고 그 명성에 걸맞게 '터미네이터2'에는 1억 달러라는 엄청난 제작비가 투여됐다. 늘어난 제작비 대부분은 특수효과에 투입됐다. '터미네이터2'는 아날로그 특수효과 시대가 가고 엄청난 위력을 선보이는 디지털 특수효과 시대가 왔음을 알린 작품이었다. '몰핑(morphing) 기법'을 이용해 아놀드 슈왈제네거에 대적하는 악당 T－1000의 모습을 구현해냈다. 원하는 모습으로 자유자재로 변하는 T－1000의 모습은 전 세계의 찬사를 받았으며 '몰핑 기법'은 이후 영화 특수효과사의 중요한 축으로 자리 잡았다. '터미네이터 : 심판의 날'은 5억 달러가 넘는 흥행 수익을 올렸으며 그해 전 세계 흥행 랭킹 1위를 차지했다.

화상을 서서히 변화시키는 기법인 몰핑 구현에는 원래의 이미지와 변화시킬 이미지 등 2개 이상의 영상이 필요한데, 이들 복수의 영상 간에 대응점을 찾아서 이미지를 변형시킨다. 컴퓨터 그래픽스를 이용한 영화 등에서 주로 사용되며, 극히 자연적인 영상 처리 기술을 표현할 수 있다. 이러한 사실을 설명하기 위해서는 함수의 연속에 대한 수학적 지식이 요하다.

함수의 극한과 연속은 실생활뿐만 아니라, 앞으로 배울 미분과 적분을 다루기 위해 꼭 요한 배경 지식이다.

I 함수의 극한과 연속

함수의 극한

1. 함수 $y=f(x)$에서 x의 값이 a가 아니면서 a에 한없이 가까워질 때, $f(x)$의 값이 일정한 값 L에 한없이 가까워지면 함수 $f(x)$는 L에 수렴한다고 한다. 이때, L을 함수 $f(x)$의 $x=a$에서의 극한값 또는 극한이라 하고, 다음과 같이 나타낸다.

$$\lim_{x \to a}f(x)=L \text{ 또는 } x \to a \text{일 때} f(x) \to L$$

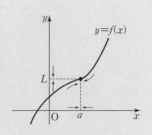

2. 함수 $f(x)$에서 x의 값이 a가 아니면서 a에 한없이 가까워질 때
 ① $f(x)$의 값이 한없이 커지면 함수 $f(x)$는 양의 무한대로 발산한다고 한다.
 $\Rightarrow \lim_{x \to a}f(x)=\infty$ 또는 $x \to a$일 때 $f(x) \to \infty$
 ② $f(x)$의 값이 음수이면서 그 절댓값이 한없이 커지면 함수 $f(x)$는 음의 무한대로 발산한다고 한다.
 $\Rightarrow \lim_{x \to a}f(x)=-\infty$ 또는 $x \to a$일 때 $f(x) \to -\infty$

$x \to a$는 x의 값이 a와 다른 값을 가지면서 a에 한없이 가까워지는 것을 나타내는 기호이므로 $\lim_{x \to a}f(x)$와 함숫값 $f(a)$는 다른 의미이다.

유형 001 함수의 극한

※ 다음 극한값을 구하여라.

01 $\lim_{x \to 3}(2x+1)$

02 $\lim_{x \to 2}\sqrt{2x+5}$

03 $\lim_{x \to 1}(x^2+2)$

04 $\lim_{x \to 2}\dfrac{1}{x}$

유형 002 함수의 수렴과 발산

※ 다음 함수의 극한을 조사하여라.

05 $\lim_{x \to \infty}\dfrac{1}{x+1}$

06 $\lim_{x \to -\infty}\left(\dfrac{1}{x}-1\right)$

07 $\lim_{x \to -\infty}(x^2-x)$

02 우극한과 좌극한

1. **우극한** : 함수 $f(x)$에서 x가 a보다 큰 값을 가지면서 a에 한없이 가까워질 때, $f(x)$의 값이 일정한 값 L에 한없이 가까워지면 L을 $f(x)$의 $x=a$에서의 우극한이라 하고, 다음과 같이 나타낸다.

$$\lim_{x \to a+} f(x) = L \text{ 또는 } x \to a+ \text{일 때 } f(x) \to L$$

2. **좌극한** : 함수 $f(x)$에서 x가 a보다 작은 값을 가지면서 a에 한없이 가까워질 때, $f(x)$의 값이 일정한 값 L에 한없이 가까워지면 L을 $f(x)$의 $x=a$에서의 좌극한이라 하고, 다음과 같이 나타낸다.

$$\lim_{x \to a-} f(x) = L \text{ 또는 } x \to a- \text{일 때 } f(x) \to L$$

3. **극한값의 존재** : 함수 $f(x)$의 $x=a$에서의 극한값이 L이면 $x=a$에서의 우극한과 좌극한이 모두 존재하고 그 값은 모두 L이다. 역으로 $x=a$에서의 우극한과 좌극한이 모두 존재하고 그 값이 L로 같으면 $\lim_{x \to a} f(x) = L$이다. 즉,

$$\lim_{x \to a} f(x) = L \Longleftrightarrow \lim_{x \to a+} f(x) = \lim_{x \to a-} f(x) = L$$

함수 $f(x)$의 $x=a$에서의 우극한 또는 좌극한이 존재하지 않거나 모두 존재하더라도 그 값이 같지 않으면 $\lim_{x \to a} f(x)$는 존재하지 않는다.

유형 003 우극한과 좌극한

※ 함수 $y=f(x)$의 그래프가 오른쪽 그림과 같을 때, 다음 극한값을 구하여라.

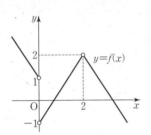

01 $\lim_{x \to 0+} f(x)$

02 $\lim_{x \to 0-} f(x)$

03 $\lim_{x \to 2+} f(x)$

04 $\lim_{x \to 2-} f(x)$

※ 다음 극한을 구하여라.

05 $\lim_{x \to 1+} \dfrac{|x-1|}{x-1}$

06 $\lim_{x \to 1-} \dfrac{|x-1|}{x-1}$

07 $\lim_{x \to 2+} \dfrac{x^2-4}{|x-2|}$

08 $\lim_{x \to 2-} \dfrac{x^2-4}{|x-2|}$

※ 다음 극한을 조사하여라.

09 $\lim\limits_{x \to 0} \dfrac{x^2}{|x|}$

해설| $\lim\limits_{x \to 0+} \dfrac{x^2}{|x|} = \lim\limits_{x \to 0+} \dfrac{x^2}{x} = \lim\limits_{x \to 0+} x = \square$

$\lim\limits_{x \to 0-} \dfrac{x^2}{|x|} = \lim\limits_{x \to 0-} \dfrac{x^2}{-x} = \lim\limits_{x \to 0-} (-x) = \square$

$\lim\limits_{x \to 0+} \dfrac{x^2}{|x|} = \lim\limits_{x \to 0-} \dfrac{x^2}{|x|}$ 이므로 $\lim\limits_{x \to 0} \dfrac{x^2}{|x|} = \square$

10 $\lim\limits_{x \to -2} \dfrac{x^2-4}{|x+2|}$

11 $\lim\limits_{x \to -1} \dfrac{x^2-1}{|x+1|}$

12 $\lim\limits_{x \to 2} \dfrac{x^2-2x}{x-2}$

※ x보다 크지 않은 최대의 정수를 $[x]$라고 할 때, 다음 극한을 조사하여라.

13 (1) $\lim\limits_{x \to 1+} [x]$

(2) $\lim\limits_{x \to 1-} [x]$

(3) $\lim\limits_{x \to 1} [x]$

14 (1) $\lim\limits_{x \to 5+} (3-[x])$

(2) $\lim\limits_{x \to 5-} (3-[x])$

(3) $\lim\limits_{x \to 5} (3-[x])$

15 (1) $\lim\limits_{x \to 2+} \dfrac{[x]}{x}$

(2) $\lim\limits_{x \to 2-} \dfrac{[x]}{x}$

(3) $\lim\limits_{x \to 2} \dfrac{[x]}{x}$

유형 005 함수의 그래프에서 극한값 구하기

※ 그래프를 보고 다음 값을 구하여라.

16 함수 $y=f(x)$의 그래프가 그림과 같다.

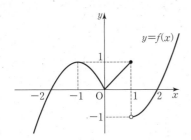

$\lim\limits_{x \to -1} f(x) + \lim\limits_{x \to 1+} f(x)$의 값을 구하여라.

해설ㅣ x가 -1이 아니면서 -1에 한없이 가까워질 때 $f(x)$는 □에 한없이 가까워지므로

$\lim\limits_{x \to -1} f(x) = $ □

x가 1보다 큰 값을 가지면서 1에 한없이 가까워질 때 $f(x)$는 □에 한없이 가까워지므로

$\lim\limits_{x \to 1+} f(x) = $ □

∴ $\lim\limits_{x \to -1} f(x) + \lim\limits_{x \to 1+} f(x) = $ □

17 함수 $y=f(x)$의 그래프가 그림과 같다.

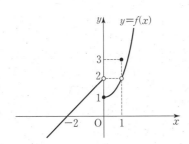

$\lim\limits_{x \to 0-} f(x) + \lim\limits_{x \to 1} f(x)$의 값을 구하여라.

18 함수 $y=f(x)$의 그래프가 그림과 같다.

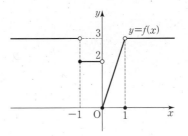

$\lim\limits_{x \to -1-} f(x) + \lim\limits_{x \to 0+} f(x)$의 값을 구하여라.

19 함수 $y=f(x)$의 그래프가 그림과 같다.

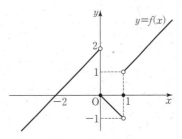

$\lim\limits_{x \to 0-} f(x) + \lim\limits_{x \to 1+} f(x)$의 값을 구하여라.

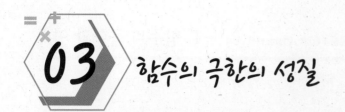

03 함수의 극한의 성질

$\lim\limits_{x \to a} f(x) = \alpha$, $\lim\limits_{x \to a} g(x) = \beta$ (α, β는 실수)일 때

(1) $\lim\limits_{x \to a} cf(x) = c\lim\limits_{x \to a} f(x) = c\alpha$ (단, c는 상수)

(2) $\lim\limits_{x \to a} \{f(x) + g(x)\} = \lim\limits_{x \to a} f(x) + \lim\limits_{x \to a} g(x) = \alpha + \beta$

(3) $\lim\limits_{x \to a} \{f(x) - g(x)\} = \lim\limits_{x \to a} f(x) - \lim\limits_{x \to a} g(x) = \alpha - \beta$

(4) $\lim\limits_{x \to a} f(x)g(x) = \lim\limits_{x \to a} f(x)\lim\limits_{x \to a} g(x) = \alpha\beta$

(5) $\lim\limits_{x \to a} \dfrac{f(x)}{g(x)} = \dfrac{\lim\limits_{x \to a} f(x)}{\lim\limits_{x \to a} g(x)} = \dfrac{\alpha}{\beta}$ (단, $g(x) \neq 0$, $\beta \neq 0$)

・ $\lim\limits_{x \to 2} (x^2 + 2) = \lim\limits_{x \to 2} x^2 + \lim\limits_{x \to 2} 2$
$\qquad\qquad = 4 + 2 = 6$

・ $\lim\limits_{x \to 1} \dfrac{x-3}{x+2} = \dfrac{\lim\limits_{x \to 1} (x-3)}{\lim\limits_{x \to 1} (x+2)}$
$\qquad\qquad = \dfrac{1-3}{1+2} = -\dfrac{2}{3}$

유형 006 함수의 극한의 성질

※ 두 함수 $f(x)$, $g(x)$에 대하여
$$\lim\limits_{x \to a} f(x) = -2, \lim\limits_{x \to a} g(x) = 3$$
일 때, 다음 극한값을 구하여라. (단, a는 상수이다.)

01 $\lim\limits_{x \to a} 5f(x)$

02 $\lim\limits_{x \to a} \{2f(x) - g(x)\}$

03 $\lim\limits_{x \to a} f(x)g(x)$

04 $\lim\limits_{x \to a} \{f(x)\}^2$

05 $\lim\limits_{x \to a} \dfrac{f(x)}{g(x)}$

06 $\lim\limits_{x \to a} \dfrac{f(x) - 3}{2g(x) + 1}$

※ 다음 극한값을 구하여라.

07 $\lim\limits_{x \to 2} (x^2 - 2x + 4)$

08 $\lim\limits_{x \to 3} (x-2)(x^2 + 3)$

09 $\lim\limits_{x \to -2} \dfrac{x-1}{2x^2 + 1}$

10 $\lim\limits_{x \to 3} \dfrac{x^2 - 4}{x + 1}$

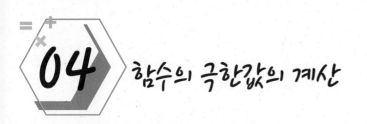

04 함수의 극한값의 계산

1. $\dfrac{0}{0}$꼴 : ① 분자, 분모가 모두 다항식인 경우에는 분자, 분모를 각각 인수분해 하여 약분한다.

   ② 분자, 분모 중에 무리식이 있으면 근호가 들어 있는 쪽을 유리화한 다음 분모를 0이 되게 하는 식을 약분한다.

2. $\dfrac{\infty}{\infty}$꼴 : 분모의 최고차항으로 분자, 분모를 나눈다.

3. $\infty - \infty$꼴 : ① 다항식은 최고차항으로 묶는다.

   ② 무리식은 근호가 들어 있는 쪽을 유리화한다.

4. $\infty \times 0$꼴 : 통분 또는 유리화하여 $\infty \times c$, $\dfrac{c}{\infty}$, $\dfrac{0}{0}$, $\dfrac{\infty}{\infty}$ (c는 상수)꼴로 변형한다.

함수의 극한값의 계산은 $\dfrac{0}{0}$꼴, $\dfrac{\infty}{\infty}$ 꼴의 쉬운 문제가 주로 출제되므로 분자, 분모를 인수분해하거나 유리화하는 방법을 확실히 익혀 두도록 한다.

유형 007 $\dfrac{0}{0}$꼴의 극한

※ 다음 극한값을 구하여라.

01 $\displaystyle\lim_{x \to 3} \dfrac{x^2-9}{x-3}$

해설 | $\displaystyle\lim_{x \to 3} \dfrac{x^2-9}{x-3} = \lim_{x \to 3} \dfrac{(x+\square)(x-3)}{x-3}$

$= \displaystyle\lim_{x \to 3}(x+\square) = \square$

02 $\displaystyle\lim_{x \to -1} \dfrac{x^2-x-2}{x+1}$

03 $\displaystyle\lim_{x \to 1} \dfrac{x^2+3x-4}{x-1}$

04 $\displaystyle\lim_{x \to 1} \dfrac{x^3-1}{x^2-1}$

05 $\displaystyle\lim_{x \to 0} \dfrac{x}{\sqrt{x+4}-2}$

06 $\displaystyle\lim_{x \to 4} \dfrac{x-4}{\sqrt{x}-2}$

07 $\displaystyle\lim_{x \to 3} \dfrac{\sqrt{x+1}-2}{x-3}$

08 $\displaystyle\lim_{x \to 2} \dfrac{x^2-4}{\sqrt{x+7}-3}$

 학교시험 필수예제

09 $\displaystyle\lim_{x \to 1}(3x^2-x+4)=a$, $\displaystyle\lim_{x \to 2} \dfrac{x^2-4}{x-2}=b$라고 할 때, $a+b$의 값은?

① 8   ② 10   ③ 12

④ 14   ⑤ 16

※ 다음 극한값을 구하여라.

10 $\displaystyle\lim_{x \to \infty} \frac{x}{x+1}$

11 $\displaystyle\lim_{x \to \infty} \frac{3x+1}{x+1}$

12 $\displaystyle\lim_{x \to \infty} \frac{x+1}{3x^2+x+1}$

13 $\displaystyle\lim_{x \to \infty} \frac{x^2+x+2}{2x^2-3}$

14 $\displaystyle\lim_{x \to \infty} \frac{(2x+3)(2x-1)}{x^2+1}$

※ 다음 극한값을 구하여라.

15 $\displaystyle\lim_{x \to \infty} \frac{2x-1}{5x+\sqrt{x^2+1}}$

16 $\displaystyle\lim_{x \to \infty} \frac{\sqrt{x^2-1}+x}{2x+3}$

17 $\displaystyle\lim_{x \to -\infty} \frac{x}{\sqrt{x^2}}$

18 $\displaystyle\lim_{x \to -\infty} \frac{2x}{\sqrt{x^2+1}-2}$

학교시험 필수예제

19 $\displaystyle\lim_{x \to -\infty} \frac{x+1}{\sqrt{x^2+x}-x}$ 의 값은?

① -1 　　② $-\dfrac{1}{2}$ 　　③ 0

④ $\dfrac{1}{2}$ 　　⑤ 1

유형 009 $\infty - \infty$꼴의 극한

※ 다음 극한값을 구하여라.

20 $\lim\limits_{x \to \infty}(x^2 - 2x + 3)$

해설ㅣ $\lim\limits_{x \to \infty}(x^2 - 2x + 3)$

$= \lim\limits_{x \to \infty} \boxed{}\left(1 - \dfrac{2}{x} + \dfrac{3}{x^2}\right) = \boxed{}$

21 $\lim\limits_{x \to \infty}(-2x^3 + 4x^2 - 3x + 1)$

22 $\lim\limits_{x \to \infty}(\sqrt{x^2 + 2x} - x)$

23 $\lim\limits_{x \to \infty}(\sqrt{x^2 + 4x} - x)$

유형 010 $\infty \times 0$꼴의 극한

※ 다음 극한값을 구하여라.

24 $\lim\limits_{x \to 0}\dfrac{1}{x}\left(\dfrac{1}{x-1} + 1\right)$

해설ㅣ $\lim\limits_{x \to 0}\dfrac{1}{x}\left(\dfrac{1}{x-1} + 1\right) = \lim\limits_{x \to 0}\dfrac{1}{x} \cdot \dfrac{1+(x-1)}{x-1}$

$= \lim\limits_{x \to 0}\dfrac{1}{x} \cdot \dfrac{x}{x-1}$

$= \lim\limits_{x \to 0}\dfrac{1}{x-1} = \boxed{}$

25 $\lim\limits_{x \to 0}\dfrac{1}{x}\left\{1 - \dfrac{1}{(x-1)^2}\right\}$

26 $\lim\limits_{x \to \infty}x\left(1 - \dfrac{\sqrt{2x+1}}{\sqrt{2x}}\right)$

해설ㅣ $\lim\limits_{x \to \infty}x\left(1 - \dfrac{\sqrt{2x+1}}{\sqrt{2x}}\right)$

$= \lim\limits_{x \to \infty}\dfrac{x(\sqrt{2x} - \sqrt{2x+1})}{\sqrt{2x}}$

$= \lim\limits_{x \to \infty}\dfrac{x(\sqrt{2x} - \sqrt{2x+1})(\sqrt{2x} + \sqrt{2x+1})}{\sqrt{2x}(\sqrt{2x} + \sqrt{2x+1})}$

$= \lim\limits_{x \to \infty}\dfrac{\boxed{}}{2x + \sqrt{4x^2 + 2x}} = \lim\limits_{x \to \infty}\dfrac{\boxed{}}{2 + \sqrt{4 + \dfrac{2}{x}}}$

$= \dfrac{\boxed{}}{2+2} = \boxed{}$

27 $\lim\limits_{x \to 0}\dfrac{1}{x}\left(\dfrac{1}{\sqrt{3}-x} - \dfrac{1}{\sqrt{3}}\right)$

Tip

$\infty - \infty$꼴의 극한

① 다항식은 최고차항으로 묶는다.
② 무리식은 근호가 들어 있는 쪽을 유리화한다.

Tip

$\infty \times 0$꼴의 극한

통분 또는 유리화하여 $\infty \times c$, $\dfrac{c}{\infty}$, $\dfrac{0}{0}$, $\dfrac{\infty}{\infty}$ (c는 상수)꼴로 변형한다.

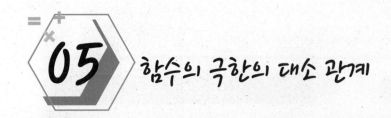
$\lim\limits_{x \to a} f(x) = \alpha$, $\lim\limits_{x \to a} g(x) = \beta$ (α, β는 실수)일 때, a에 가까운 모든 x에 대하여

(1) $f(x) \le g(x)$이면 $\alpha \le \beta$

(2) $f(x) \le h(x) \le g(x)$이고 $\alpha = \beta$이면 $\lim\limits_{x \to a} h(x) = \alpha$

함수의 극한의 대소 관계는 $x \to a-$, $x \to a+$, $x \to \infty$, $x \to -\infty$일 때에도 성립한다.

(1)의 결과는 $f(x) < g(x)$일 때에도 성립한다.

또, (2)의 결과는 $f(x) < h(x) < g(x)$일 때에도 성립한다.

유형 011 함수의 극한의 대소 관계

※ 임의의 실수 x에 대하여 함수 $f(x)$가 다음을 만족할 때, $\lim\limits_{x \to \infty} f(x)$의 값을 구하여라.

01 $\dfrac{3x+5}{x} < f(x) < \dfrac{3x^2+7x}{x^2}$

해설 | $\dfrac{3x+5}{x} < f(x) < \dfrac{3x^2+7x}{x^2}$에서

$\lim\limits_{x \to \infty} \dfrac{3x+5}{x} = \lim\limits_{x \to \infty} \dfrac{3x^2+7x}{x^2} = \boxed{}$

$\therefore \lim\limits_{x \to \infty} f(x) = \boxed{}$

02 $\dfrac{x-4}{x+1} < f(x) < \dfrac{x-2}{x+1}$

03 $\dfrac{x^2+1}{2x^2-4x+1} < f(x) < \dfrac{2x^2+5x+3}{4x^2-1}$

※ 다음 물음에 답하여라.

04 모든 양의 실수 x에 대하여 함수 $f(x)$가
$$2x-3 < f(x) < 2x+4$$
를 만족할 때, $\lim\limits_{x \to \infty} \dfrac{\{f(x)\}^2}{3x^2-x+1}$의 값을 구하여라.

해설 | $2x-3 < f(x) < 2x+4$의 각 변을 제곱하면
$$(2x-3)^2 < \{f(x)\}^2 < (2x+4)^2$$
$x \to \infty$일 때, $x > 0$이므로 각 변을 $3x^2-x+1$로 나누면

$\dfrac{(2x-3)^2}{3x^2-x+1} < \dfrac{\{f(x)\}^2}{3x^2-x+1} < \dfrac{(2x+4)^2}{3x^2-x+1}$

이때, $\lim\limits_{x \to \infty} \dfrac{(2x-3)^2}{3x^2-x+1} = \lim\limits_{x \to \infty} \dfrac{(2x+4)^2}{3x^2-x+1} = \boxed{}$

이므로
$$\lim\limits_{x \to \infty} \dfrac{\{f(x)\}^2}{3x^2-x+1} = \boxed{}$$

05 모든 양의 실수 x에 대하여 함수 $f(x)$가
$$x^2+2 \le f(x) \le x^2+5$$
를 만족할 때, $\lim\limits_{x \to \infty} \dfrac{f(x)}{x^2}$의 값을 구하여라.

06 미정계수의 결정

두 함수 $f(x)$, $g(x)$에 대하여 $\lim\limits_{x \to a} \dfrac{f(x)}{g(x)} = a$ (a는 상수)일 때,

(1) $\lim\limits_{x \to a} g(x) = 0$이면 $\lim\limits_{x \to a} f(x) = 0$

(2) $a \neq 0$이고 $\lim\limits_{x \to a} f(x) = 0$이면 $\lim\limits_{x \to a} g(x) = 0$

(1) $x \to a$일 때 (분모) $\to 0$이고 극한값이 존재하면 (분자) $\to 0$

(2) $x \to a$일 때 (분자) $\to 0$이고 0이 아닌 극한값이 존재하면 (분모) $\to 0$

유형 012 미정계수의 결정

※ 다음 등식이 성립할 때, 두 실수 a, b의 합 $a+b$의 값을 구하여라.

01 $\lim\limits_{x \to -1} \dfrac{x^2 + ax + b}{x+1} = 3$

해설| $x \to -1$일 때, (분모) $\to 0$이므로 (분자) $\to 0$이어야 한다.

$\lim\limits_{x \to -1} (x^2 + ax + b) = 1 - a + b = 0$

$\therefore b = a - 1$ ……㉠

㉠을 주어진 식에 대입하면

$\lim\limits_{x \to -1} \dfrac{x^2 + ax + a - 1}{x+1} = \lim\limits_{x \to -1} \dfrac{(x+1)(x+a-1)}{x+1}$

$= \lim\limits_{x \to -1} (x + a - 1) = a - 2$

$a - 2 = \boxed{}$ 이므로 $a = \boxed{}$

이 값을 ㉠에 대입하면 $b = \boxed{}$

$\therefore a + b = \boxed{}$

02 $\lim\limits_{x \to 2} \dfrac{x^2 + ax - b}{x-2} = 9$

03 $\lim\limits_{x \to 2} \dfrac{x-2}{x^2 + ax + b} = \dfrac{1}{8}$

04 $\lim\limits_{x \to 1} \dfrac{x-1}{x^2 - ax + b} = \dfrac{1}{3}$

05 $\lim\limits_{x \to 1} \dfrac{x^2 - (a+1)x + a}{x^2 - b} = 4$

 학교시험 필수예제

06 등식 $\lim\limits_{x \to 1} \dfrac{x^2 + ax - b}{x^3 - 1} = 3$이 성립하도록 상수 a, b의 값을 정할 때, $a+b$의 값은?

① 9   ② 11   ③ 13

④ 15   ⑤ 17

※ 다음 등식이 성립할 때, 두 실수 a, b의 값을 구하여라.

07 $\displaystyle\lim_{x \to 2} \frac{a\sqrt{x}+b}{x-2}=1$

해설 | $x \to 2$일 때, (분모) $\to 0$이므로 (분자) $\to 0$이어야 한다.

$\displaystyle\lim_{x \to 2}(a\sqrt{x}+b)=\sqrt{2}a+b=0$

$\therefore b=-\sqrt{2}a$ ……㉠

㉠을 주어진 식에 대입하면

$\displaystyle\lim_{x \to 2}\frac{a\sqrt{x}-\sqrt{2}a}{x-2}=\lim_{x \to 2}\frac{a(\sqrt{x}-\sqrt{2})}{(\sqrt{x}-\sqrt{2})(\sqrt{x}+\sqrt{2})}$

$\displaystyle =\lim_{x \to 2}\frac{a}{\sqrt{x}+\sqrt{2}}=\frac{a}{2\sqrt{2}}$

$\dfrac{a}{2\sqrt{2}}=\boxed{}$ 이므로 $a=\boxed{}$

이 값을 ㉠에 대입하면 $b=\boxed{}$

08 $\displaystyle\lim_{x \to 3} \frac{\sqrt{x+a}-b}{x-3}=\frac{1}{4}$

09 $\displaystyle\lim_{x \to 4} \frac{\sqrt{x+a}-b}{x-4}=\frac{1}{6}$

10 $\displaystyle\lim_{x \to -3} \frac{\sqrt{x^2-x-3}+ax}{x+3}=b$

11 $\displaystyle\lim_{x \to 0} \frac{\sqrt{ax+4}-\sqrt{2x+a}}{x}=b$

학교시험 필수예제

12 두 상수 a, b에 대하여 $\displaystyle\lim_{x \to 2}\frac{\sqrt{x+a}-2}{x-2}=b$일 때,

$10a+4b$의 값을 구하여라.

07 다항함수의 결정

1. $f(x)$를 포함한 함수의 극한값 구하기

$\lim\limits_{x \to a} \dfrac{f(x)}{x-a} = a$ (a는 상수)가 조건으로 주어지면

$\Rightarrow$ 구하려는 식이 $\dfrac{f(x)}{x-a}$를 포함한 꼴이 되도록 변형한다.

2. 다항함수의 결정

다항함수 $f(x)$에 대하여 $\lim\limits_{x \to \infty} \dfrac{f(x)}{x^n} = a$이면

① $a=0$일 때 $\Rightarrow$ $f(x)$는 $(n-1)$차 이하의 다항함수

② $a \neq 0$일 때 $\Rightarrow$ $f(x)$는 최고차항의 계수가 a인 n차 다항함수

두 다항식 $f(x)$, $g(x)$에 대하여

(1) $\lim\limits_{x \to a} \dfrac{f(x)}{g(x)} = a$ (a는 상수)이고
$\lim\limits_{x \to a} g(x) = 0$이면 $\lim\limits_{x \to a} f(x) = 0$

(2) $\lim\limits_{x \to \infty} \dfrac{f(x)}{g(x)} = a$ ($a \neq 0$인 상수)
이면 $f(x)$와 $g(x)$의 차수가 같다.

유형 013 다항함수의 결정

※ 다음을 만족하는 다항함수 $f(x)$를 구하여라.

01 $\lim\limits_{x \to -1} \dfrac{f(x)}{x^2-1} = -4$를 만족하는 이차항의 계수가 1인 이차함수 $f(x)$

해설 | $x \to -1$일 때 (분모) $\to 0$이므로 (분자) $\to 0$이어야 한다.

즉, $\lim\limits_{x \to -1} f(x) = f(-1) = 0$

따라서 $f(x) = (x+1)(x+a)$ (a는 상수)라고 놓으면

$\lim\limits_{x \to -1} \dfrac{(x+1)(x+a)}{x^2-1} = \lim\limits_{x \to -1} \dfrac{(x+1)(x+a)}{(x-1)(x+1)}$

$\qquad\qquad = \dfrac{a-1}{-2}$

$\dfrac{a-1}{-2} = \boxed{}$이므로 $a = \boxed{}$

$\therefore f(x) = (x+1)(x + \boxed{}) = \boxed{}$

02 $\lim\limits_{x \to \infty} \dfrac{f(x)}{x^2+2x+5} = 1$, $\lim\limits_{x \to 1} \dfrac{f(x)}{x-1} = 3$을 만족하는 다항함수 $f(x)$

03 $\lim\limits_{x \to \infty} \dfrac{f(x)-x^3}{x^2-1} = 1$, $\lim\limits_{x \to -1} \dfrac{f(x)}{x^2-1} = -4$

해설 | $\lim\limits_{x \to \infty} \dfrac{f(x)-x^3}{x^2-1} = 1$에서 $f(x)-x^3$은 이차식이고 이차항의 계수가 1이므로

$f(x) = x^3 + x^2 + ax + b$ (a, b는 상수) $\qquad$ ......㉠

$\lim\limits_{x \to -1} \dfrac{f(x)}{x^2-1} = -4$에서 $x \to -1$일 때, (분모) $\to 0$이므로 (분자) $\to 0$이어야 한다.

즉, $\lim\limits_{x \to -1} f(x) = f(-1) = 0 \qquad$ ......㉡

㉠, ㉡에서 $f(x) = (x+1)(x^2+b)$라고 놓으면

$\lim\limits_{x \to -1} \dfrac{(x+1)(x^2+b)}{x^2-1} = \dfrac{b+1}{-2}$

$\dfrac{b+1}{-2} = \boxed{}$이므로 $b = \boxed{}$

$\therefore f(x) = (x+1)(x^2 + \boxed{}) = \boxed{}$

04 $\lim\limits_{x \to \infty} \dfrac{f(x)-x^3}{x^2} = 1$, $\lim\limits_{x \to 0} \dfrac{f(x)}{x} = 5$

※ 다음 값을 구하여라.

05 $\lim\limits_{x\to 1}\dfrac{f(x-1)}{x-1}=1$일 때, $\lim\limits_{x\to 2}\dfrac{f(x-2)}{x^2-4}$의 값

해설ㅣ $x-1=t$로 놓으면, $x\to 1$일 때 $t\to \boxed{}$이므로

$x-2=t-1$이고, $x\to 2$일 때 $t\to \boxed{}$이다.

$$\therefore \lim_{x\to 2}\frac{f(x-2)}{x^2-4}=\lim_{x\to 2}\frac{f(x-2)}{(x+2)(x-2)}$$
$$=\lim_{x\to 2}\frac{1}{x+2}\times\lim_{x\to 2}\frac{f(x-2)}{x-2}$$
$$=\frac{1}{4}\times\lim_{t\to 1}\frac{f(t-1)}{t-1}$$
$$=\frac{1}{4}\times\boxed{}=\boxed{}$$

06 $\lim\limits_{x\to 0}\dfrac{f(x)}{x}=4$일 때, $\lim\limits_{x\to 1}\dfrac{f(x-1)}{x^2-1}$의 값

07 $\lim\limits_{x\to 2}\dfrac{f(x-2)}{x^2-2x}=4$일 때, $\lim\limits_{x\to 0}\dfrac{f(x)}{x}$의 값

08 $\lim\limits_{x\to 2}\dfrac{f(x)-3}{x-2}=5$일 때, $\lim\limits_{x\to 2}\dfrac{x-2}{\{f(x)\}^2-9}$의 값

※ **다음 물음에 답하여라.**

09 다항함수 $f(x)$가 $\lim\limits_{x \to \infty}\dfrac{f(x)}{x^3}=0$, $\lim\limits_{x \to 0}\dfrac{f(x)}{x}=5$를 만족시킨다. 방정식 $f(x)=x$의 한 근이 -2일 때, $f(1)$의 값을 구하여라.

11 다항함수 $f(x)$가 $\lim\limits_{x \to \infty}\dfrac{2x^2-3x+1}{f(x)}=2$, $\lim\limits_{x \to 2}\dfrac{x^2+2x-8}{f(x)}=3$을 만족시킬 때, $f(2)$의 값을 구하여라.

10 다항함수 $g(x)$에 대하여 극한값 $\lim\limits_{x \to 1}\dfrac{g(x)-2x}{x-1}$ 가 존재한다. 다항함수 $f(x)$가 $f(x)+x-1=(x-1)g(x)$를 만족시킬 때, $\lim\limits_{x \to 1}\dfrac{f(x)g(x)}{x^2-1}$의 값을 구하여라.

학교시험 필수예제

12 다음 두 조건을 모두 만족시키는 다항함수 $f(x)$ 에 대하여 $f(2)$의 값을 구하여라.

> (가) $\lim\limits_{x \to \infty}\dfrac{x^2+3x+5}{f(x)}=\dfrac{1}{2}$
>
> (나) $\lim\limits_{x \to 1}\dfrac{f(x)}{x-1}=3$

함수의 극한의 활용

(1) 구하는 선분의 길이, 점의 좌표 등을 식으로 나타낸다.
(2) 극한의 성질을 이용하여 극한값을 구한다.

점 (x, y)가 점 (a, b)에 가까워질 때 $f(x)$의 극한값은 $\lim_{x \to a} f(x)$이다.

$\dfrac{\infty}{\infty}$꼴의 극한은 분모의 최고차항으로 분모, 분자를 나눈다.

유형 014 함수의 극한의 활용

※ 다음 물음에 답하여라.

01 오른쪽 그림과 같이 $y = x^2$ 위의 원점이 아닌 점 P에 대하여 점 P와 원점 O를 지나고 y축 위의 점 Q를 중심으로 하는 원이 있다. 점 P가 곡선 $y = x^2$을 따라 원점 O에 한없이 가까워질 때, 점 Q는 점 $(0, a)$에 한없이 가까워진다. 이때, a의 값을 구하여라.

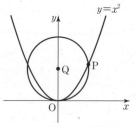

02 오른쪽 그림과 같이 함수 $y = 4\sqrt{x}$의 그래프 위의 점 $P(t, 4\sqrt{t})$와 x축 위의 점 $(3, 0)$이 있다. 점 P에서 y축에 내린 수선의 발을 H라 할 때, $\lim_{t \to \infty} (\overline{PA} - \overline{PH})$의 값을 구하여라.

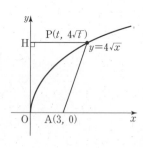

03 곡선 $y = x^2$ 위의 점 $P(a, b)$에서 x축에 내린 수선의 발을 A, y축에 내린 수선의 발을 B라고 하자. 사각형 OAPB의 넓이를 $S(a)$, 둘레의 길이를 $L(a)$라고 할 때, $\lim_{a \to \infty} \dfrac{S(a)}{aL(a)}$의 값을 구하여라. (단, O는 원점이고, $a > 0$이다.)

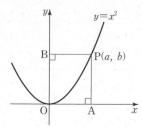

04 오른쪽 그림과 같이 좌표평면에서 곡선 $y = 2(x+1)^2$ 위를 움직이는 점 $P(a, b)$와 이 포물선의 꼭짓점 Q에 대하여, $\triangle OPQ$의 넓이를 $S(a)$라 할 때, $\lim_{a \to 0} \dfrac{S(a) - 1}{a}$의 값을 구하여라. (단, O는 원점이다.)

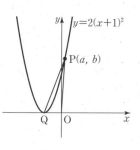

※ 다음 물음에 답하여라.

05 그림과 같이 직선 $y=x+1$ 위의 두 점 $A(-1,\ 0)$과 $P(t,\ t+1)$이 있다. 점 P를 지나고 직선 $y=x+1$에 수직인 직선이 y축과 만나는 점을 Q라고 할 때, $\displaystyle\lim_{t\to\infty}\dfrac{\overline{AQ}^{\,2}}{\overline{AP}^{\,2}}$의 값을 구하여라.

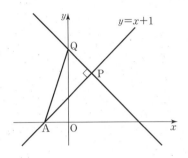

06 그림과 같이 두 함수 $y=3\sqrt{x}$, $y=\sqrt{x}$의 그래프와 직선 $x=k$가 만나는 점을 각각 A, B라 하고, 직선 $x=k$가 x축과 만나는 점을 C라고 하자. 이때, $\displaystyle\lim_{k\to 0+}\dfrac{\overline{OA}-\overline{AC}}{\overline{OB}-\overline{BC}}$의 값을 구하여라.

(단, $k>0$이고, O는 원점이다.)

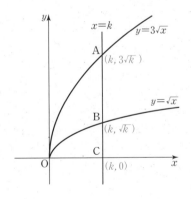

07 그림과 같이 중심이 $A(0,\ 3)$이고 반지름의 길이가 1인 원에 외접하고 x축에 접하는 원의 중심을 $P(x,\ y)$라고 하자. 점 P에서 y축에 내린 수선의 발을 H라고 할 때, $\displaystyle\lim_{x\to\infty}\dfrac{\overline{PH}^{\,2}}{\overline{PA}}$의 값을 구하여라.

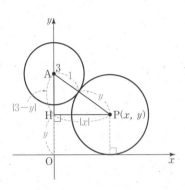

학교시험 필수예제

08 그림과 같이 중심이 $C(2,\ 0)$이고 반지름의 길이가 $r(r<\sqrt{5})$인 원 C가 있다. 기울기가 -2이고 원 C에 접하는 직선을 l이라고 하자. 직선 l에 접하고 중심이 $C'(3,\ 3)$인 원 C′의 반지름을 $f(r)$라고 할 때, $\displaystyle\lim_{r\to 0+}f(r)$의 값은?

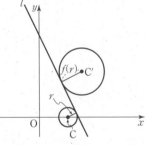

① 1   ② $\sqrt{2}$ ③ $\sqrt{3}$

④ 2   ⑤ $\sqrt{5}$

$x=a$에서 연속인 함수

1. $x=a$에서 **연속** : 함수 $f(x)$와 실수 a에 대하여 다음 세 조건을 만족할 때, 함수 $f(x)$는 $x=a$에서 연속이라고 한다.
   (i) $x=a$에서 $f(x)$의 값 $f(a)$가 정의되어 있고
   (ii) 극한값 $\lim\limits_{x \to a} f(x)$가 존재하며
   (iii) $\lim\limits_{x \to a} f(x)=f(a)$

2. $x=a$에서 **불연속** : 함수 $f(x)$가 $x=a$에서 연속이 아닐 때, 즉 위의 세 조건 중 어느 하나라도 만족하지 않을 때, 함수 $f(x)$는 $x=a$에서 불연속이라고 한다.

1. $\lim\limits_{x \to a} f(x)=f(a)$이면 $f(x)$는 $x=a$에서 연속이다.
2. 함수 $f(x)$가 $x=a$에서 불연속인 경우
   $\Rightarrow$ $x=a$에서 함수 $y=f(x)$가 끊어져 있는 경우이다.

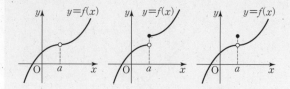

유형 O15　$x=a$에서의 연속

01 다음 함수가 $x=a$에서 불연속인 이유를 <보기>에서 골라라.

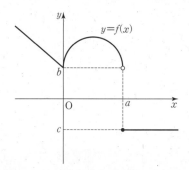

┤ 보기 ├

ㄱ. $f(a)$의 값이 존재하지 않는다.

ㄴ. $\lim\limits_{x \to a+} f(x)$의 값이 존재하지 않는다.

ㄷ. $\lim\limits_{x \to a-} f(x)$의 값이 존재하지 않는다.

ㄹ. $\lim\limits_{x \to a} f(x)$의 값이 존재하지 않는다.

ㅁ. $\lim\limits_{x \to a} f(x)$와 $f(a)$의 값이 존재하지만
$\lim\limits_{x \to a} f(x) \neq f(a)$이다.

※ 다음 함수의 $x=1$에서의 연속성을 조사하여라.

02 $f(x)=x^2+5$

03 $f(x)=x^2-3x$

04 $f(x)=\begin{cases} \dfrac{x^3-1}{x-1} & (x \neq 1) \\ 1 & (x=1) \end{cases}$

05 $f(x)=\dfrac{|x|}{x-1}$

06 $f(x)=[x]$
(단, $[x]$는 x보다 크지 않은 최대의 정수이다.)

유형 O16 함수의 연속과 미정계수의 결정 (1)

※ 다음 함수 $f(x)$가 주어진 점에서 연속이 되도록 a, b의 값을 정하여라.

07 함수 $f(x)=\begin{cases} \dfrac{x^2-ax-2}{x-2} & (x\neq 2) \\ b & (x=2) \end{cases}$ 가 $x=2$에

서 연속

해설 | 함수 $f(x)$가 $x=2$에서 연속이려면
$\lim\limits_{x\to 2}f(x)=f(2)$이어야 하므로

$\lim\limits_{x\to 2}\dfrac{x^2-ax-2}{x-2}=\square$

$x\to 2$일 때 (분모) $\to 0$이므로 (분자) $\to 0$

$\therefore \lim\limits_{x\to 2}(x^2-ax-2)=0$

$4-2a-2=0$ $\therefore a=\square$

$b=\lim\limits_{x\to 2}\dfrac{x^2-x-2}{x-2}=\lim\limits_{x\to 2}\dfrac{(x-2)(x+1)}{x-2}=\square$

$\therefore a=\square$, $b=\square$

08 함수 $f(x)=\begin{cases} \dfrac{x^2+ax-6}{x-2} & (x\neq 2) \\ b & (x=2) \end{cases}$ 가 $x=2$에

서 연속

09 함수 $f(x)=\begin{cases} \dfrac{x^2+ax-2}{x-1} & (x\neq 1) \\ b & (x=1) \end{cases}$ 가 $x=1$에

서 연속

10 함수 $f(x)=\begin{cases} \dfrac{a\sqrt{x+7}-b}{x-2} & (x\neq 2) \\ 2 & (x=2) \end{cases}$ 가 $x=2$에

서 연속

학교시험 필수예제

11 함수 $f(x)=\begin{cases} 2x+5 & (x\neq 1) \\ a & (x=1) \end{cases}$ 이 실수 전체의 집

합에서 연속일 때, 상수 a의 값은?

① 6   ② 7   ③ 8
④ 9   ⑤ 10

10 구간에서 연속인 함수

1. **구간** : 두 실수 a와 $b(a<b)$에 대하여 실수의 집합
$$\{x|a\leq x\leq b\},\ \{x|a\leq x<b\},$$
$$\{x|a<x\leq b\},\ \{x|a<x<b\}$$
를 구간이라고 하며, 이것을 기호로 각각
$$[a,\ b],\ [a,\ b),\ (a,\ b],\ (a,\ b)$$
와 같이 나타낸다.

2. **연속함수** : 함수 $f(x)$가 어떤 구간에 속하는 모든 실수에 대하여 연속일 때, $f(x)$를 그 구간에서 연속 또는 연속함수라고 한다.
특히 함수 $f(x)$가
(ⅰ) 열린구간 $(a,\ b)$에서 연속이고
(ⅱ) $\lim\limits_{x\to a+}f(x)=f(a),\ \lim\limits_{x\to b-}f(x)=f(b)$
일 때, $f(x)$는 닫힌구간 $[a,\ b]$에서 연속이라고 한다.

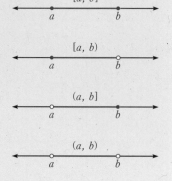

1. $[a,\ b]$를 닫힌구간, $(a,\ b)$를 열린구간, $[a,\ b),\ (a,\ b]$를 반닫힌구간 또는 반 열린구간이라고 한다.
2. 어떤 구간에서 함수 $f(x)$의 그래프가 끊어지지 않고 이어져 있으면 $f(x)$는 그 구간에서 연속이다.

유형 017 구간에서의 연속

※ 다음 함수가 연속인 구간을 구하여라.

01 $f(x)=x^2+2x-3$

02 $f(x)=\dfrac{x}{x+5}$

03 $f(x)=\sqrt{3-x}$

해설ㅣ $y=\sqrt{3-x}$
$\quad =\sqrt{-(x-3)}$
의 그래프는 $y=\sqrt{-x}$
의 그래프를 x축의 방향으로 $\boxed{}$만큼 평행
이동한 것이다.
따라서 연속이 되는 구간은 $\boxed{}$이다.

04 $f(x)=\sqrt{x^2-4x-5}$

유형 018 함수의 연속과 미정계수의 결정 (2)

※ 다음 함수가 모든 실수 x에서 연속일 때, 상수 $a,\ b$의 값을 각각 구하여라.

05 $f(x)=\begin{cases} ax-1 & (x<1\ 또는\ x>2) \\ x^2+x-b & (1\leq x\leq 2) \end{cases}$

해설ㅣ 함수 $f(x)$가 모든 실수 x에서 연속이므로 $x=1$, $x=2$에서 연속이다.
함수 $f(x)$가 $x=2$에서 연속이므로
$\lim\limits_{x\to 2+}f(x)=f(2)$
$2a-1=2^2+2-b$ $\quad \therefore 2a+b=\boxed{}$ ……㉠
또, 함수 $f(x)$가 $x=1$에서 연속이므로
$\lim\limits_{x\to 1-}f(x)=f(1)$
$a-1=1^2+1-b$ $\quad \therefore a+b=\boxed{}$ ……㉡
㉠, ㉡을 연립하여 풀면 $a=\boxed{}$, $b=\boxed{}$

06 $f(x)=\begin{cases} ax-b & (x<-1,\ x>1) \\ x^2 & (-1\leq x\leq 1) \end{cases}$

※ 다음 물음에 답하여라.

07 양의 실수 x에 대하여 $f(x)=\dfrac{ax-5}{\sqrt{x^2+3}-2}$인 함수 $f(x)$가 모든 실수 x에서 연속일 때, $f(1)$의 값을 구하여라.

해설ㅣ 함수 $f(x)$가 양의 실수 전체에서 연속이려면 $x=1$에서 연속이어야 하므로

$f(1)=\lim_{x\to1}f(x)$

$f(1)=k$라고 하면

$\lim_{x\to1}\dfrac{ax-5}{\sqrt{x^2+3}-2}=k$ ……㉠

$x\to1$일 때, (분모) $\to0$이므로 (분자) $\to0$이어야 한다.

즉, $\lim_{x\to1}(ax-5)=0$에서 $a-5=0$ $\therefore a=5$

$a=5$를 ㉠에 대입하면

$\lim_{x\to1}\dfrac{5x-5}{\sqrt{x^2+3}-2}=\lim_{x\to1}\dfrac{5(x-1)(\sqrt{x^2+3}+2)}{x^2-1}$

$\qquad\qquad\qquad=\lim_{x\to1}\dfrac{5(\sqrt{x^2+3}+2)}{x+1}=\boxed{}$

$\therefore f(1)=\boxed{}$

08 $f(x)=\dfrac{x^3+x^2-4x-4}{x^2-4}$인 함수 $f(x)$가 모든 실수에서 연속일 때, $f(2)\cdot f(-2)$의 값을 구하여라.

유형 **019** $(x-a)f(x)=g(x)$꼴로 정의된 함수 $f(x)$의 연속성

※ 다음 물음에 답하여라.

09 실수 전체의 집합에서 연속인 함수 $f(x)$가 등식 $(x-3)f(x)=x^2+x+k$를 만족한다. 이때, $f(3)$의 값을 구하여라.

해설ㅣ $f(x)$가 실수 전체의 집합에서 연속이므로

$\qquad\lim_{x\to3}f(x)=f(3)$을 만족해야 한다.

$\qquad x\neq3$일 때, $f(x)=\dfrac{x^2+x+k}{x-3}$

$\qquad x\to3$일 때, (분모) $\to0$이므로 (분자) $\to0$이어야 한다.

$\qquad$즉, $\lim_{x\to3}(x^2+x+k)=12+k=0$ $\therefore k=-12$

$\qquad\therefore f(3)=\lim_{x\to3}f(x)=\lim_{x\to3}\dfrac{x^2+x-12}{x-3}$

$\qquad\qquad\quad=\lim_{x\to3}\dfrac{(x-3)(x+4)}{x-3}$

$\qquad\qquad\quad=\lim_{x\to3}(x+4)=\boxed{}$

10 실수 전체의 집합에서 연속인 함수 $f(x)$가 등식 $(x^2+x-6)f(x)=x^3+ax+b$를 만족할 때, a, b의 값을 구하여라.

연속함수의 성질

두 함수 $f(x)$, $g(x)$가 어떤 구간에서 연속이면 다음 함수도 그 구간에서 연속이다.

(1) $cf(x)$ (단, c는 상수)　　　(2) $f(x) \pm g(x)$

(3) $f(x)g(x)$　　　(4) $\dfrac{f(x)}{g(x)}$ (단, $g(x) \neq 0$)

모든 다항함수는 실수 전체에서 연속이다. 또, 유리함수는 분모를 0이 되게 하는 것을 제외한 모든 실수에서 연속이다.

유형 020　연속함수의 성질

※ 함수 $f(x) = x^2 - 2x + 1$, $g(x) = 4x + 3$에 대하여 다음 함수가 연속인 구간을 구하여라.

01 $f(x) - 2g(x)$

02 $f(x)\{g(x)\}^2$

03 $\dfrac{f(x)}{g(x)}$

04 $\dfrac{g(x)}{f(x)}$

※ 다음 함수 $f(x)$에 대하여 구간 $[-1, 1]$에서의 연속성을 조사하여라.

05 $f(x) = \dfrac{x^2}{|x|}$

06 $f(x) = x|x|$

07 $f(x) = |x| + |x-1|$

학교시험 필수예제

08 두 함수 $f(x)$, $g(x)$가 $x = a$에서 연속일 때, <보기>의 함수 중 $x = a$에서 항상 연속인 것만을 있는 대로 고른 것은?

┤보기├
ㄱ. $\{g(x)\}^2$　　　　　ㄴ. $\dfrac{1}{3}f(x) - 2g(x)$

ㄷ. $\dfrac{g(x)}{f(x) + g(x)}$

① ㄱ　　　　② ㄴ　　　　③ ㄱ, ㄴ
④ ㄱ, ㄷ　　　⑤ ㄱ, ㄴ, ㄷ

12 최대 · 최소 정리

1. **최대 · 최소 정리** : 함수 $f(x)$가 닫힌구간 $[a,\ b]$에서 연속이면, $f(x)$는 이 구간에서 반드시 최댓값과 최솟값을 갖는다.

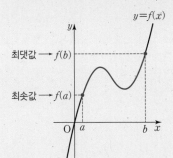 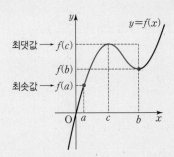

- 닫힌구간이 아닌 경우에는 이 구간에서 연속일지라도 최댓값과 최솟값을 갖지 않을 수 있다.
- 함수 $f(x)$가 연속이 아니면 닫힌구간에서도 최댓값, 최솟값을 갖지 않을 수 있다.

2. 함수 $f(x)$가 닫힌구간 $[a,\ b]$에서 불연속이면 함수 $y=f(x)$의 그래프를 그려서 최댓값, 최솟값의 존재를 확인한다.

유형 021 최대 · 최소 정리

※ 주어진 구간에서 함수 $f(x)$의 최댓값과 최솟값을 구하여라.

01 $f(x)=x^2+5$ $\qquad$ $[-1,\ 4]$

해설| $f(x)=x^2+5$는 구간 $[-1,\ 4]$에서 연속이고
$x=$ ☐ 일 때 최댓값 ☐, $x=$ ☐ 일 때
최솟값 ☐를 갖는다.

02 $f(x)=-x^2+4x+2$ $\qquad$ $[-1,\ 3]$

03 $f(x)=\dfrac{3}{x+1}$ $\qquad$ $[2,\ 5]$

04 $f(x)=\dfrac{1}{-x+2}$ $\qquad$ $[3,\ 5]$

05 $f(x)=\sqrt{x+1}$ $\qquad$ $[0,\ 8]$

해설| $f(x)=\sqrt{x+1}$은 닫힌 구간 $[0,\ 8]$에서 연속이므로 최댓값과 최솟값을 모두 가진다.
구간 $[0,\ 8]$에서 $y=f(x)$의 그래프는

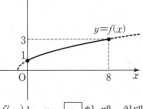

오른쪽 그림과 같으므로 $f(x)$는 $x=$ ☐ 일 때, 최댓값 ☐, $x=$ ☐ 일 때, 최솟값 ☐을 가진다.

06 $f(x)=\sqrt{12-4x}$ $\qquad$ $[-2,\ 2]$

※ 주어진 구간에서 다음 함수의 최댓값, 최솟값이 있으면 구하여라.

07 $f(x)=x^2-2x+2$ $\qquad$ $[0,\ 3]$

08 $f(x)=-x^2+4x+1$ $\qquad$ $[-1,\ 3]$

09 $f(x)=x^4-2x^2-1$ $\qquad$ $[-2,\ 2]$

10 $f(x)=\dfrac{1}{x-1}$ $\qquad$ $[-2,\ 0]$

학교시험 필수예제

11 함수 $y=f(x)$의 그래프가 다음 그림과 같을 때, <보기>에서 함수 $f(x)$에 대한 설명으로 옳은 것을 골라라.

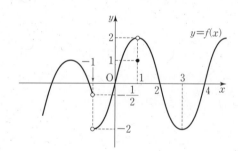

┤ 보기 ├

ㄱ. $x=1$에서 연속이다.

ㄴ. 구간 $[0,\ 2]$에서 최댓값이 존재한다.

ㄷ. 구간 $[2,\ 4]$에서 최댓값과 최솟값이 모두 존재한다.

13 사잇값 정리

1. **사잇값 정리** : 함수 $f(x)$가 닫힌구간 $[a,\ b]$에서 연속이고 $f(a) \neq f(b)$이면, $f(a)$와 $f(b)$ 사이에 있는 임의의 값 k에 대하여
$$f(c)=k \ \ (a<c<b)$$
인 c가 적어도 하나 존재한다.

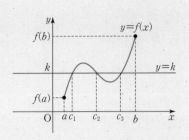

사잇값 정리는 닫힌구간에서 함수가 연속일 때에만 성립한다.

2. **사잇값 정리의 방정식에의 활용** : 사잇값의 정리에 의하여 함수 $f(x)$가 닫힌구간 $[a,\ b]$에서 연속이고 $f(a)f(b)<0$이면 방정식 $f(x)=0$은 열린구간 $(a,\ b)$에서 적어도 하나의 실근을 갖는다.

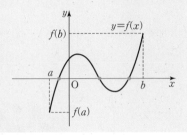

유형 023 사잇값 정리

※ 다음 방정식은 주어진 구간에서 적어도 하나의 실근을 가짐을 보여라.

01 $x^3+3x-2=0 \quad (-1,\ 1)$

해설 | $f(x)=x^3+3x-2$라고 하면 함수 $f(x)$는 닫힌구간 $[-1,\ 1]$에서 연속이고,
$f(-1)=-6<0,\ f(1)=2>0$
이므로 사잇값 정리에 의하여 $f(c)=\boxed{}$인 c가 열린구간 $\boxed{}$에 적어도 하나 존재한다.
따라서 방정식 $x^3+3x-2=0$은 열린구간 $(-1,\ 1)$에서 적어도 하나의 $\boxed{}$을 갖는다.

02 $x^2+2x-2=0 \quad (-1,\ 2)$

03 $x^4+x-1=0 \quad (0,\ 1)$

04 방정식 $x^3+3x-3=0$이 단 하나의 실근을 가질 때, 다음에서 이 방정식의 실근이 존재하는 구간을 찾아라.

┤ 보기 ├

ㄱ. $\left(-1,\ -\dfrac{1}{2}\right)$ ㄴ. $\left(-\dfrac{1}{2},\ 0\right)$

ㄷ. $\left(0,\ \dfrac{1}{2}\right)$ ㄹ. $\left(\dfrac{1}{2},\ 1\right)$

ㅁ. $\left(1,\ \dfrac{3}{2}\right)$

05 방정식 $x^3+2x-10=0$이 단 하나의 실근을 가질 때, 다음 중 이 방정식의 실근이 존재하는 구간을 찾아라.

ㄱ. $(-2,\ -1)$ ㄴ. $(-1,\ 0)$
ㄷ. $(0,\ 1)$ ㄹ. $(1,\ 2)$
ㅁ. $(2,\ 3)$

06 연속함수 $f(x)$에서 $f(-2)=-1$, $f(-1)=1$, $f(0)=2$, $f(1)=0$, $f(2)=2$, $f(3)=-4$일 때, $-2 \leq x \leq 3$에서 방정식 $f(x)=0$은 적어도 몇 개의 실근을 갖는지 구하여라.

해설| $f(-2)=-1<0$, $f(-1)=1>0$이므로
$-2<x<-1$에서 적어도 하나의 실근을 갖는다.
또한, $f(1)=0$이므로 $x=1$은 하나의 실근이다.
그리고 $f(2)=2>0$, $f(3)=-4<0$이므로 $2<x<3$
에서 적어도 하나의 실근을 갖는다.
따라서 방정식 $f(x)=0$은 $-2 \leq x \leq 3$에서 적어도
□ 개의 실근을 갖는다.

07 연속함수 $f(x)$에서 $f(0)=-1$, $f(1)=-3$, $f(2)=5$, $f(3)=-4$, $f(4)=-2$일 때, $0 \leq x \leq 4$에서 방정식 $f(x)-2x=0$은 적어도 몇 개의 실근을 갖는지 구하여라.

08 $-2 \leq x \leq 2$에서 정의된 두 함수 $y=f(x)$와 $y=g(x)$의 그래프가 그림과 같을 때, <보기>에서 옳은 것만을 있는 대로 고른 것은?

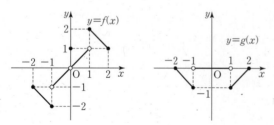

┤ 보기 ├
ㄱ. $\lim_{x \to -1} g(f(x)) = -1$
ㄴ. 함수 $g(f(x))$는 $x=0$에서 연속이 아니다.
ㄷ. 방정식 $g(f(x)) = -\frac{1}{2}$의 실근이 1과 2 사이에 적어도 하나 존재한다.

학교니험 **필수예제**

09 삼차함수 $y=f(x)$의 그래프와 함수
$$g(x)=\begin{cases} \dfrac{1}{2}x-1 & (x>0) \\ -x-2 & (x \leq 0) \end{cases}$$
의 그래프가 그림과 같을 때, <보기>에서 옳은 것을 모두 고른 것은?

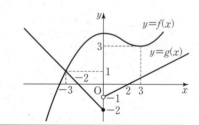

┤ 보기 ├
ㄱ. $\lim_{x \to 0+} g(x) = -2$
ㄴ. 함수 $g(f(x))$는 $x=0$에서 연속이다.
ㄷ. 방정식 $g(f(x))=0$은 닫힌구간 $[-3, 3]$에서 적어도 하나의 실근을 갖는다.

① ㄱ   ② ㄴ   ③ ㄷ
④ ㄴ, ㄷ   ⑤ ㄱ, ㄴ, ㄷ

I. 함수의 극한과 연속

1. 함수의 극한

(1) 함수 $y=f(x)$에서 x의 값이 a가 아니면서 a에 한없이 가까워질 때, $f(x)$의 값이 일정한 값 L에 한없이 가까워지면 함수 $f(x)$는 L에 ❶ 한다고 한다. 이때, L을 함수 $f(x)$의 $x=a$에서의 ❷ 또는 극한이라 하고, 다음과 같이 나타낸다.

$$\lim_{x \to a} f(x) = L \text{ 또는 } x \to a \text{일 때 } f(x) \to L$$

(2) 함수 $f(x)$에서 x의 값이 a가 아니면서 a에 한없이 가까워질 때

　① $f(x)$의 값이 한없이 커지면 함수 $f(x)$는 양의 무한대로 ❸ 한다고 한다.

　　⇨ $\lim_{x \to a} f(x) = \infty$ 또는 $x \to a$일 때 $f(x) \to \infty$

　② $f(x)$의 값이 음수이면서 그 절댓값이 한없이 커지면 함수 $f(x)$는 음의 무한대로 ❹ 한다고 한다.

　　⇨ $\lim_{x \to a} f(x) = -\infty$ 또는 $x \to a$일 때 $f(x) \to -\infty$

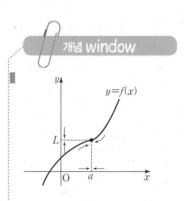

2. 우극한과 좌극한

(1) 우극한 : 함수 $f(x)$에서 x가 a보다 큰 값을 가지면서 a에 한없이 가까워질 때, $f(x)$의 값이 일정한 값 L에 한없이 가까워지면 L을 $f(x)$의 $x=a$에서의 우극한이라 하고, 다음과 같이 나타낸다.

$$\lim_{x \to a+} f(x) = L \text{ 또는 } x \to a+ \text{일 때 } f(x) \to L$$

(2) 좌극한 : 함수 $f(x)$에서 x가 a보다 작은 값을 가지면서 a에 한없이 가까워질 때, $f(x)$의 값이 일정한 값 L에 한없이 가까워지면 L을 $f(x)$의 $x=a$에서의 좌극한이라 하고, 다음과 같이 나타낸다.

$$\lim_{x \to a-} f(x) = L \text{ 또는 } x \to a- \text{일 때 } f(x) \to L$$

(3) 극한값의 존재 : $\lim_{x \to a} f(x) = L \Longleftrightarrow \lim_{x \to a+} f(x) = \lim_{x \to a-} f(x) =$ ❺

▎ 함수 $f(x)$의 $x=a$에서의 우극한 또는 좌극한이 존재하지 않거나 모두 존재하더라도 그 값이 같지 않으면 $\lim_{x \to a} f(x)$는 존재하지 않는다.

3. 함수의 극한의 성질

$\lim_{x \to a} f(x) = \alpha$, $\lim_{x \to a} g(x) = \beta$ (α, β는 실수)일 때

(1) $\lim_{x \to a} cf(x) = c\lim_{x \to a} f(x) = c\alpha$ (단, c는 상수)

(2) $\lim_{x \to a} \{f(x)+g(x)\} = \lim_{x \to a} f(x) + \lim_{x \to a} g(x) = \alpha+\beta$

(3) $\lim_{x \to a} \{f(x)-g(x)\} = \lim_{x \to a} f(x) - \lim_{x \to a} g(x) =$ ❻

(4) $\lim_{x \to a} f(x)g(x) = \lim_{x \to a} f(x) \lim_{x \to a} g(x) =$ ❼

(5) $\lim_{x \to a} \dfrac{f(x)}{g(x)} = \dfrac{\lim_{x \to a} f(x)}{\lim_{x \to a} g(x)} = \dfrac{\alpha}{\beta}$ (단, $g(x) \neq 0$, $\beta \neq 0$)

❶ 수렴　❷ 극한값　❸ 발산　❹ 발산　❺ L　❻ $\alpha-\beta$　❼ $\alpha\beta$

4. 함수의 극한값의 계산

(1) $\dfrac{0}{0}$꼴

　① 분자, 분모가 모두 다항식인 경우에는 분자, 분모를 각각 인수분해하여 약분한다.

　② 분자, 분모 중에 무리식이 있으면 근호가 들어 있는 쪽을 유리화한 다음 분모를 0이 되게

　　하는 식을 약분한다.

(2) $\dfrac{\infty}{\infty}$꼴 : ⑧□□□ 의 최고차항으로 분자, 분모를 나눈다.

(3) $\infty - \infty$꼴 : ① 다항식은 최고차항으로 묶는다.

　　　　　　　② 무리식은 근호가 들어 있는 쪽을 유리화한다.

(4) $\infty \times 0$꼴 : 통분 또는 유리화하여 $\infty \times c,\ \dfrac{c}{\infty},\ \dfrac{0}{0},\ \dfrac{\infty}{\infty}$ (c는 상수)꼴로 변형한다.

5. 함수의 극한의 대소 관계

$\lim\limits_{x \to a} f(x) = \alpha$, $\lim\limits_{x \to a} g(x) = \beta$ (α, β는 실수)일 때, a에 가까운 모든 x에 대하여

(1) $f(x) \leq g(x)$이면 $\alpha \leq \beta$

(2) $f(x) \leq h(x) \leq g(x)$이고 $\alpha = \beta$이면 $\lim\limits_{x \to a} h(x) =$ ⑨□

6. 미정계수의 결정

두 함수 $f(x)$, $g(x)$에 대하여 $\lim\limits_{x \to a} \dfrac{f(x)}{g(x)} = \alpha$ (α는 상수)일 때,

(1) $\lim\limits_{x \to a} g(x) = 0$이면 $\Rightarrow \lim\limits_{x \to a} f(x) =$ ⑩□

(2) $\alpha \neq 0$이고 $\lim\limits_{x \to a} f(x) = 0$이면 $\Rightarrow \lim\limits_{x \to a} g(x) = 0$

7. $x=a$에서 연속인 함수

(1) $x=a$에서 연속 : 함수 $f(x)$와 실수 a에 대하여 다음 세 조건을 만족할 때, 함수 $f(x)$는

　$x=a$에서 ⑪□□ 이라고 한다.

　(i) $x=a$에서 $f(x)$의 값 $f(a)$가 정의되어 있고

　(ii) 극한값 $\lim\limits_{x \to a} f(x)$가 존재하며

　(iii) $\lim\limits_{x \to a} f(x) =$ ⑫□

(2) $x=a$에서 불연속 : 함수 $f(x)$가 $x=a$에서 연속이 아닐 때, 즉 위의 세 조건 중 어

　느 하나라도 만족하지 않을 때, 함수 $f(x)$는 $x=a$에서 불연속이라고 한다.

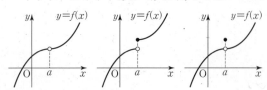

개념 window

■ 함수의 극한의 대소 관계는
$x \to a-$, $x \to a+$, $x \to \infty$,
$x \to -\infty$일 때에도 성립한다.
(1)의 결과는 $f(x) < g(x)$일 때에
도 성립한다. 또, (2)의 결과는
$f(x) < h(x) < g(x)$일 때에도
성립한다.

■ (1) $x \to a$일 때 (분모)$\to 0$이고 극
　한값이 존재하면 (분자)$\to 0$
(2) $x \to a$일 때 (분자)$\to 0$이고 0
이 아닌 극한값이 존재하면 (분
모)$\to 0$

■ ・$\lim\limits_{x \to a} f(x) = f(a)$이면 $f(x)$는
$x=a$에서 연속이다.
・함수 $f(x)$가 $x=a$에서 불연속
인 경우
$\Rightarrow x=a$에서 함수 $y=f(x)$가
끊어져 있는 경우이다.

⑧ 분모　⑨ α　⑩ 0　⑪ 연속　⑫ $f(a)$

8. 구간에서 연속인 함수

(1) **구간** : 두 실수 a와 $b(a<b)$에 대하여 실수의 집합 $\{x|a\leq x\leq b\}$, $\{x|a\leq x<b\}$, $\{x|a<x\leq b\}$, $\{x|a<x<b\}$를 구간이라고 하며, 이것을 기호로 각각

$$[a,\ b],\ [a,\ b),\ (a,\ b],\ (a,\ b)$$

와 같이 나타낸다.

(2) **연속함수** : 함수 $f(x)$가 어떤 구간에 속하는 모든 실수에 대하여 연속일 때, $f(x)$를 그 구간에서 연속 또는 ⑬ □□□ 함수라고 한다.

특히 함수 $f(x)$가

(ⅰ) 열린구간 $(a,\ b)$에서 연속이고

(ⅱ) $\displaystyle\lim_{x \to a+}f(x)=f(a)$, $\displaystyle\lim_{x \to b-}f(x)=f(b)$

일 때, $f(x)$는 닫힌구간 $[a,\ b]$에서 ⑭ □□□ 이라고 한다.

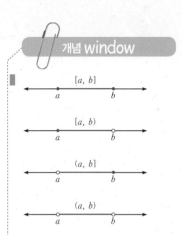

9. 연속함수의 성질

두 함수 $f(x)$, $g(x)$가 어떤 구간에서 연속이면 다음 함수도 그 구간에서 연속이다.

(1) $cf(x)$ (단, c는 상수)　　　(2) $f(x)\pm g(x)$

(3) $f(x)g(x)$　　　(4) $\dfrac{f(x)}{g(x)}$ (단, $g(x)\neq 0$)

모든 다항함수는 실수 전체에서 연속이다. 또, 유리함수는 분모를 0이 되게 하는 것을 제외한 모든 실수에서 연속이다.

10. 최대 · 최소 정리

함수 $f(x)$가 닫힌구간 $[a,\ b]$에서 연속이면, $f(x)$는 이 구간에서 반드시 최댓값과 ⑮ □□□ 을 갖는다.

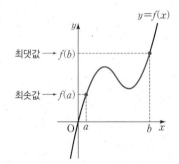 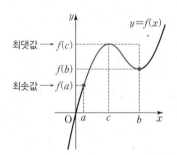

· 닫힌구간이 아닌 경우에는 이 구간에서 연속일지라도 최댓값과 최솟값을 갖지 않을 수 있다.
· 함수 $f(x)$가 연속이 아니면 닫힌구간에서도 최댓값, 최솟값을 갖지 않을 수 있다.

11. 사잇값 정리

(1) **사잇값 정리** : 함수 $f(x)$가 닫힌구간 $[a,\ b]$에서 ⑯ □□□ 이고 $f(a)\neq f(b)$이면, $f(a)$와 $f(b)$ 사이에 있는 임의의 값 k에 대하여

$$f(c)=k\ (a<c<b)$$

인 c가 적어도 하나 존재한다.

(2) **사잇값 정리의 방정식에의 활용** : 사잇값 정리에 의하여 함수 $f(x)$가 닫힌구간 $[a,\ b]$에서 연속이고 $f(a)f(b)$ ⑰ □ 0이면 방정식 $f(x)=0$은 열린구간 $(a,\ b)$에서 적어도 하나의 실근을 갖는다.

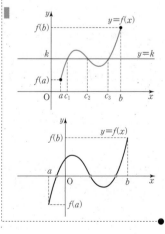

⑬ 연속　⑭ 연속　⑮ 최솟값　⑯ 연속　⑰ $<$

자이로컴퍼스

비행기나 우주선, 잠수함, 선박과 같이 움직이는 물체의 위치 제어에 사용된다.

곡사포

포탄이 그리는 곡선의 접선의 기울기가 0인 점이 포탄의 최고 높이이다.

자동차의 속도계

자동차가 속도가 변하지 않으면 속도계의 바늘은 정지해 있다.

어떻게?
살아 움직이는 자연 현상을
효과적으로 분석할 수 있을까?

그 답은 바로
움직이는 대상의 순간변화율인 접선의 기울기에 있다!

'미분(微分)'은 한자로 작을 미(微)와 나눌 분(分)이므로 간단히 말해 작게 나눈다는 뜻이다. 미분의 개념은 17세기 과학자들이 움직이는 물체의 속도 변화를 연구하면서 생겨났다.

우리가 알고 있듯이 땅 위에서 움직이는 모든 물체는 공기의 마찰과 각도에 따라 끊임없이 속도가 변하면서 이동한다. 예를 들어 거리를 시간에 대해 미분하면(자르고 또 자르면) 속도가 되고, 속도를 시간에 대해 미분하면 가속도가 된다. 이처럼 미분은 운동하는 사물의 변화를 정확히 분석하고 해석하기 위한 매우 중요한 수학적 도구이다. 함수와 미분을 생활에 응용한 예가 바로 일기예보이다. 날씨를 예측하기 위해서 여러 장소에서 측정된 온도, 습도, 풍속과 풍향, 기압과 강수량 등 다양한 값들을 초깃값으로 해서 시간에 대한 미분방정식을 푼다.

이러한 미분의 원리는 바이러스의 증식 속도, 로켓이나 인공위성의 지구 탈출 속도 등을 계산하거나 환율이나 주가 변동, 물가 지수 등 금융 시장의 변동을 분석하고 예측하는 등 다양한 분야에 활용되고 있다.

II 다항함수의 미분법

01 평균변화율

함수 $y=f(x)$에서 x의 값이 a에서 b까지 변할 때의 평균변화율은

$$\frac{\Delta y}{\Delta x}=\frac{f(b)-f(a)}{b-a}=\frac{f(a+\Delta x)-f(a)}{\Delta x}$$

|참고| 함수 $y=f(x)$에서 x의 값이 a에서 b까지 변할 때, 함숫값은 $f(a)$에서 $f(b)$까지 변한다. 이때, x의 변화량 $b-a$를 x의 증분, y의 변화량 $f(b)-f(a)$를 y의 증분이라 하고 Δx, Δy와 같이 나타낸다.

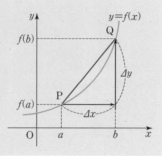

함수 $y=f(x)$의 평균변화율은 그래프 위의 두 점 $(a, f(a))$, $(b, f(b))$를 지나는 직선의 기울기와 같다.

유형 024 평균변화율

※ x의 값이 [ ] 안의 값과 같이 변할 때, 다음 함수의 평균변화율을 구하여라.

01 $f(x)=x^2$ [1에서 5까지]

해설| 평균변화율은 $\dfrac{\Delta y}{\Delta x}$이므로

$$\frac{\Delta y}{\Delta x}=\frac{f(5)-f(1)}{5-1}=\frac{\boxed{}}{4}=\boxed{}$$

02 $f(x)=-x^2+x$ [1에서 3까지]

03 $f(x)=x^2+x$ [a에서 $a+h$까지]

※ 함수 $f(x)$의 구간 $[1, a]$에서의 평균변화율이 다음과 같을 때, a의 값을 구하여라.

04 $f(x)=x^2+3x$의 구간 $[1, a]$에서의 평균변화율이 5일 때, a의 값

해설| $\dfrac{\Delta y}{\Delta x}=\dfrac{f(a)-f(1)}{a-1}=\dfrac{(a^2+3a)-4}{a-1}$

$$=\frac{(a+\boxed{})(a-1)}{a-1}=a+\boxed{}$$

즉, $a+\boxed{}=5$이므로 $a=\boxed{}$

05 $f(x)=x^2-3x+4$의 구간 $[2, a]$에서의 평균변화율이 7일 때, a의 값

06 함수 $f(x)=3x+1$에서 x의 값이 2에서 $2+\Delta x$까지 변할 때의 평균 변화율을 구하여라.

해설| $\dfrac{\Delta y}{\Delta x}=\dfrac{f(a+\Delta x)-f(a)}{\Delta x}$

$$=\frac{\{3(\boxed{}+\Delta x)+\boxed{}\}-7}{\Delta x}=\frac{3\Delta x}{\Delta x}=\boxed{}$$

07 함수 $f(x)=2x-3$에서 x의 값이 4에서 $4+\Delta x$까지 변할 때의 평균 변화율을 구하여라.

학교시험 필수예제

08 함수 $f(x)=x^2-ax+2$에 대하여 x의 값이 2에서 4까지 변할 때의 평균변화율이 3일 때, 상수 a의 값은?

① -3 ② -1 ③ 0
④ 1   ⑤ 3

02 미분계수

함수 $y=f(x)$의 $x=a$에서의 미분계수는

$$f'(a) = \lim_{\Delta x \to 0} \frac{\Delta y}{\Delta x}$$

$$= \lim_{\Delta x \to 0} \frac{f(a+\Delta x)-f(a)}{\Delta x}$$

$$= \lim_{x \to a} \frac{f(x)-f(a)}{x-a}$$

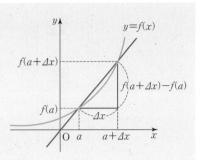

평균변화율

$\dfrac{\Delta y}{\Delta x} = \dfrac{f(a+\Delta x)-f(a)}{\Delta x}$의 극한값,

즉 $\Delta x \to 0$일 때의 평균변화율의 극한값

$$\lim_{\Delta x \to 0} \frac{\Delta y}{\Delta x} = \lim_{\Delta x \to 0} \frac{f(a+\Delta x)-f(a)}{\Delta x}$$

를 함수 $y=f(x)$의 $x=a$에서의 순간변화율 또는 미분계수라고 한다.

유형 025 미분계수

※ 미분계수의 정의를 이용하여 다음 함수의 $x=1$에서의 미분계수를 구하여라.

01 $f(x)=2x+3$

해설| $f'(1) = \lim_{\Delta x \to 0} \dfrac{f(1+\Delta x)-f(1)}{\Delta x}$

$= \lim_{\Delta x \to 0} \dfrac{\{2(1+\Delta x)+3\}-(2\cdot 1+3)}{\Delta x}$

$= \lim_{\Delta x \to 0} \dfrac{\boxed{}\Delta x}{\Delta x} = \boxed{}$

02 $f(x)=3x^2$

03 $f(x)=x^2+2x$

04 $f(x)=x^2-x$

※ 다음을 만족하는 상수 a의 값을 구하여라.

05 함수 $f(x)=x^2-2x$에 대하여 x의 값이 1부터 2까지 변할 때의 평균변화율과 $x=a$에서의 미분계수 $f'(a)$가 같을 때, 상수 a의 값을 구하여라.

해설| x의 값이 1부터 2까지 변할 때의 함수 $f(x)$의 평균변화율은

$$\frac{f(2)-f(1)}{2-1} = \frac{0-(-1)}{1} = 1$$

$x=a$에서의 미분계수 $f'(a)$는

$$f'(a) = \lim_{x \to a} \frac{f(x)-f(a)}{x-a} = \lim_{x \to a} \frac{x^2-2x-a^2+2a}{x-a}$$

$$= \lim_{x \to a} \frac{(x-a)(x+a-\boxed{})}{x-a}$$

$$= \lim_{x \to a} (x+a-\boxed{}) = 2a-\boxed{}$$

따라서 $2a-\boxed{}=1$이므로 $a=\boxed{}$

06 함수 $f(x)=3x^2-2x$에 대하여 x의 값이 0에서 a까지 변할 때의 평균변화율과 $x=1$에서의 미분계수가 같을 때, 상수 a의 값을 구하여라.

학교시험 필수예제

07 함수 $f(x)=x^2-x+1$에 대하여 x의 값이 1에서 a까지 변할 때의 평균변화율과 $x=1$에서의 미분계수가 같을 때, 상수 a의 값은?

① -2 ② -1 ③ 0

④ 1 ⑤ 2

※ 함수 $f(x)$에 대하여 $f'(a)=3$일 때, 다음 극한값을 구하여라.

08 $\lim\limits_{h \to 0} \dfrac{f(a-3h)-f(a)}{h}$

해설| $\lim\limits_{h \to 0} \dfrac{f(a-3h)-f(a)}{h}$

$\quad = \lim\limits_{h \to 0} \dfrac{f(a-3h)-f(a)}{-3h} \times (\boxed{})$

$\quad = f'(a) \times (\boxed{}) = \boxed{}$

09 $\lim\limits_{h \to 0} \dfrac{f(a+5h)-f(a)}{h}$

10 $\lim\limits_{h \to 0} \dfrac{f(a+3h)-f(a-h)}{h}$

11 $\lim\limits_{h \to 0} \dfrac{f(a+4h)-f(a-2h)}{h}$

※ 함수 $f(x)$에 대하여 $f(2)=2, f'(2)=4$일 때, 다음 극한값을 구하여라.

12 $\lim\limits_{x \to 2} \dfrac{f(x)-f(2)}{x^2-4}$

해설| $\lim\limits_{x \to 2} \dfrac{f(x)-f(2)}{x^2-4} = \lim\limits_{x \to 2} \dfrac{f(x)-f(2)}{x-2} \times \dfrac{1}{x+\boxed{}}$

$\quad\quad = f'(2) \times \boxed{} = 4 \times \boxed{} = \boxed{}$

13 $\lim\limits_{x \to 2} \dfrac{f(x)-2}{x^3-8}$

14 $\lim\limits_{x \to 2} \dfrac{2f(x)-xf(2)}{x-2}$

학교시험 필수예제

15 함수 $f(x)=x^3+2x$에 대하여

$\lim\limits_{h \to 0} \dfrac{f(2+h)-12}{h}$의 값은?

① 11   ② 12   ③ 13

④ 14   ⑤ 15

03 미분계수의 기하학적 의미

빠른정답 03쪽 / 친절한 해설 17쪽

함수 $y=f(x)$의 $x=a$에서의 미분계수 $f'(a)$는 곡선 $y=f(x)$ 위의 점 $(a, f(a))$에서의 접선의 기울기이다.

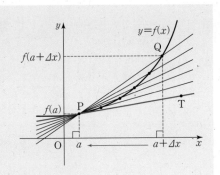

$\Delta x \to 0$일 때 직선 PQ의 기울기의 극한값은 직선 PT의 기울기

유형 ○26 미분계수와 접선의 기울기

※ 다음 곡선 위의 점에서의 접선의 기울기를 구하여라.

01 $f(x)=x^2$, 점 $(2, 4)$

해설ㅣ점 $(2, 4)$에서의 접선의 기울기는 $f'(2)$와 같으므로

$$f'(2)=\lim_{\Delta x \to 0} \frac{f(\boxed{}+\Delta x)-f(2)}{\Delta x}$$
$$=\lim_{\Delta x \to 0} \frac{(\boxed{}+\Delta x)^2-4}{\Delta x}$$
$$=\lim_{\Delta x \to 0}(\boxed{}+\Delta x)=\boxed{}$$

02 $f(x)=3x^2$, 점 $(1, 3)$

03 $f(x)=x^2-2$, 점 $(1, -1)$

04 $f(x)=2x^2+3$, 점 $(-1, 5)$

05 $y=x^2+4x$, 점 $(1, 5)$

06 $y=x^2-6x$, 점 $(3, -9)$

학교시험 필수예제

07 곡선 $y=3x^2+ax$ 위의 한 점 $\mathrm{P}(1, 3+a)$에서의 접선의 방정식이 $y=5x-3$일 때, 상수 a의 값은?

① -3 ② -1 ③ 0
④ 1 ⑤ 3

04 미분가능성과 연속성

함수 $y=f(x)$가 $x=a$에서 미분가능하면 함수 $y=f(x)$는 $x=a$에서 연속이다. 그러나 일반적으로 그 역은 성립하지 않는다.

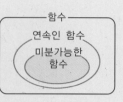

|참고| 함수 $y=f(x)$에 대하여

① $x=a$에서 연속이다. ⇨ $\lim\limits_{x \to a} f(x)=f(a)$

② $x=a$에서 미분가능하다. ⇨ $\lim\limits_{h \to 0} \dfrac{f(a+h)-f(a)}{h}$가 존재

1. **함수 $f(x)$의 $x=a$에서의 미분가능 여부**
   (ⅰ) $x=a$에서 함수 $f(x)$가 연속인 경우
   ⇨ (우미분계수)＝(좌미분계수)이면 $x=a$에서 미분가능하다.
   (ⅱ) $x=a$에서 함수 $f(x)$가 불연속인 경우
   ⇨ $x=a$에서 미분가능하지 않다.
2. 함수 $y=f(x)$의 그래프가 $x=a$에서 연속이지만 뾰족하거나 꺾인 모양이면 함수 $f(x)$가 $x=a$에서 미분가능하지 않다.

유형 O27 미분가능성과 연속성

※ 그래프가 다음과 같은 함수 중 $x=a$에서 미분가능한 것에는 ○표, 미분가능하지 않은 것에는 ×표 하여라.

01

( )

02

( )

03

( )

04

( )

※ 함수 $y=f(x)$의 그래프가 오른쪽 그림과 같을 때, 다음 중 옳은 것에는 ○표, 옳지 않은 것에는 ×표 하여라.

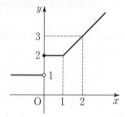

05 $f(x)$는 $x=1$에서 미분가능하다. ( )

06 $xf(x)$는 $x=0$에서 미분가능하다. ( )

07 $x^2 f(x)$는 $x=0$에서 미분가능하다. ( )

※ $y=f(x)$의 그래프가 다음과 같을 때, 미분가능하지 않은 x의 값을 모두 구하여라.

08

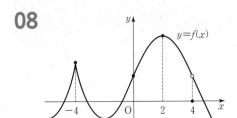

09

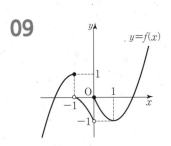

10

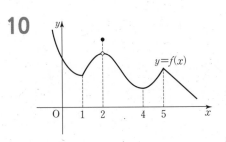

※ 다음 함수 $f(x)$에 대하여 $x=0$에서의 연속성과 미분가능성을 조사하여라.

11 $f(x) = \begin{cases} x & (x \geq 0) \\ 0 & (x < 0) \end{cases}$

해설 | $\lim_{x \to 0} f(x) = f(0)$이므로

함수 $f(x)$는 $x=0$에서 $\boxed{}$이다.

$\lim_{h \to 0+} \dfrac{f(0+h)-f(0)}{h} = \lim_{h \to 0+} \dfrac{h}{h} = 1$

$\lim_{h \to 0-} \dfrac{f(0+h)-f(0)}{h} = \boxed{}$

이므로 $\boxed{}$이 존재하지 않는다.

따라서 함수 $f(x)$는 $x=0$에서 미분가능하지 않다.

12 $f(x) = \begin{cases} x^2 & (x \geq 0) \\ 0 & (x < 0) \end{cases}$

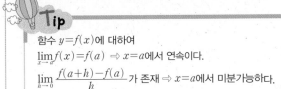

Tip

함수 $y=f(x)$에 대하여

$\lim_{x \to a} f(x) = f(a) \Rightarrow x=a$에서 연속이다.

$\lim_{h \to 0} \dfrac{f(a+h)-f(a)}{h}$ 가 존재 $\Rightarrow x=a$에서 미분가능하다.

도함수

1. **도함수** : 미분가능한 함수 $y=f(x)$의 정의역의 각 원소 x에 미분계수 $f'(x)$를 대응시켜 만든 새로운 함수를 함수 $y=f(x)$의 도함수라 하고, 기호로 $f'(x)$, y', $\dfrac{dy}{dx}$, $\dfrac{d}{dx}f(x)$ 등으로 나타낸다. 즉,

$$f'(x)=\lim_{h\to0}\frac{f(x+h)-f(x)}{h}$$

2. **미분법** : 함수 $y=f(x)$에서 도함수 $f'(x)$를 구하는 것을 함수 $f(x)$를 x에 대하여 미분한다고 하고, 그 계산법을 미분법이라고 한다.

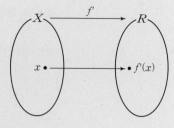

$x=a$에서의 미분계수 $f'(a)$는 함수 $f(x)$의 도함수 $f'(x)$에 $x=a$를 대입한 값이다.

유형 028 도함수

※ 다음 함수의 도함수를 구하여라.

01 $f(x)=2x$

02 $f(x)=10$

03 $f(x)=x^2-5x$

04 $f(x)=4x^2$

※ 다음 함수의 도함수를 구하여라. 또, 이 도함수를 이용하여 각 함수의 $x=3$에서의 미분계수를 구하여라.

05 $f(x)=x^2$

해설| $f'(x)=\lim\limits_{h\to0}\dfrac{f(x+h)-f(x)}{h}$

$=\lim\limits_{h\to0}\dfrac{(x+h)^2-x^2}{h}$

$=\lim\limits_{h\to0}\dfrac{2xh+h^2}{h}$

$=\lim\limits_{h\to0}(2x+h)=\boxed{}$

따라서 $f(x)$의 $x=3$에서의 미분계수는

$f'(3)=2\cdot\boxed{}=\boxed{}$

06 $f(x)=2x+5$

07 $f(x)=x^2+x$

06 미분법의 공식

---

1. 함수 $y=x^n$ 과 상수함수의 도함수
① $y=x^n$ (n은 양의 정수)이면 $y'=nx^{n-1}$
② $y=c$ (c는 상수)이면 $y'=0$

$$(x^n)'=nx^{n-1}$$

2. 실수배, 합, 차의 미분법 : 두 함수 $f(x)$, $g(x)$가 미분가능할 때,
① $\{cf(x)\}'=cf'(x)$ (단, c는 상수)
② $\{f(x)+g(x)\}'=f'(x)+g'(x)$
③ $\{f(x)-g(x)\}'=f'(x)-g'(x)$

3. 곱의 미분법 : 두 함수 $f(x)$, $g(x)$가 미분가능할 때,
$$\{f(x)g(x)\}'=f'(x)g(x)+f(x)g'(x)$$

4. $y=\{f(x)\}^n$의 도함수 : $y=\{f(x)\}^n$ (n은 자연수)이면
$$y'=n\{f(x)\}^{n-1}f'(x)$$

---

1. $y=x^6$이면 $y'=6x^5$
　$y=5$이면 $y'=0$

2. $y=2x^4$이면 $y'=8x^3$
　$y=x^3-4x$이면 $y'=3x^2-4$

3. $y=(3x+1)(x^2-1)$이면
$$y'=(3x+1)'(x^2-1)$$
$$\quad +(3x+1)(x^2-1)'$$
$$=3(x^2-1)+(3x+1)\times 2x$$
$$=9x^2+2x-3$$

4. $y=(2x+1)^3$이면
$$y'=3(2x+1)^2(2x+1)'$$
$$=6(2x+1)^2$$

유형 ○29　미분법의 공식

※ 다음 함수를 미분하여라.

01 $y=x^5$

02 $y=x^9$

03 $y=20$

04 $y=3x+2$

05 $y=-x^2+8x+5$

06 $y=\dfrac{1}{5}x^5+\dfrac{1}{4}x^4+\dfrac{1}{3}x^3+\dfrac{1}{2}x^2+x$

---

07 $y=(2x^2-3)(x-2)$

해설ㅣ 곱의 미분법을 이용하면
$$y'=\{(2x^2-3)(x-2)\}'$$
$$=(\boxed{})'(x-2)+(2x^2-3)(\boxed{})'$$
$$=4x(x-2)+(2x^2-3)\times 1$$
$$=(4x^2-8x)+(2x^2-3)$$
$$=\boxed{}$$

08 $y=(2x^2+5)(x^2-2)$

09 $y=(2x^2+3)(x^3-x+3)$

10 $y=(x^2-x)(x^3+1)$

※ 다음 함수를 미분하여라.

11 $y=(x-1)(x+2)(2x+3)$

해설| $y'=\{(x-1)(x+2)(2x+3)\}'$
$\quad=(x-1)'(x+2)(2x+3)$
$\qquad+(x-1)(\boxed{})'(2x+3)$
$\qquad+(x-1)(x+2)(\boxed{})'$
$\quad=1\times(x+2)(2x+3)+(x-1)\times1\times(2x+3)$
$\qquad+(x-1)(x+2)\times2$
$\quad=\boxed{}$

12 $y=x(x+2)(2x+1)$

13 $y=(2x-5)^4$

해설| $y'=\boxed{}(2x-5)^3\cdot\boxed{}$
$\quad=\boxed{}(2x-5)^3$

14 $y=(x^2-2x+1)^5$

※ 다음 함수 $f(x)$의 $x=1$에서의 미분계수를 구하여라.

15 $f(x)=(2x-5)(x+1)$

해설| $f'(x)=(2x-5)'(x+1)+(2x-5)(x+1)'$
$\quad=\boxed{}\cdot(x+1)+(2x-5)\cdot\boxed{}$
$\quad=4x-3$
$\therefore f'(1)=4\cdot1-\boxed{}=\boxed{}$

16 $f(x)=(x^2+3)(x^3+9)$

17 $f(x)=(2x+1)(x^2+3x+1)$

18 $f(x)=(2x+1)^3$

19 $f(x)=(-3x+4)^6$

Tip
1. $\{f(x)g(x)\}'=f'(x)g(x)+f(x)g'(x)$
2. $y=\{f(x)\}^n$ (n은 자연수)이면
$\quad y'=n\{f(x)\}^{n-1}f'(x)$

※ 함수 $f(x)$에 대하여 다음 값을 구하여라.

20 함수 $f(x)=x^2+x+3$에 대하여 $f'(10)$의 값

21 함수 $f(x)=200x-\dfrac{3}{2}x^2-\dfrac{1}{3}x^3$에 대하여 $f'(10)$의 값

22 함수 $f(x)=7x^3-ax+3$에 대하여 $f'(1)=2$를 만족시키는 상수 a의 값

23 이차함수 $f(x)=x^2+3x$에 대하여 $f(2)+f'(2)$의 값

24 함수 $f(x)=(x^3+5)(x^2-1)$에 대하여 $f'(1)$의 값

25 함수 $f(x)=(2x^3+1)(x-1)^2$에 대하여 $f'(-1)$의 값

학교시험 필수예제

26 함수 $f(x)=(x^2+1)(x^2+x-2)$에 대하여 $f'(2)$의 값을 구하여라.

※ 함수 $f(x)=ax^2+bx+c$가 다음을 만족할 때, 상수 a, b, c의 값을 구하여라.

27 $f(0)=2$, $f'(1)=5$, $f'(-1)=-7$

해설ㅣ $f(x)=ax^2+bx+c$에서 $f'(x)=2ax+b$
$f(0)=2$이므로
$c=\boxed{}$
$f'(1)=5$에서
$2a+b=5$ ...... ㉠
$f'(-1)=-7$에서
$-2a+b=-7$ ...... ㉡
㉠, ㉡을 연립하여 풀면 $a=\boxed{}$, $b=\boxed{}$
$\therefore a=\boxed{}$, $b=\boxed{}$, $c=\boxed{}$

28 $f(0)=3$, $f'(1)=-2$, $f'(-1)=-6$

29 $f(2)=6$, $f'(0)=2$, $f'(1)=4$

30 $f(2)=13$, $f'(0)=1$, $f'(1)=5$

학교시험 필수예제

31 이차함수 $f(x)$가 $f(0)=1$, $f'(0)=-5$, $f'(1)=1$을 만족할 때, $f(2)$의 값을 구하여라.

07 미분계수를 이용한 극한값의 계산

다항함수 $f(x)$에 대하여

1. $\lim_{x \to a} \dfrac{f(x)-f(a)}{x-a}=c$ (c는 상수) $\Rightarrow f'(a)=c$

2. $\lim_{x \to a} \dfrac{f(x)}{x-a}=c$ (c는 상수) $\Rightarrow f(a)=0$이므로 $\lim_{x \to a} \dfrac{f(x)-f(a)}{x-a}=c$
$\Rightarrow f'(a)=c$

2. $\lim_{x \to a} \dfrac{f(x)}{x-a}=c$ (c는 상수)이면
$x \to a$일 때 (분모) $\to 0$이므로
(분자) $\to 0$이다. $f(a)=0$이므로
$\lim_{x \to a} \dfrac{f(x)-f(a)}{x-a}=c$,
즉 $f'(a)=c$

유형 031 미분계수를 이용한 극한값의 계산

※ 함수 $f(x)$에 대하여 다음 값을 구하여라.

01 함수 $f(x)=x^2+5$에 대하여
$\lim_{h \to 0} \dfrac{f(1+h)-f(1)}{h}$의 값

02 함수 $f(x)=x^2+2x$에 대하여 $\lim_{x \to 1} \dfrac{f(x)-3}{x-1}$의 값

03 함수 $f(x)=x^3+9x+2$에 대하여
$\lim_{x \to 1} \dfrac{f(x)-f(1)}{x-1}$의 값

04 함수 $f(x)=x^2+4x$에 대하여
$\lim_{h \to 0} \dfrac{f(1+h)-f(1)}{2h}$의 값

05 함수 $f(x)=x^4+4x^2+1$에 대하여
$\lim\limits_{h \to 0} \dfrac{f(1+2h)-f(1)}{h}$의 값

06 함수 $f(x)=x^3-x$에 대하여
$\lim\limits_{h \to 0} \dfrac{f(1+3h)-f(1)}{2h}$의 값

07 함수 $f(x)=2x^2+ax$에 대하여
$\lim\limits_{h \to 0} \dfrac{f(1+h)-f(1)}{h}=6$일 때, 상수 a의 값

08 함수 $f(x)=x^2-6x+5$에 대하여
$\lim\limits_{h \to 0} \dfrac{f(a+h)-f(a-h)}{h}=8$일 때, 상수 a의 값

09 함수 $f(x)$에 대하여 $\lim\limits_{x \to 2} \dfrac{f(x)-1}{x-2}=2$일 때,
$\lim\limits_{h \to 0} \dfrac{f(2+h)-f(2-h)}{h}$의 값

10 다항함수 $f(x)$에 대하여 $\lim\limits_{x \to 1} \dfrac{f(x)-f(1)}{x^2-1} = -1$

일 때, $\lim\limits_{h \to 0} \dfrac{f(1-2h)-f(1+5h)}{h}$의 값

11 함수 $f(x)$가 $f(x+2)-f(2)=x^3+6x^2+14x$

를 만족시킬 때, $f'(2)$의 값

12 다항함수 $f(x)$에 대하여 $\lim\limits_{x \to 1} \dfrac{f(x)-2}{x^2-1} = 3$일 때,

$\dfrac{f'(1)}{f(1)}$의 값

학교시험 **필수예제**

13 다항함수 $f(x)$에 대하여 $\lim\limits_{x \to 2} \dfrac{f(x+1)-8}{x^2-4} = 5$

일 때, $f(3)+f'(3)$의 값을 구하여라.

08 미분가능한 함수의 미정계수 구하기

다항함수 $g(x)$, $h(x)$에 대하여 $f(x)=\begin{cases} g(x) & (x \geq a) \\ h(x) & (x < a) \end{cases}$ 가 $x=a$에서 미분가능하면

(1) 함수 $f(x)$가 $x=a$에서 연속이다. $\Rightarrow \lim\limits_{x \to a-} h(x) = g(a)$

(2) $f'(x)=\begin{cases} g'(x) & (x > a) \\ h'(x) & (x < a) \end{cases}$ 이고, 함수 $f(x)$가 $x=a$에서 미분가능하다.

$\Rightarrow \lim\limits_{x \to a+} g'(x) = \lim\limits_{x \to a-} h'(x)$

함수 $f(x)$가 $x=a$에서 미분가능하면
$\Rightarrow x=a$에서 연속이고 미분계수가 존재한다.

유형 032 미분가능한 함수의 미정계수

※ 함수 $f(x)$가 $x=1$에서 미분가능할 때, 두 상수 a, b의 값을 구하여라.

01 $f(x)=\begin{cases} x^2 & (x \geq 2) \\ ax+b & (x < 2) \end{cases}$

해설 | 함수 $f(x)$가 $x=2$에서 $\boxed{}$ 하면 $x=2$에서 $\boxed{}$ 이므로

$\lim\limits_{x \to 2-} (ax+b) = \boxed{}$

$\therefore 2a+b=4 \quad \cdots\cdots \bigcirc$

또 $f(x)$의 $x=2$에서의 미분계수가 존재하므로

$\lim\limits_{h \to 0+} \dfrac{f(2+h)-f(2)}{h}$

$= \lim\limits_{h \to 0+} \dfrac{(2+h)^2 - 2^2}{h} = \lim\limits_{h \to 0+} \dfrac{4h+h^2}{h}$

$= \lim\limits_{h \to 0+} (4+h) = 4$

$\lim\limits_{h \to 0-} \dfrac{f(2+h)-f(2)}{h}$

$= \lim\limits_{h \to 0-} \dfrac{a(2+h)+b-(2a+b)}{h} = \lim\limits_{h \to 0-} \dfrac{ah}{h} = a$

$\therefore a = \boxed{} \quad \cdots\cdots \bigcirc$

$\bigcirc$, $\bigcirc$에서 $a=\boxed{}$, $b=\boxed{}$

02 $f(x)=\begin{cases} -x^2+ax+2 & (x \geq 2) \\ 2x+b & (x < 2) \end{cases}$

03 $f(x)=\begin{cases} x^2 & (x \geq 1) \\ ax+b & (x < 1) \end{cases}$

학교시험 필수예제

04 미분가능한 함수

$f(x)=\begin{cases} -x+1 & (x < 0) \\ a(x-1)^2+b & (x \geq 0) \end{cases}$

에 대하여 $f(1)$의 값은? (단, a, b는 상수이다.)

① $\dfrac{1}{4}$ ② $\dfrac{1}{2}$ ③ 1

④ $\dfrac{3}{2}$ ⑤ 2

09 미분의 항등식에의 활용

함수 $f(x)$와 $f'(x)$로 주어진 등식이 모든 실수 x에 대하여 성립하면
① 도함수 $f'(x)$를 구하여 주어진 관계식에 대입한다.
② $f(x)$가 n차함수이면 $f'(x)$는 $(n-1)$차 함수이다.
③ 항등식의 성질을 이용하여 미정계수를 결정한다.

$f(x)$, $f'(x)$로 주어진 등식이 모든 실수 x에 대하여 성립하면
⇒ $f'(x)$를 구하여 관계식에 대입한 후 항등식의 성질을 이용하여 계수를 비교한다.

유형 033 미분의 항등식에의 활용

※ 다음 물음에 답하여라.

01 임의의 실수 x에 대하여 등식
$$(2x+1)f(x)-x^2 f'(x)-1=0$$
을 만족하는 이차함수 $f(x)$를 구하여라.

해설ㅣ $f(x)=ax^2+bx+c$라고 하면 $f'(x)=2ax+b$이므로 $f(x)$, $f'(x)$를 주어진 등식에 대입하면
$(2x+1)(ax^2+bx+c)-x^2(2ax+b)-1=0$
∴ $(a+b)x^2+(b+2c)x+c-1=0$
이 등식이 임의의 실수 x에 대하여 성립하므로
$a+b=0$, $b+2c=0$, $c-1=0$
이 식을 연립하여 풀면 $a=\boxed{}$, $b=\boxed{}$, $c=\boxed{}$
∴ $f(x)=\boxed{}$

02 함수 $f(x)=x^3+ax+b$에 대하여 등식
$$3f(x)=x\{f'(x)+2\}$$
가 x에 대한 항등식일 때, 두 상수 a, b의 값을 구하여라.

※ 계수가 모두 정수인 다항함수 $f(x)$가 등식
$$f'(x)\{f'(x)+1\}=6f(x)+4x^2-4$$
를 만족할 때, 다음 물음에 답하여라.

03 $f(x)$의 차수를 구하여라.

해설ㅣ $f(x)$를 n차함수라고 하면 $f'(x)$는 $(n-\boxed{})$차함수이다.
이때, $n=1$이면 좌변은 상수함수이고 우변은 이차함수이므로 $n\geq\boxed{}$
따라서 좌변의 차수는 $(n-1)+(n-1)$, 우변의 차수는 $\boxed{}$이므로 $2n-2=\boxed{}$ ∴ $n=\boxed{}$

04 $f(x)$를 구하여라.

해설ㅣ $f(x)=ax^2+bx+c$ $(a, b, c$는 정수, $a\neq0)$로 놓으면
$f'(x)=2ax+b$
$f'(x)\{f'(x)+1\}=6f(x)+4x^2-4$에서
$(2ax+b)(2ax+b+1)=6(ax^2+bx+c)+4x^2-4$
위의 식은 x에 대한 항등식이므로 계수를 비교하면
$4a^2=6a+\boxed{}$, $4ab+2a=\boxed{}b$, $b^2+b=6c-\boxed{}$
위의 세 식을 연립하여 풀면
$a=\boxed{}$, $b=\boxed{}$, $c=\boxed{}$ $(\because a, b, c$는 정수$)$
∴ $f(x)=\boxed{}$

학교시험 필수예제

05 다항함수 $f(x)$가 $f(x)f'(x)=9x+12$를 만족할 때, $f(1)f(2)$의 값을 구하여라.

10 미분과 다항식의 나눗셈

1. 다항식 $f(x)$를 이차식 $(x-a)^2$으로 나누었을 때의 나머지는 일차식 $ax+b$ 이다.
2. 다항식 $f(x)$가 $(x-a)^2$으로 나누어떨어지면
$f(x)=(x-a)^2 Q(x)$에서 $f(a)=0$
$f'(x)=2(x-a)Q(x)+(x-a)^2 Q'(x)$에서 $f'(a)=0$

다항식을 n차의 다항식으로 나누면 나머지는 $(n-1)$차의 다항식이다.

유형 034 미분과 다항식의 나눗셈

※ 다음 물음에 답하여라.

01 다항식 $x^{10}-x^5+1$을 $(x-1)^2$으로 나누었을 때의 나머지를 구하여라.

해설| $x^{10}-x^5+1$을 $(x-1)^2$으로 나눈 몫을 $Q(x)$, 나머지를 $ax+b$라고 하면
$x^{10}-x^5+1=(x-1)^2 Q(x)+ax+b$ ······ ㉠
㉠의 양변에 $x=\boxed{}$을 대입하면
$a+b=\boxed{}$ ······ ㉡
㉠의 양변을 x에 대하여 미분하면
$10x^9-5x^4=2(x-1)Q(x)+(x-1)^2 Q'(x)+a$ ······ ㉢
㉢의 양변에 $x=1$을 대입하면 $10-5=a$ ∴ $a=5$
$a=5$를 ㉡에 대입하면 $b=\boxed{}$
따라서 구하는 나머지는 $\boxed{}$

02 x^{10}을 $x(x-1)^2$으로 나누었을 때의 나머지를 $R(x)$라고 할 때, $R(-1)$의 값을 구하여라.

※ 다음 물음에 답하여라.

03 다항식 x^5+ax^2+bx+8이 $(x-2)^2$으로 나누어 떨어질 때, 상수 a, b의 값을 구하여라.

04 다항식 $f(x)=ax^3+x^2+bx-5$가 $(x+1)^2$으로 나누어떨어질 때, 상수 a, b의 값을 구하여라.

학교시험 필수예제

05 다항식 $x^{100}-2x^3+4$를 $(x-1)^2$으로 나누었을 때의 나머지를 $ax+b$라 할 때, $a-b$의 값은?
(단, a, b는 상수)

① 0   ② 3   ③ 9
④ 99   ⑤ 185

11 접선의 방정식

1. 곡선 위의 점에서의 접선의 방정식

함수 $f(x)$가 $x=a$에서 미분가능할 때, 곡선 $y=f(x)$ 위의 점 $P(a, f(a))$에서의 접선의 방정식은

$$y-f(a)=f'(a)(x-a)$$

2. 기울기가 주어진 접선의 방정식

기울기가 m이고 곡선 $y=f(x)$에 접하는 직선의 방정식은 $f'(a)=m$인 a의 값을 구하여 $y-f(a)=m(x-a)$에 대입한다.

3. 곡선 위에 있지 않은 한 점에서의 접선의 방정식

① 곡선 $y=f(x)$ 위의 한 점을 $(t, f(t))$로 놓고 점 $(t, f(t))$에서의 접선의 방정식을 구한다.

② 점 (a, b)가 접선 위의 점임을 이용하여 상수 t의 값을 구한다.

③ ①의 접선의 방정식에 대입한다.

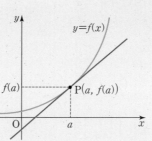

1. 함수 $f(x)$가 $x=a$에서 미분가능할 때, 곡선 $y=f(x)$ 위의 점 $(a, f(a))$에서의 접선의 방정식은

$$y-f(a)=f'(a)(x-a)$$

2. 곡선 $y=f(x)$에 접하고 기울기가 m인 접선의 방정식은 $m=f'(a)$일 때,

$$y-f(a)=m(x-a)$$

유형 035 곡선 위의 점에서의 접선의 방정식

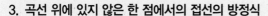

※ 다음 곡선 위의 주어진 점에서의 접선의 방정식을 구하여라.

01 $y=x^2-1$, $(2, 3)$

해설ㅣ $f(x)=x^2-1$이라고 하면

$f'(x)=\boxed{}x$

점 $(2, 3)$에서의 접선의 기울기는

$f'(2)=\boxed{}$

따라서 구하는 접선의 방정식은

$y-3=\boxed{}(x-2)$

$\therefore y=\boxed{}$

02 $y=x^3+x$, $(2, 10)$

03 $y=x^3-4x$, $(2, 0)$

04 $y=-2x^2+3x+1$, $(1, 2)$

05 $y=2x^3-4x+3$, $(1, 1)$

 학교시험 필수예제

06 곡선 $y=x^3+2x^2-6$ 위의 점 $(1, -3)$에서의 접선의 방정식이 $y=ax+b$일 때, $2a+b$의 값은?

① 2   ② 3   ③ 4
④ 5   ⑤ 6

※ 다음 곡선에 접하고 기울기가 m인 접선의 방정식을 모두 구하여라.

07 $y=x^2+x,\ m=-5$

해설| $f(x)=x^2+x$라고 하면

$f'(x)=2x+1$

접점의 x좌표를 a라고 하면 접선의 기울기가 $\boxed{}$이므로

$f'(a)=2a+1=\boxed{}$

$\therefore a=\boxed{}$

이때, $f(-3)=\boxed{}$이므로 구하는 접선의 방정식은

$y-\boxed{}=-5\{x-(\boxed{})\}$

$\therefore y=\boxed{}$

08 $y=-x^2+2x-1,\ m=-2$

09 $y=-x^3+5x,\ m=2$

※ 다음 물음에 답하여라.

10 곡선 $y=2x^2-x+1$에 접하고 직선 $y=2x+5$와 평행한 접선의 방정식을 구하여라.

11 곡선 $y=x^2-3x+4$에 접하고 직선 $x+5y-3=0$에 수직인 직선의 방정식을 구하여라.

학교시험 **필수예제**

12 곡선 $y=\dfrac{1}{3}x^3+\dfrac{4}{3}$ 위의 점 $(2,\ 4)$에서의 접선과 곡선 $y=x^2+ax+b$ 위의 점 $(1,\ 0)$에서의 접선이 일치할 때, 두 상수 $a,\ b$의 값을 구하여라.

유형 037 곡선 밖의 한 점에서 그은 접선의 방정식

※ 다음 곡선 밖의 한 점에서 곡선에 그은 접선의 방정식을 모두 구하여라.

13 $y=x^2-3x+4$, $(0, 0)$

해설 $f(x)=x^2-3x+4$라고 하면
$f'(x)=2x-3$
접점의 좌표를 (a, a^2-3a+4)라고 하면 접선의 기울기는 $f'(a)=\boxed{}$이므로 접선의 방정식은
$y-(a^2-3a+4)=(2a-3)(x-a)$
이 접선이 점 $(0, 0)$을 지나므로
$0-(a^2-3a+4)=(2a-3)(0-a)$
$\therefore a=\pm\boxed{}$
따라서 구하는 접선의 방정식은
$y=-7x$ 또는 $y=\boxed{}$

14 $y=x^2+1$, $(1, -2)$

15 $y=x^3-2x$, $(0, 2)$

16 $y=x^3-3x^2-5$, $(0, 0)$

17 $y=-x^2-x+2$, $(1, 4)$

학교시험 필수예제

18 곡선 $y=x^2$ 위의 점 $(-2, 4)$에서의 접선이 곡선 $y=x^3+ax-2$에 접할 때, 상수 a의 값은?

① -9 ② -7 ③ -5
④ -3 ⑤ -1

※ 다음 물음에 답하여라.

19 점 $(0, -1)$에서 곡선 $y=x^2$에 그은 두 접선의 기울기를 각각 m_1, m_2라고 할 때, $m_1 \cdot m_2$의 값을 구하여라.

해설ㅣ $f(x)=x^2$이라고 하면 $f'(x)=2x$

이때, 곡선 위의 접점의 좌표를 (a, a^2)이라고 하면 접선의 기울기는 $f'(a)=2a$이므로 접선의 방정식은

$$y-a^2=2a(x-a)$$

이 접선이 점 $(0, -1)$을 지나므로

$$-1-a^2=2a(0-a)$$

$$\therefore a=\pm\boxed{}$$

따라서 접선의 기울기는 $\boxed{}$, $-\boxed{}$

$$\therefore m_1 \cdot m_2 = \boxed{}$$

20 점 $(0, -1)$에서 곡선 $y=x^2+3$에 그은 두 접선의 기울기를 각각 m_1, m_2라고 할 때, $m_1 \cdot m_2$의 값을 구하여라.

21 점 $(0, -27)$에서 곡선 $y=3x^2-4x$에 그은 두 접선의 기울기를 각각 m_1, m_2라고 할 때, m_1+m_2의 값을 구하여라.

학교시험 필수예제

22 점 $(0, -4)$에서 곡선 $y=x^3-2$에 그은 접선이 x축과 만나는 점의 좌표를 $(a, 0)$이라고 할 때, a의 값은?

① $\dfrac{7}{6}$ ② $\dfrac{4}{3}$ ③ $\dfrac{3}{2}$

④ $\dfrac{5}{3}$ ⑤ $\dfrac{11}{6}$

12 롤의 정리

함수 $f(x)$가 닫힌구간 $[a, b]$에서 연속이고 열린구간 (a, b)에서 미분가능할 때, $f(a)=f(b)$이면 $f'(c)=0$인 c가 열린구간 (a, b) 안에 적어도 하나 존재한다.

[주의] 함수 $f(x)$가 미분가능하지 않은 경우 롤의 정리가 성립하지 않는다. 예를 들어 $f(x)=|x-1|$에 대하여 $f(x)$는 $[0, 2]$에서 연속이며, $f(0)=f(2)=1$이 성립하지만 $f'(c)=0$인 c가 구간 $(0, 2)$ 안에 존재하지는 않는다.

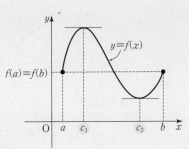

롤의 정리는 곡선 $y=f(x)$에서 $f(a)=f(b)$이면 x축과 평행한 접선을 갖는 점이 열린구간 (a, b) 안에 적어도 하나 존재함을 의미한다.

유형 038 롤의 정리

※ 다음 함수에 대하여 주어진 구간에서 롤의 정리를 만족시키는 실수 c의 값을 구하여라.

01 $f(x)=x^2-6x+1$ $[1, 5]$

해설 | 함수 $f(x)=x^2-6x+1$은 닫힌구간 $[1, 5]$에서 연속이고 열린구간 $(1, 5)$에서 미분가능하다.
$f(1)=f(5)$이므로 롤의 정리에 의하여 $f'(c)=\boxed{}$인 상수 c가 적어도 하나 존재한다.
$f'(x)=2x-6$에서
$f'(c)=2c-6=\boxed{}$
$\therefore c=\boxed{}$

02 $f(x)=3x-x^2$ $[0, 3]$

03 $f(x)=x^2-5x+4$ $[1, 4]$

04 $f(x)=-x^3+9x$ $[0, 3]$

05 $f(x)=x^3-4x+1$ $[0, 2]$

학교시험 필수예제

06 함수 $f(x)=(x-a)(x-b)$에 대하여 닫힌구간 $[a, b]$에서 롤의 정리를 만족시키는 실수 c의 값은?

① $\dfrac{a+b}{2}$ ② $\dfrac{b-a}{2}$ ③ 1

④ $\dfrac{2}{a+b}$ ⑤ $\dfrac{2}{b-a}$

평균값 정리

함수 $f(x)$가 닫힌구간 $[a, b]$에서 연속이고, 열린구간 (a, b)에서 미분가능할 때

$$\frac{f(b)-f(a)}{b-a}=f'(c) \ (\text{단}, \ a<c<b)$$

인 c가 열린구간 (a, b) 안에 적어도 하나 존재한다.

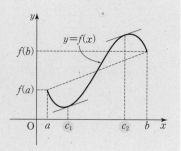

- 평균값 정리는 곡선 $y=f(x)$ 위의 두 점 $(a, f(a))$, $(b, f(b))$를 잇는 직선에 평행한 접선을 갖는 점이 열린구간 (a, b)에 적어도 하나 존재함을 의미한다.
- 평균값 정리에서 $f(a)=f(b)$인 경우가 롤의 정리이다.

유형 039 평균값 정리

※ 다음 함수에 대하여 주어진 구간에서 평균값 정리를 만족하는 실수 c의 값을 구하여라.

01 $f(x)=x^2+3x$ $[0, 2]$

해설ㅣ 함수 $f(x)=x^2+3x$는 닫힌구간 $[0, 2]$에서 연속이고 열린구간 $(0, 2)$에서 미분가능하므로 평균값 정리에 의하여

$\dfrac{f(2)-f(0)}{2-0}=\boxed{}$인 실수 c가 구간 $(0, 2)$에 적어도 하나 존재한다.

$f(x)=x^2+3x$에서 $f'(x)=2x+3$이므로

$\dfrac{10-0}{2}=\boxed{}$ $\therefore c=\boxed{}$

02 $f(x)=-x^2+3x$ $[0, 2]$

03 $f(x)=x^2-2x-1$ $[0, 3]$

04 $f(x)=x^3-3x^2+2x$ $[0, 3]$

학교시험 필수예제

05 함수 $f(x)$는 구간 $1 \leq x \leq 3$에서 미분가능하고, $f(1)=2$, $f(3)=4$이다. $g(x)=xf(x)$이면 $g'(c)=k$인 $c(1<c<3)$가 존재한다. 이때, k의 값은?

① 2   ② 3   ③ 4
④ 5   ⑤ 6

14 함수의 증가와 감소

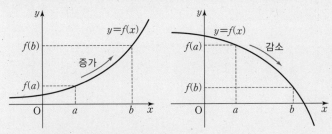

함수 $f(x)$가 어떤 구간에 속하는 임의의 두 실수 a, b에 대하여
(1) $a<b$일 때, $f(a)<f(b)$이면 $f(x)$는 이 구간에서 증가한다고 한다.
(2) $a<b$일 때, $f(a)>f(b)$이면 $f(x)$ 이 구간에서 감소한다고 한다.

|참고| 위의 성질의 역은 성립하지 않는다.
예를 들어, $f(x)=x^3$은 $x=0$에서 증가하지만 $f'(0)=0$이다.

어떤 구간에서 미분가능한 함수 $f(x)$에 대하여
$f(x)$가 이 구간에서
• 증가하면 $\Rightarrow f'(x)\geq0$
• 감소하면 $\Rightarrow f'(x)\leq0$
이때, 등호가 포함됨에 유의한다.

유형 040 함수의 증가와 감소

※ 주어진 구간에서 다음 함수의 증가, 감소를 조사하여라.

01 $f(x)=-x^2$, $(0, \infty)$

해설┃ 임의의 두 양수 a, b에 대하여 $a<b$일 때, $f(a)>f(b)$이므로 함수 $f(x)=-x^2$은 구간 $(0, \infty)$에서 ☐한다.

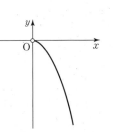

02 $f(x)=x^2-1$, $(0, \infty)$

03 $f(x)=-x^3$, $(-\infty, \infty)$

04 $f(x)=-\dfrac{1}{x}$, $(-\infty, 0)$

※ 다음 함수의 증가, 감소를 조사하여라.

05 $f(x)=-\dfrac{1}{2}x^2-x$

해설┃ $f(x)=-\dfrac{1}{2}x^2-x$에서 $f'(x)=-x-1$
$f'(x)=0$에서 $x=-1$
따라서 함수 $f(x)$는 구간 $(-\infty, \boxed{})$에서 $f'(x)>0$이므로 $\boxed{}$하고 구간 $(\boxed{}, \infty)$에서 $f'(x)<0$이므로 $\boxed{}$한다.

x	$\cdots$	-1	$\cdots$
$f'(x)$	$+$	0	$-$
$f(x)$	$\nearrow$		$\searrow$

06 $f(x)=-x^2+4x-3$

07 $f(x)=x^3+6x^2+1$

※ 다음 물음에 답하여라.

08 함수 $f(x)=-x^3+x^2+ax$가 구간 $(-\infty, \infty)$에서 감소하도록 하는 실수 a의 값의 범위를 구하여라.

해설 | $f(x)=-x^3+x^2+ax$에서

$f'(x)=\boxed{}x^2+2x+a$

함수 $f(x)$가 구간 $(-\infty, \infty)$에서 감소하려면 모든 실수 x에 대하여 $f'(x)\leq0$이어야 한다.

이차방정식 $\boxed{}x^2+2x+a=0$의 판별식을 D라고 하면 $\dfrac{D}{4}=1^2+\boxed{}\leq0$

$\therefore a\leq\boxed{}$

09 함수 $f(x)=x^3-ax^2+(a+6)x+5$가 구간 $(-\infty, \infty)$에서 항상 증가하도록 하는 실수 a값의 범위를 구하여라.

10 함수 $f(x)=x^3+(a+1)x^2+(a+1)x-1$이 구간 $(-\infty, \infty)$에서 항상 증가하도록 하는 실수 a값의 범위를 구하여라.

※ 함수 $f(x)$가 다음 조건을 만족할 때, 실수 k값의 범위를 구하여라.

11 함수 $f(x)=-x^3+kx^2-3x$가 실수 전체의 구간에서 감소한다.

12 함수 $f(x)=\dfrac{1}{3}x^3+kx^2+(5k-4)x+1$이 실수 전체의 구간에서 증가한다.

13 함수 $f(x)=x^3-3kx^2+3kx$가 실수 전체의 구간에서 증가한다.

Tip

이차부등식 $ax^2+bx+c\geq0$이 항상 성립할 조건은
$a>0, b^2-4ac\leq0$

이차부등식 $ax^2+bx+c\leq0$이 항상 성립할 조건은
$a<0, b^2-4ac\leq0$

※ 다음 물음에 답하여라.

14 함수 $f(x)=-x^3+x^2+ax-4$가 구간 $(1,\ 2)$에서 증가하도록 하는 실수 a의 값의 범위를 구하여라.

해설 | 함수

$f(x)=-x^3+x^2+ax-4$에서 $f'(x)=-3x^2+2x+a$ 함수 $f(x)$가 구간 $(1,\ 2)$에서 증가하려면 오른쪽 그림과 같이 $1<x<2$에서 $f'(x)\geq0$이어야하므로

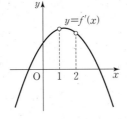

$f'(1)=-3+\square+a\geq0,$

$f'(2)=-12+\square+a\geq0$

$\therefore a\geq\square$

15 함수 $f(x)=x^3-3x^2+ax+1$이 구간 $(0,\ 3)$에서 감소하도록 하는 실수 a의 값의 범위를 구하여라.

16 함수 $f(x)=x^3-6x^2+ax+1$이 구간 $(-2,\ 1)$에서 감소하도록 하는 실수 a의 값의 범위를 구하여라.

17 삼차함수 $y=f(x)$의 도함수 $y=f'(x)$의 그래프가 그림과 같을 때 함수 $f(x)$가 증가하는 구간과 감소하는 구간을 각각 구하여라.

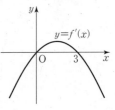

해설 | 주어진 그래프에서 $f'(x)$의 부호의 변화를 조사하여 $f(x)$의 증가와 감소를 표로 나타내면 다음과 같다.

x	$\cdots$	0	$\cdots$	3	$\cdots$
$f'(x)$	$-$	0	$+$	0	$-$
$f(x)$	$\searrow$		$\nearrow$		$\searrow$

따라서 함수 $f(x)$는 구간 $(-\infty,\ 0)$과 $(3,\ \infty)$에서 $\square$하고, 구간 $(0,\ \square)$에서 $\square$한다.

18 사차함수 $y=f(x)$의 도함수 $y=f'(x)$의 그래프가 그림과 같을 때 함수 $f(x)$가 증가하는 구간과 감소하는 구간을 각각 구하여라.

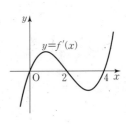

19 다항함수 $y=f(x)$의 도함수 $y=f'(x)$의 그래프가 그림과 같을 때, 다음 중 옳은 것은?

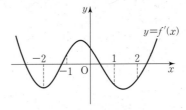

① $f(x)$는 구간 $(-\infty,\ -2)$에서 감소한다.

② $f(x)$는 구간 $(-2,\ -1)$에서 증가한다.

③ $f(x)$는 구간 $(-1,\ 0)$에서 감소한다.

④ $f(x)$는 구간 $(0,\ 1)$에서 증가한다.

⑤ $f(x)$는 구간 $(1,\ 2)$에서 감소한다.

15 함수의 극대와 극소

1. 함수 $f(x)$에서 $x=a$를 포함하는 어떤 열린구간에 속하는 모든 x에 대하여
   (1) $f(x) \le f(a)$일 때, 함수 $f(x)$는 $x=a$에서 극대라 하고, $f(a)$를 극댓값이라고 한다.
   (2) $f(x) \ge f(a)$일 때, 함수 $f(x)$는 $x=a$에서 극소라 하고, $f(a)$를 극솟값이라고 한다.
   이때, 극댓값과 극솟값을 통틀어 극값이라고 한다.
2. **극값을 가질 필요조건** : 미분가능한 함수 $f(x)$가 $x=a$에서 극값을 가지면 $f'(a)=0$이다.

   (주의) 일반적으로 위의 역은 성립하지 않는다. 즉 미분가능한 함수 $f(x)$에 대하여 $f'(a)=0$이라고 해서 함수 $f(x)$가 $x=a$에서 반드시 극값을 갖는 것은 아니다.

- $x=a$에서 미분가능하지 않을 때에도 $x=a$에서 극값을 가질 수 있다.
- 극댓값이 극솟값보다 반드시 큰 것은 아니다.

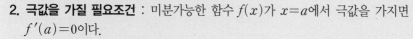

유형 ○42 함누의 극대와 극소

※ 다음 함수 $f(x)$의 극댓값과 극솟값을 구하여라.

01 $f(x)=x^3-6x^2+9x-2$

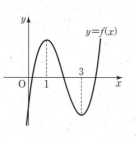

해설 함수 $f(x)$는 $x=\boxed{}$에서 극대이고 극댓값은 $f(\boxed{})=\boxed{}$, $x=\boxed{}$에서 극소이고 극솟값은 $f(\boxed{})=\boxed{}$

02 $f(x)=2x^3-3x+2$

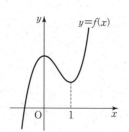

03 $f(x)=-x^3+3x+3$

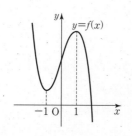

04 $f(x)=x^3-3x$

해설ㅣ $f'(x)=3x^2-3=3(x+1)(x-1)$
$f'(x)=0$에서 $x=-1$ 또는 $x=1$

x	$\cdots$	-1	$\cdots$	1	$\cdots$
$f'(x)$	$+$	0	$-$	0	$+$
$f(x)$	↗	$\boxed{}$	↘	$\boxed{}$	↗

따라서 함수 $f(x)$는

$x=\boxed{}$일 때 극대이고 극댓값은 $f(\boxed{})=\boxed{}$,

$x=\boxed{}$일 때 극소이고 극솟값은 $f(\boxed{})=\boxed{}$

05 $f(x)=-x^3+12x+5$

06 $f(x)=2x^4-4x^2+1$

※ 다음 함수의 극값을 구하여라.

07 $f(x)=3x^4+4x^3+2$

08 $f(x)=x^4+4x^3-16x-1$

09 $f(x)=x^4-6x^2-8x+1$

10 $f(x)=-2x^3-6x^2-6x+1$

유형 043 함수의 극값과 미정계수의 결정

※ 함수 $f(x)$가 다음 조건을 만족할 때, 상수 a, b, c의 값을 구하여라.

11 함수 $f(x)=2x^3+ax^2+bx+c$가 $x=-1$에서 극댓값 10을 갖고, $x=2$에서 극솟값을 갖는다.

해설 | $f'(x)=6x^2+2ax+b$

$x=-1$, $x=2$에서 극값을 가지므로

$f'(-1)=6-2a+b=0$ ...... ㉠

$f'(2)=24+4a+b=0$ ...... ㉡

㉠, ㉡을 연립하여 풀면 $a=\boxed{}$, $b=\boxed{}$

또, $f(-1)=10$이므로 $-2+a-b+c=10$

$\therefore c=\boxed{}$

12 함수 $f(x)=x^3+ax^2+bx+c$가 $x=-2$에서 극솟값 30을 갖고, $x=4$에서 극댓값을 갖는다.

학교시험 필수예제

13 함수 $f(x)=2x^3-12x^2+ax-4$가 $x=1$에서 극댓값 M을 가질 때, $a+M$의 값을 구하여라. (단, a는 상수이다.)

Tip

$f'(a)=0$이라 하더라도 $x=a$의 좌우에서 $f'(x)$의 부호가 바뀌지 않으면 $f(a)$는 극값이 아닌 것에 주의한다.

Tip

미분가능한 함수 $f(x)$가 $x=\alpha$에서 극값 β를 가지면
$\Rightarrow f(\alpha)=\beta$, $f'(\alpha)=0$

16 함수의 극대와 극소의 판정

미분가능한 함수 $f(x)$에 대하여 $f'(a)=0$일 때
① $x=a$의 좌우에서 $f'(x)$의 부호가 양$(+)$에서 음$(-)$으로 바뀌면 $f(x)$는 $x=a$에서 극대이다.
② $x=a$의 좌우에서 $f'(x)$의 부호가 음$(-)$에서 양$(+)$으로 바뀌면 $f(x)$는 $x=a$에서 극소이다.

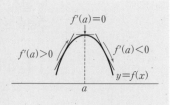
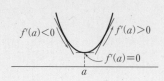

$y=f'(x)$의 그래프가 주어질 때 함수 $f(x)$의 극값 $\Rightarrow f'(x)$의 부호를 조사한다.

유형 ○44 도함수의 그래프와 함수의 극값

※ 함수 $f(x)$의 도함수 $y=f'(x)$의 그래프가 다음 그림과 같을 때, 함수 $f(x)$가 극댓값을 갖는 x의 값과 극솟값을 갖는 x의 값을 각각 구하여라.

01

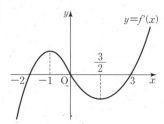

해설 | $y=f'(x)$의 그래프에서 $f'(x)=0$인 x의 값은
$\boxed{}$, 0, $\boxed{}$이므로 함수 $f(x)$의 증감표는 다음과 같다.

x	$\cdots$	$\boxed{}$	$\cdots$	0	$\cdots$	3	$\cdots$
$f'(x)$	$-$	0	$+$	0	$-$	0	$+$
$f(x)$	$\searrow$	극소	$\nearrow$	$\boxed{}$	$\searrow$	$\boxed{}$	$\nearrow$

따라서 극댓값을 갖는 x의 값은 $\boxed{}$이고,
극솟값을 갖는 x의 값은 $\boxed{}$, 3이다.

02

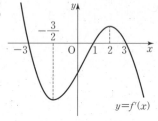

※ 함수 $f(x)$의 도함수 $y=f'(x)$의 그래프가 다음 그림과 같을 때, 함수 $f(x)$가 극값을 가지게 되는 점의 개수를 구하여라.

03

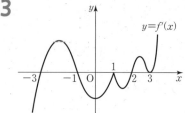

해설 | x가 증가하면서 $x=a$를 지날 때, $f'(x)$의 부호가
(ⅰ) 음에서 양으로 바뀌면 $x=a$에서 극소이므로
$x=-3$, $x=\boxed{}$에서 극소이다.
(ⅱ) 양에서 음으로 바뀌면 $x=a$에서 극대이므로
$x=\boxed{}$에서 극대
(ⅲ) $x=1$, $x=\boxed{}$에서는 $f'(x)$의 부호가 바뀌지 않으므로 극값을 갖지 않는다.
따라서 부호의 변화가 있는 $\boxed{}$개의 점에서 극값을 갖는다.

04

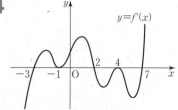

※ 함수 $y=f(x)$의 도함수 $y=f'(x)$의 그래프가 다음 그림과 같다. 보기에서 옳은 것을 모두 찾아라.

05

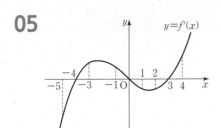

┤ 보기 ├
ㄱ. $f(x)$는 구간 $(-5, -3)$에서 감소한다.
ㄴ. $f(x)$는 구간 $(-3, -1)$에서 증가한다.
ㄷ. $f(x)$는 구간 $(-1, 1)$에서 극솟값을 갖는다.
ㄹ. $f(x)$는 구간 $(1, 2)$에서 극댓값을 갖는다.
ㅁ. $f(x)$는 구간 $(2, 4)$에서 극솟값을 갖는다.

해설| $y=f'(x)$의 그래프에서 $f'(x)=0$인 x의 값은 $-4, 0, 3$이므로 함수 $f(x)$의 증감표는 다음과 같다.

x	$\cdots$	☐	$\cdots$	0	$\cdots$	3	$\cdots$
$f'(x)$	$-$	0	$+$	0	$-$	0	$+$
$f(x)$	↘	극소	↗	☐	↘	☐	↗

ㄱ. 구간 $(-5, -3)$에서 $f'(x)$는 음수 값과 양수 값을 모두 가지므로 $f(x)$는 주어진 구간에서 감소하다가 증가한다.
ㄷ. $x=0$인 점의 좌우에서 $f'(x)$는 양수 값에서 음수 값으로 바뀌므로 주어진 구간에서 극댓값을 갖는다.
ㄹ. 구간 $(1, 2)$에서 $f'(x)$는 항상 음수 값을 가지므로 $f(x)$는 주어진 구간에서 감소한다.
따라서 옳은 것은 ☐, ☐이다.

06

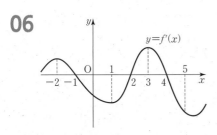

┤ 보기 ├
ㄱ. $f(x)$는 구간 $(-2, 1)$에서 증가한다.
ㄴ. $f(x)$는 구간 $(1, 3)$에서 증가한다.
ㄷ. $f(x)$는 구간 $(4, 5)$에서 감소한다.
ㄹ. $f(x)$는 $x=3$에서 극댓값을 갖는다.
ㅁ. $f(x)$는 $x=4$에서 극댓값을 갖는다.

07

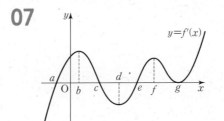

┤ 보기 ├
ㄱ. $f(x)$는 구간 (b, c)에서 감소한다.
ㄴ. $f(x)$는 구간 (f, g)에서 증가한다.
ㄷ. $f(x)$는 $x=b$에서 극댓값을 갖는다.
ㄹ. $f(x)$는 $x=c$에서 극댓값을 갖는다.
ㅁ. $f(x)$는 $x=g$에서 극솟값을 갖는다.

학교시험 필수예제

08 함수 $y=f(x)$의 도함수 $y=f'(x)$의 그래프가 오른쪽 그림과 같을 때, 다음 중 함수 $y=f(x)$에 대한 설명으로 옳지 <u>않은</u> 것은?

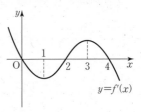

① $f(x)$는 $x=3$에서 극대이다.
② $f(x)$는 $x>4$에서 감소한다.
③ $f(x)$는 3개의 극값을 가진다.
④ $f(x)$는 $0<x<2$에서 감소한다.
⑤ $f(x)$는 $x=2$에서 극소이다.

17 함수의 그래프

미분가능한 함수 $y=f(x)$의 그래프의 개형은 다음과 같은 순서로 그린다.
(1) $f'(x)=0$을 풀어 극값을 구한다.
(2) $f'(x)$의 부호의 변화를 조사하여 함수 $f(x)$의 증가와 감소 구간을 구한다.
(3) x축 또는 y축과의 교점을 구한다.
(4) 그래프의 개형을 그린다.

함수의 그래프 그리기
⇨ 증감표를 만든다.

유형 045 함수의 극대·극소와 그래프

※ 다음 함수의 그래프의 개형을 그려라.

01 $f(x)=x^3-6x^2+9x$

해설 | $f'(x)=3x^2-12x+\boxed{}=3(x-1)(x-\boxed{})$이므로 $f'(x)=0$에서 $x=1$ 또는 $x=\boxed{}$

함수 $f(x)$의 증가와 감소를 표로 나타내면 다음과 같다.

x	$\cdots$	1	$\cdots$	$\boxed{}$	$\cdots$
$f'(x)$	$+$	0	$-$	0	$+$
$f(x)$	↗	4	↘	0	↗

한편, $f(0)=\boxed{}$이므로 함수 $f(x)$의 그래프는 오른쪽 그림과 같다.

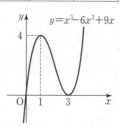

02 $f(x)=x^3-3x+3$

03 $f(x)=x^3+6x^2+9x+4$

04 $f(x)=-x^3+6x^2-9x+5$

※ 다음 함수의 그래프의 개형을 그려라.

05 $f(x)=3x^4+4x^3+1$

해설 $f'(x)=12x^3+12x^2=12x^2(x+1)$

$f'(x)=0$에서 $x=-1$ 또는 $x=0$

함수 $f(x)$의 증가와 감소를 표로 나타내면 다음과 같다.

x	$\cdots$	-1	$\cdots$	0	$\cdots$
$f'(x)$	$-$	0	$+$	0	$+$
$f(x)$	$\searrow$	$\square$	$\nearrow$	$\square$	$\nearrow$

함수 $f(x)$는 $x=\square$에서 극솟값 $f(\square)=\square$을 갖고, $x=0$에서는 $f'(x)$의 부호가 바뀌지 않으므로 극값을 갖지 않는다.

따라서 함수 $f(x)$의 그래프는 오른쪽 그림과 같다.

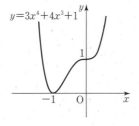

06 $f(x)=x^3-6x^2+12x-5$

07 $f(x)=-x^4+2x^2+1$

08 $f(x)=3x^4-4x^3+1$

※ 다음 물음에 답하여라.

09 함수 $f(x)=x^3-ax^2+12x+2$가 극값을 갖기 위한 실수 a의 값의 범위를 구하여라.

해설ㅣ $f(x)=x^3-ax^2+12x+2$에서
$f'(x)=3x^2-2ax+12$
삼차함수 $f(x)$가 극값을 가지려면 이차방정식
$f'(x)=0$이 서로 다른 두 실근을 가져야 하므로
$f'(x)=0$의 판별식을 D라고 하면
$\dfrac{D}{4}=a^2-\boxed{}>0,\ (a+\boxed{})(a-\boxed{})>0$
$\therefore a<\boxed{}$ 또는 $a>\boxed{}$

10 함수 $f(x)=x^3+ax^2-3ax+5$가 극값을 갖기 위한 실수 a의 값의 범위를 구하여라.

11 함수 $f(x)=x^3-ax^2+ax+1$이 극값을 갖지 않도록 하는 실수 a의 값의 범위를 구하여라.

12 함수 $f(x)=x^4-4x^3+3ax^2+1$이 극댓값을 갖도록 하는 실수 a의 값의 범위를 구하여라.

13 함수 $f(x)=-\dfrac{3}{4}x^4+4x^3+ax^2$이 극솟값을 갖도록 하는 실수 a의 값의 범위를 구하여라.

Tip
함수 $f(x)$가 극값을 가질 조건
⇒ 방정식 $f'(x)=0$의 실근을 조사한다.

Tip
사차항의 계수가 양수인 사차함수 $f(x)$가 극댓값을 가지려면
삼차방정식 $f'(x)=0$이 서로 다른 세 실근을 가져야 한다.

18 함수의 그래프와 최댓값, 최솟값

함수 $f(x)$가 닫힌구간 $[a,\ b]$에서 연속이면
$\quad f(x)$의 극댓값, $f(x)$의 극솟값, $f(a)$, $f(b)$
중에서 가장 큰 값이 최댓값이고 가장 작은 값이 최솟값이다.

함수 $f(x)$가 닫힌구간 $[a,\ b]$에서 극값을 가지지 않으면 $f(a)$와 $f(b)$ 중에서 최댓값과 최솟값을 가진다.

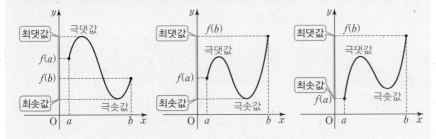

유형 047 함수의 그래프와 최댓값, 최솟값

※ 주어진 구간에서 다음 함수의 최댓값과 최솟값을 구하여라.

01 $f(x)=x^3-3x^2+1 \quad [-2,\ 3]$

해설 | $f'(x)=3x^2-6x=3x(x-2)$에서
$\quad f'(x)=0$에서 $x=0$ 또는 $x=2$

x	-2	$\cdots$	0	$\cdots$	2	$\cdots$	3
$f'(x)$		$+$	0	$-$	0	$+$	
$f(x)$	-19	$\nearrow$	1	$\searrow$	-3	$\nearrow$	1

따라서 함수 $f(x)$는 $x=\boxed{}$, $x=\boxed{}$에서 최댓값 $\boxed{}$, $x=\boxed{}$에서 최솟값 $\boxed{}$를 갖는다.

02 $f(x)=3x^4+4x^3-6x^2-12x-2 \quad [-2,\ 2]$

03 $y=-3x^4+4x^3+1 \quad [0,\ 2]$

04 $y=x^3+3x^2+10 \quad [-1,\ 1]$

※ 다음 물음에 답하여라.

05 구간 $[-1, 1]$에서 함수 $f(x)=ax^3-3ax^2+b$ 가 최댓값 2, 최솟값 -10을 가질 때 상수 a, b의 값을 구하여라. (단, $a>0$)

해설| $f'(x)=3ax^2-6ax=3ax(x-2)$

$f'(x)=0$에서 $x=0$ $(\because -1\leq x\leq 1)$

구간 $[-1, 1]$에서 $f(x)$의 증감표는 다음과 같다.

x	-1	$\cdots$	0	$\cdots$	1
$f'(x)$		$+$	0	$-$	
$f(x)$	$-4a+b$	$\nearrow$	b	$\searrow$	$-2a+b$

이때, $a>0$이므로 $-4a+b<-2a+b<b$

따라서 함수 $f(x)$는

$x=0$일 때 최댓값 $\boxed{}$,

$x=-1$일 때 최솟값 $-4a+b$

를 가지므로 $b=\boxed{}$, $-4a+b=-10$

$\therefore a=\boxed{}$, $b=\boxed{}$

06 구간 $[-2, 1]$에서 함수 $f(x)=-x^3+12x^2+a$ 의 최댓값이 50일 때, 이 구간에서 최솟값을 구하여라.

학교시험 필수예제

07 닫힌구간 $[1, 4]$에서 함수 $f(x)=x^3-3x^2+a$ 의 최댓값을 M, 최솟값을 m이라 하자. $M+m=20$ 일 때, 상수 a의 값은?

① 1   ② 2   ③ 3

④ 4   ⑤ 5

※ 다음 물음에 답하여라.

08 곡선 $y=x^2$ 위를 움직이는 점 P와 점 $(-3, 0)$ 사이의 거리를 l이라고 할 때, l이 최소가 될 때의 점 P의 좌표를 구하여라.

해설| 점 P의 좌표를 (t, t^2)이라고 하면

$l^2=(t+3)^2+(t^2-0)^2=t^4+t^2+6t+9$

$f(t)=t^4+t^2+6t+9$로 놓으면

$f'(t)=4t^3+2t+6=2(2t^3+t+3)$

$\quad\quad =2(t+1)(2t^2-2t+3)$

$f'(t)=0$에서 $t=\boxed{}$

$\left(\because 2t^2-2t+3=2\left(t-\dfrac{1}{2}\right)^2+\dfrac{5}{2}>0\right)$

t	$\cdots$	$\boxed{}$	$\cdots$
$f'(t)$	$-$	0	$+$
$f(t)$	$\searrow$	극소	$\nearrow$

따라서 $f(t)$는 $t=\boxed{}$일 때 극소이면서 최소이므로 구하는 점 $\mathrm{P}(t, t^2)$의 좌표는 $\mathrm{P}(\boxed{}, \boxed{})$이다.

09 곡선 $y=\dfrac{1}{2}x^2$ 위를 움직이는 점 P와 점 $(6, 0)$ 사이의 거리를 l이라고 할 때, l이 최소가 될 때의 점 P의 좌표를 구하여라.

Tip

최대, 최소의 활용

길이, 넓이, 부피의 최대, 최소 ⇨ 한 문자에 대한 함수로 나타낸 후 극값을 구한다.

유형 050 최대, 최소의 활용 - 넓이

※ 다음 물음에 답하여라.

10 곡선 $y=6-x^2$과 x축으로 둘러싸인 부분에 내접하고 x축 위에 있는 직사각형 중에서 넓이가 최대인 직사각형의 y축과 평행한 변의 길이를 구하여라.

해설 | 오른쪽 그림과 같이 직사각형 ABCD의 한 꼭짓점 D의 x좌표를 a라고 하면
$\mathrm{D}(a,\ 6-a^2)$,
$\mathrm{A}(-a,\ 6-a^2)$
$\qquad (0<a<\sqrt{6})$
직사각형 ABCD의 넓이를 $S(a)$라고 하면
$S(a)=2a(6-a^2)=-2a^3+12a$
$S'(a)=-6a^2+12=-6(a+\sqrt{2})(a-\sqrt{2})$
$S'(a)=0$에서 $a=\boxed{}\ (\because 0<a<\sqrt{6})$

a	(0)	$\cdots$	$\boxed{}$	$\cdots$	$(\sqrt{6})$
$S'(a)$		$+$	0	$-$	
$S(a)$		↗	극대	↘	

따라서 $S(a)$는 $a=\boxed{}$일 때 극대이면서 최대이므로 직사각형의 y축과 평행한 변의 길이는
$\overline{\mathrm{CD}}=6-a^2=6-(\boxed{})^2=\boxed{}$이다.

11 곡선 $y=3-x^2$과 x축으로 둘러싸인 부분에 내접하고 x축 위에 있는 직사각형 중에서 넓이가 최대인 직사각형의 y축과 평행한 변의 길이를 구하여라.

유형 051 최대, 최소의 활용 - 부피

※ 다음 물음에 답하여라.

12 한 변의 길이가 $4\,\mathrm{cm}$인 정사각형 모양의 종이의 네 귀퉁이에서 같은 크기의 정사각형을 잘라 내고 남는 부분을 접어서 뚜껑이 없는 직육면체 모양의 상자를 만들려고 한다. 이 상자의 부피가 최대가 되도록 할 때, 잘라낼 정사각형의 한 변의 길이를 구하여라.

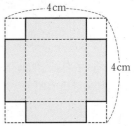

해설 | 잘라낼 정사각형의 한 변의 길이를 $x\,\mathrm{cm}$라고 하면 상자의 가로와 세로의 길이는 $(4-2x)$이므로 x의 값의 범위는 $0<x<2$이다. 상자의 부피를 $V(x)\,\mathrm{cm}^3$라고 하면
$V(x)=x(4-2x)^2=4x^3-16x^2+16x$
$V'(x)=12x^2-32x+16=4(x-2)(3x-2)$
$V(x)'=0$에서 $x=\boxed{}\ (\because 0<x<2)$

x	(0)	$\cdots$	$\boxed{}$	$\cdots$	(2)
$V'(x)$		$+$	0	$-$	
$V(x)$		↗	극대	↘	

따라서 $V(x)$는 $x=\boxed{}$일 때 극대이면서 최대이므로 잘라낼 정사각형의 한 변의 길이는 $\boxed{}\,\mathrm{cm}$이다.

13 한 변의 길이가 $12\,\mathrm{cm}$인 정사각형 모양의 종이의 네 귀퉁이에서 같은 크기의 정사각형을 잘라 내고 남는 부분을 접어서 뚜껑이 없는 직육면체 모양의 상자를 만들려고 한다. 이 상자의 부피가 최대가 되도록 할 때, 잘라낼 정사각형의 한 변의 길이를 구하여라.

14 한 변의 길이가 12 cm인 정삼각형 모양의 종이에서 세 모퉁이를 그림과 같은 모양으로 잘라 내고 남은 부분으로 뚜껑이 없는 상자를 만들 때, 상자의 부피가 최대가 되는 x의 값을 구하여라.

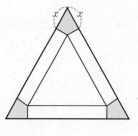

해설 | 만들어지는 상자의 밑면은 한 변의 길이가 $(12-2x)$cm$(0<x<6)$인 정삼각형이고, 높이는 $\dfrac{x}{\sqrt{3}}$이다.

상자의 부피를 $V(x)$cm^{3}라고 하면

$$V(x)=\dfrac{x}{\sqrt{3}}\cdot\dfrac{\sqrt{3}}{4}(12-2x)^2$$
$$=x(6-x)^2=x^3-12x^2+36x$$
$$V'(x)=3x^2-24x+36=3(x-6)(x-\boxed{})$$
$V'(x)=0$에서 $x=\boxed{}$ $(\because 0<x<6)$

x	(0)	$\cdots$	$\boxed{}$	$\cdots$	(6)
$V'(x)$		$+$	0	$-$	
$V(x)$		$\nearrow$	극대	$\searrow$	

따라서 $V(x)$는 $x=\boxed{}$일 때 극대이면서 최대이므로 부피가 최대가 되는 x의 값은 $\boxed{}$이다.

15 한 변의 길이가 6 cm인 정삼각형 모양의 종이에서 세 모퉁이를 그림과 같은 모양으로 잘라 내고 남은 부분으로 뚜껑이 없는 상자를 만들 때, 상자의 부피의 최댓값을 구하여라.

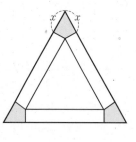

16 밑면의 반지름의 길이가 3 cm이고 높이가 12 cm인 원뿔이 있다. 이 원뿔에 내접하는 원기둥 중에서 부피가 최대인 원기둥의 밑면의 반지름의 길이를 구하여라.

해설 | 원기둥의 밑면의 반지름의 길이를 x cm $(0<x<3)$라고 하면 원기둥의 높이는 $(12-\boxed{}x)$cm이다.

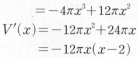

원기둥의 부피를 $V(x)$cm^{3}라고 하면
$$V(x)=\pi x^2(12-\boxed{}x)$$
$$=-4\pi x^3+12\pi x^2$$
$$V'(x)=-12\pi x^2+24\pi x$$
$$=-12\pi x(x-2)$$
$V'(x)=0$에서 $x=2$ $(\because 0<x<3)$

x	(0)	$\cdots$	2	$\cdots$	(3)
$V'(x)$		$+$	0	$-$	
$V(x)$		$\nearrow$	극대	$\searrow$	

따라서 $V(x)$는 $x=2$일 때 극대이면서 최대이므로 원기둥의 밑면의 반지름의 길이의 최댓값은 $\boxed{}$ cm이다.

17 밑면의 반지름의 길이가 6 cm이고 높이가 18 cm인 원뿔이 있다. 이 원뿔에 내접하는 원기둥의 부피의 최댓값을 구하여라.

19 함수의 그래프와 방정식의 실근

1. **방정식 $f(x)=0$의 실근의 개수** ⇨ 함수 $y=f(x)$의 그래프와 x축과의 교점의 개수와 같다.
2. **방정식 $f(x)=g(x)$의 실근의 개수** ⇨ 두 함수 $y=f(x)$, $y=g(x)$의 그래프의 교점의 개수와 같다.

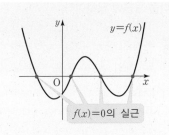

유형 052 방정식의 실근의 개수

※ 그래프를 이용하여 다음 방정식의 서로 다른 실근의 개수를 구하여라.

01 $x^3+3x^2-2=0$

해설 | $f(x)=x^3+3x^2-2$로 놓으면
$f'(x)=3x^2+6x=3x(x+2)$
$f'(x)=0$에서 $x=0$ 또는 $x=-2$
함수 $f(x)$의 증가와 감소를 표로 나타내면 다음과 같다.

x	$\cdots$	-2	$\cdots$	0	$\cdots$
$f'(x)$	$+$	0	$-$	0	$+$
$f(x)$	$\nearrow$	$\square$	$\searrow$	$\square$	$\nearrow$

따라서 함수 $f(x)$의 그래프는 x축과 서로 다른 세 점에서 만나므로 주어진 방정식의 실근은 $\square$개이다.

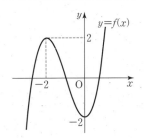

02 $x^3+6x^2+9x+4=0$

03 $x^3+3x=3x^2+2$

04 $3x^4=6x^2-3$

※ **다음 물음에 답하여라.**

05 방정식 $2x^3-6x=a$가 한 개의 양의 근과 서로 다른 두 개의 음의 근을 갖도록 실수 a의 값의 범위를 정하여라.

해설┃ 방정식 $2x^3-6x=a$에서 주어진 방정식의 실근은 $y=2x^3-6x$의 그래프와 직선 $y=a$의 교점의 x좌표 이다.

$f(x)=2x^3-6x$로 놓으면

$f'(x)=6x^2-6=6(x+1)(x-1)$

$f'(x)=0$에서 $x=-1$ 또는 $x=1$

함수 $y=f(x)$의 증가와 감소를 표로 나타내면 다음과 같다.

x	$\cdots$	-1	$\cdots$	1	$\cdots$
$f'(x)$	$+$	0	$-$	0	$+$
$f(x)$	↗	☐	↘	-4	↗

따라서 함수 $f(x)$의 그래 프는 오른쪽과 같고, $y=a$와의 교점의 x좌표가 한 개는 양수, 다른 두 개 는 음수이어야 하므로

☐$<a<$☐

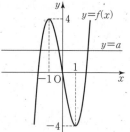

06 방정식 $x^3-3x+a=0$이 한 개의 음의 근과 서로 다른 두 개의 양의 근을 갖도록 실수 a의 값의 범위를 정하여라.

07 방정식 $x^3-a=6x^2-9x$가 한 개의 실근을 갖도 록 실수 a의 값의 범위를 정하여라.

학교시험 **필수예제**

08 방정식 $2x^3+3x^2-a=0$이 구간 $[-2,\ 1]$에서 적어도 하나의 실근을 가질 정수 a의 개수는?

① 9개 ② 10개 ③ 11개
④ 12개 ⑤ 13개

20 삼차방정식의 근의 판별

삼차함수 $f(x)=ax^3+bx^2+cx+d$에서 $f'(x)=0$의 서로 다른 두 실근을 α, β $(\alpha<\beta)$라고 할 때, 삼차방정식 $ax^3+bx^2+cx+d=0$이
① 서로 다른 세 실근을 가질 조건 ➜ $f(\alpha)f(\beta)<0$
② 서로 다른 두 실근을 가질 조건 ➜ $f(\alpha)f(\beta)=0$
③ 한 실근과 서로 다른 두 허근을 가질 조건
　➜ $f(\alpha)f(\beta)>0$

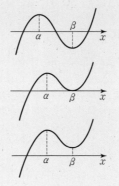

삼차방정식의 근의 판별
⇨ (극댓값)×(극솟값)의 부호를 조사한다.
· (극댓값)×(극솟값)<0
　: 서로 다른 세 실근
· (극댓값)×(극솟값)=0
　: 서로 다른 두 실근(한 실근과 중근)
· (극댓값)×(극솟값)>0
　: 한 실근과 두 허근

유형 054 삼차방정식의 근의 판별

※ 다음 삼차방정식의 근을 판별하여라.

01 $4x^3-6x^2+1=0$

해설 | $f(x)=4x^3-6x^2+1$로 놓으면
　$f'(x)=12x^2-12x=12x(x-1)$
　$f'(x)=0$에서 $x=0$ 또는 $x=1$
　함수 $f(x)$의 증가와 감소를 표로 나타내면 다음과 같다.

x	$\cdots$	0	$\cdots$	1	$\cdots$
$f'(x)$	+	0	−	0	+
$f(x)$	↗	☐	↘	☐	↗

따라서
(극댓값)×(극솟값)<0
이므로 주어진 방정식은 서로 다른 ☐ 실근을 갖는다.

02 $x^3-3x-2=0$

03 $x^3-3x^2+4=0$

04 $2x^3-9x^2+12x-2=0$

※ 다음 두 곡선이 서로 다른 세 점에서 만나게 되는 실수 a의 값의 범위를 구하여라.

05 $y=x^3-4x^2+6x$, $y=\dfrac{1}{2}x^2-a$

해설 | 두 곡선이 서로 다른 세 점에서 만나려면

$x^3-4x^2+6x=\dfrac{1}{2}x^2-a$, 즉 $x^3-\dfrac{9}{2}x^2+6x+a=0$

이 서로 다른 세 실근을 가져야 한다.

$f(x)=x^3-\dfrac{9}{2}x^2+6x+a$로 놓으면

$f'(x)=3x^2-9x+6=3(x-1)(x-2)$이므로

$f'(x)=0$에서 $x=1$ 또는 $x=2$

$f(x)=0$이 서로 다른 세 실근을 가지려면

$f(1)f(2)<0$이어야 하므로

$\left(\dfrac{5}{2}+a\right)(\boxed{}+a)<0$ $\therefore$ $\boxed{}<a<\boxed{}$

06 $y=x^3-x^2+9x$, $y=5x^2-a$

07 $y=x^3+x^2$, $y=4x^2-a$

08 $y=x^3-4x^2+6x$, $y=2x^2-3x+a$

09 $y=x^3-9x$, $y=-3x^2-a$

학교시험 필수예제

10 두 곡선 $y=x^3-n$, $y=6x^2$이 서로 다른 세 점에서 만나게 되는 정수 n의 개수는?

① 21개　　　　② 24개　　　　③ 27개

④ 31개　　　　⑤ 34개

21 부등식에의 활용

1. 어떤 구간에서 부등식 $f(x) \geq 0$임을 증명하려면 주어진 구간에서 함수 $y = f(x)$의 최솟값을 구하여 (최솟값) ≥ 0임을 보이면 된다.
2. 어떤 구간에서 부등식 $f(x) \geq g(x)$임을 증명하려면 $h(x) = f(x) - g(x)$로 놓고 $h(x)$의 최솟값이 0보다 크거나 같음을 보이면 된다.

- 모든 실수 x에 대하여 $f(x) > 0$
  $\Rightarrow (f(x)$의 최솟값) > 0
- 모든 실수 x에 대하여 $f(x) < 0$
  $\Rightarrow (f(x)$의 최댓값) < 0

유형 055 부등식의 증명

※ 다음 부등식이 성립함을 보여라.

01 모든 실수 x에 대하여 $x^4 - 4x + 3 \geq 0$

해설ㅣ $f(x) = x^4 - 4x + 3$으로 놓으면
$f'(x) = 4x^3 - 4 = 4(x - \boxed{})(x^2 + x + 1)$
$f'(x) = 0$에서 $x = \boxed{}$

x	$\cdots$	$\boxed{}$	$\cdots$
$f'(x)$	$-$	0	$+$
$f(x)$	$\searrow$	$\boxed{}$	$\nearrow$

모든 실수 x에 대하여 $f(x)$의 최솟값이 $\boxed{}$이므로
$f(x) \geq \boxed{}$
따라서 모든 실수 x에 대하여 $x^4 - 4x + 3 \geq 0$이 성립한다.

02 모든 실수 x에 대하여 $3x^4 + 1 \geq 4x^3$

03 $x \geq 0$일 때, $x^3 - x^2 \geq x - 1$

04 $x \geq 0$일 때, $x^3 \geq 3x^2 - 4$

05 $x \geq 1$일 때, $x^3 - x > 2x - 3$

06 구간 $[-1, 1]$에서 $x^3 + 3x^2 > 6x^2 - 5$

※ 다음 물음에 답하여라.

07 모든 실수 x에 대하여 부등식 $x^4+x^3+x^2+k\geq0$이 성립하기 위한 실수 k의 값의 범위를 구하여라.

해설 | $f(x)=x^4+x^3+x^2+k$로 놓으면

$f'(x)=4x^3+3x^2+2x=x(4x^2+3x+2)$

$f'(x)=0$에서 $x=\boxed{}$

x	$\cdots$	$\boxed{}$	$\cdots$
$f'(x)$	$-$	0	$+$
$f(x)$	$\searrow$	$\boxed{}$	$\nearrow$

따라서 모든 실수 x에 대하여 부등식 $f(x)\geq0$이 성립하려면 $\boxed{}\geq0$

08 모든 실수 x에 대하여 부등식 $x^4\geq4x-k$가 성립하기 위한 실수 k의 값의 범위를 구하여라.

09 모든 실수 x에 대하여 부등식 $3x^4-4x^3\geq k$가 성립하기 위한 실수 k의 값의 범위를 구하여라.

10 $x\geq0$일 때, 부등식 $2x^3-x^2+k\geq2x^2+12x$가 성립하기 위한 실수 k의 값의 범위를 구하여라.

11 부등식 $x^3-x^2+k\geq2x^2+9x$가 구간 $[-2,\ 1]$에서 성립하기 위한 실수 k의 값의 범위를 구하여라.

12 $f(x)=x^3+x^2+x$, $g(x)=4x^2+x+k$에 대하여 구간 $[1,\ 3]$에서 $f(x)\geq g(x)$가 성립하기 위한 실수 k의 값의 범위를 구하여라.

22 속도와 가속도

수직선 위를 움직이는 점 P의 시각 t에서의 위치 x가 $x=f(t)$일 때, 시각 t에서의 속도를 v, 가속도를 a라고 하면

1. $v=\dfrac{dx}{dt}=f'(t)$

2. $a=\dfrac{dv}{dt}=v'(t)$

|참고| 속도가 0이면 운동 방향이 바뀌거나 정지하는 것을 나타낸다.
속도의 절댓값 $|v|$를 시각 t에서 점 P의 속도의 크기 또는 속력이라고 한다.

위치 x
↓ 미분
속도 $v=\dfrac{dx}{dt}$
↓ 미분
가속도 $a=\dfrac{dv}{dt}$

유형 057 수직선 위를 움직이는 물체의 속도와 가속도

※ 다음 물음에 답하여라.

01 수직선 위를 움직이는 점 P의 시각 t에서의 위치 x가 $x=t^3-3t+10$이다. 이때, 다음을 구하여라.

(1) $t=3$일 때의 점 P의 속도와 가속도

(2) 점 P가 움직이는 방향을 바꾸는 시각

02 수직선 위를 움직이는 점 P의 시각 t에서의 위치 x가 $x=t^3-6t^2+5$이다. 이때, 다음을 구하여라.

(1) $t=3$일 때의 점 P의 속도와 가속도

(2) 점 P가 움직이는 방향을 바꾸는 시각

03 수직선 위를 움직이는 점 P의 시각 t에서의 위치 x가 $x=4t^3-6t^2+1$이라고 한다. 속도가 9일 때, 가속도를 구하여라.

04 수직선 위를 움직이는 점 P의 시각 t에서의 위치 x가 $x=2t^3-3t^2-12t$라고 한다. 속도가 24일 때, 가속도를 구하여라.

학교시험 필수예제

05 수직선 위를 움직이는 두 점 P, Q의 시각 t에서의 위치가 각각 t^2+4t, t^3-t+5일 때, 두 점의 속도가 같아지는 순간 점 Q의 가속도를 구하여라.

※ 다음 물음에 답하여라.

06 지면으로부터 15 m의 높이에서 20 m/초의 속도로 똑바로 위로 쏘아 올린 물체의 t초 후의 지면으로부터의 높이를 h m라고 하면
$$h=15+20t-5t^2$$
인 관계식이 성립한다.

(1) 물체를 쏘아 올린 지 1초 후의 속도와 가속도를 구하여라.

(2) 물체가 최고 높이에 도달할 때까지 걸린 시간과 그때의 높이를 구하여라.

07 지상에서 30 m/초의 속도로 똑바로 위로 쏘아 올린 물체의 t초 후의 높이를 h m라고 하면
$$h=30t-5t^2$$
인 관계식이 성립한다.

(1) 물체를 쏘아 올린 지 2초 후의 물체의 속도와 가속도를 구하여라.

(2) 물체가 최고 높이에 도달할 때까지 걸린 시간과 그때의 높이를 구하여라.

08 직선 궤도를 달리는 기차에서 제동을 건 후 t초 동안 움직인 거리를 x m라고 하면
$$x=26t-0.65t^2$$
인 관계식이 성립한다.

(1) 제동을 건 지 2초 후의 속도와 가속도를 구하여라.

(2) 제동을 건 후 정지할 때까지 걸린 시간과 움직인 거리를 구하여라.

09 직선 도로를 달리는 자동차가 제동을 건 후 t초 동안 달린 거리를 x m라고 하면
$$x=27t-0.9t^2$$
인 관계식이 성립한다.

(1) 제동을 건 지 10초 후의 속도와 가속도를 구하여라.

(2) 제동을 건 후 정지할 때까지 걸린 시간과 움직인 거리를 구하여라.

유형 059   시각에 대한 변화율

※ 다음 물음에 답하여라.

10 키가 1.8 m인 어떤 사람이 높이가 3 m인 가로등 밑에서 출발하여 매분 60 m의 속도로 일직선으로 걸어갈 때, 그림자의 끝이 움직이는 속도를 구하여라.

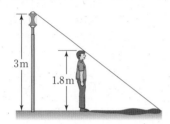

11 키가 1.8 m인 학생이 높이가 3 m인 가로등 밑에서 출발하여 매초 2 m의 속도로 일직선으로 걸어갈 때, 그림자의 길이의 변화율을 구하여라.

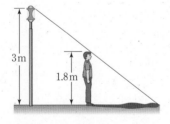

12 한 변의 길이가 3 cm인 정삼각형의 각 변의 길이가 매초 0.5 cm씩 길어질 때, 10초 후의 정삼각형의 넓이의 변화율을 구하여라.

13 한 모서리의 길이가 2 cm인 정육면체의 각 모서리의 길이가 매초 1 cm씩 길어질 때, 2초 후의 부피의 변화율을 구하여라.

※ 다음 물음에 답하여라.

14 수직선 위의 원점을 출발한 점 P의 시각 t에서의 속도 $v(t)$의 그래프가 그림과 같을 때, 보기에서 옳은 것만을 있는 대로 골라라.

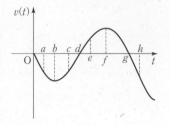

┤보기├
ㄱ. $t=b$일 때, 가속도는 양의 값이다.
ㄴ. $d<t<e$일 때, 속도가 증가한다.
ㄷ. $t=f$일 때, 운동 방향을 바꾼다.
ㄹ. $0<t<h$에서 운동방향을 2번 바꾼다.

15 원점을 출발하여 수직선 위를 움직이는 점 P의 시각 t에서의 속도 $v(t)$의 그래프가 그림과 같을 때, <보기>에서 옳은 것만을 있는 대로 골라라.

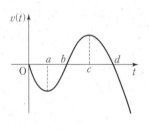

┤보기├
ㄱ. $t=a$일 때와 $t=c$일 때 가속도는 0이다.
ㄴ. $t=a$일 때와 $t=c$일 때 점 P의 운동 방향은 같다.
ㄷ. $t=c$일 때, 점 P는 운동 방향을 바꾸지 않는다.
ㄹ. $b<t<d$일 때, 속도가 증가한다.

16 수직선 위를 움직이는 점 P의 시각 t에서의 위치 $x(t)$의 그래프가 그림과 같을 때, 보기에서 옳은 것만을 있는 대로 골라라.

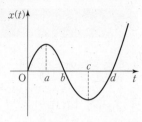

┤보기├
ㄱ. $0<t<d$에서 $t=c$일 때, 점 P는 원점에서 가장 멀리 떨어져 있다.
ㄴ. $t=b$일 때 점 P는 운동 방향을 바꾼다.
ㄷ. $t=c$일 때 점 P의 속도는 0이다.
ㄹ. $t=b$일 때 점 P의 속도는 양의 값이다.

학교시험 필수예제

17 수직선 위를 움직이는 점 P의 시각 t에서의 위치 x가 t에 대한 함수 $y=f(t)$로 나타내어질 때, $y=f(t)$의 그래프는 그림과 같다. 다음 중 점 P가 처음으로 원점을 지나는 순간의 속도와 그 값이 같은 것은?

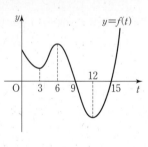

① $f(3)$ ② $f(9)$ ③ $f(15)$
④ $f'(3)$ ⑤ $f'(9)$

Ⅱ. 다항함수의 미분법

1. 평균변화율

함수 $y=f(x)$에서 x의 값이 a에서 b까지 변할 때의 평균변화율은

$$\frac{\Delta y}{\Delta x}=\frac{f(b)-f(a)}{b-a}=\frac{f(a+\Delta x)-f(a)}{\Delta x}$$

2. 미분계수

(1) 함수 $y=f(x)$의 $x=a$에서의 미분계수는

$$f'(a)=\lim_{\Delta x \to 0}\frac{\Delta y}{\Delta x}=\lim_{\Delta x \to 0}\frac{f(a+\Delta x)-f(a)}{\Delta x}=\lim_{x \to a}\frac{f(x)-f(a)}{x-a}$$

(2) 함수 $y=f(x)$의 $x=a$에서의 미분계수 $f'(a)$는 곡선 $y=f(x)$ 위의 점 $(a,\ f(a))$에서의

❶ 의 기울기이다.

3. 미분가능성과 연속성

함수 $y=f(x)$가 $x=a$에서 **❷** 하면 함수 $y=f(x)$는 $x=a$에서 연속이다.

그러나 일반적으로 그 역은 성립하지 않는다.

|참고| 함수 $y=f(x)$에 대하여

① $x=a$에서 연속이다. $\Rightarrow \lim_{x \to a}f(x)=f(a)$

② $x=a$에서 미분가능하다. $\Rightarrow \lim_{h \to 0}\dfrac{f(a+h)-f(a)}{h}$가 존재

4. 도함수

미분가능한 함수 $y=f(x)$의 정의역의 각 원소 x에 미분계수 $f'(x)$를 대응시켜 만든 새로운 함수를 함수 $y=f(x)$의 **❸** 라 하고, 기호로 $f'(x),\ y',\ \dfrac{dy}{dx},\ \dfrac{d}{dx}f(x)$ 등으로 나타낸다.

즉,

$$f'(x)=\lim_{h \to 0}\frac{f(x+h)-f(x)}{h}$$

5. 미분법의 공식

(1) 함수 $y=x^n$과 상수함수의 도함수

　① $y=x^n$ (n은 양의 정수)이면 $y'=$ **❹** x^{n-1}　　② $y=c$ (c는 상수)이면 $y'=0$

(2) 실수배, 합, 차의 미분법 : 두 함수 $f(x),\ g(x)$가 미분가능할 때,

　① $\{cf(x)\}'=cf'(x)$ (단, c는 상수)　　② $\{f(x)+g(x)\}'=f'(x)+g'(x)$

　③ $\{f(x)-g(x)\}'=f'(x)-g'(x)$

(3) 곱의 미분법 : 두 함수 $f(x),\ g(x)$가 미분가능할 때,

　$\{f(x)g(x)\}'=f'(x)g(x)+f(x)g'(x)$

(4) $y=\{f(x)\}^n$의 도함수 : $y=\{f(x)\}^n$ (n은 자연수)이면

　$y'=n\{f(x)\}^{n-1}$ **❺**

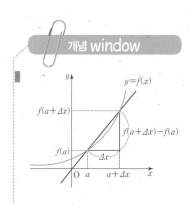

함수
연속인 함수
미분가능한 함수

함수 $f(x)$의 $x=a$에서의 미분가능 여부

(i) $x=a$에서 함수 $f(x)$가 연속인 경우 $\Rightarrow$ (우미분계수)=(좌미분계수)이면 $x=a$에서 미분가능하다.

(ii) $x=a$에서 함수 $f(x)$가 불연속인 경우 $\Rightarrow x=a$에서 미분가능하지 않다.

$(x^n)'=nx^{n-1}$

---

❶ 접선　❷ 미분가능　❸ 도함수　❹ n　❺ $f'(x)$

6. 접선의 방정식

함수 $f(x)$가 $x=a$에서 미분가능할 때, 곡선 $y=f(x)$ 위의 점 $\mathrm{P}(a, f(a))$에서의 접선의 방정식은

$$y-f(a)=\boxed{⑥}\ (x-a)$$

개념 window

7. 롤의 정리

함수 $f(x)$가 닫힌구간 $[a, b]$에서 연속이고 열린구간 (a, b)에서 미분가능할 때, $f(a)=f(b)$이면 $f'(c)=0$인 c가 열린구간 (a, b) 안에 적어도 하나 존재한다.

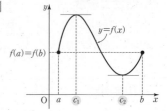

8. 평균값 정리

함수 $f(x)$가 닫힌구간 $[a, b]$에서 연속이고, 열린구간 (a, b)에서 미분가능할 때

$$\frac{f(b)-f(a)}{b-a}=f'(c)\ \text{(단, } a<c<b)$$

인 c가 열린구간 (a, b) 안에 적어도 하나 존재한다.

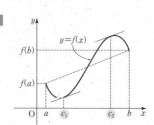

9. 함수의 증가와 감소

함수 $f(x)$가 어떤 구간에 속하는 임의의 두 실수 a, b에 대하여

(1) $a<b$일 때, $f(a)<f(b)$이면 $f(x)$는 이 구간에서 $\boxed{⑦}$ 한다고 한다.

(2) $a<b$일 때, $f(a)>f(b)$이면 $f(x)$는 이 구간에서 $\boxed{⑧}$ 한다고 한다.

어떤 구간에서 미분가능한 함수 $f(x)$에 대하여
$f(x)$가 이 구간에서
• 증가하면 $\Rightarrow f'(x)\geq0$
• 감소하면 $\Rightarrow f'(x)\leq0$
이때, 등호가 포함됨에 유의한다.

10. 함수의 극대와 극소

(1) 함수 $f(x)$에서 $x=a$를 포함하는 어떤 열린구간에 속하는 모든 x에 대하여

① $f(x)\leq f(a)$일 때, 함수 $f(x)$는 $x=a$에서 극대라 하고, $f(a)$를 극댓값이라고 한다.

② $f(x)\geq f(a)$일 때, 함수 $f(x)$는 $x=a$에서 극소라 하고, $f(a)$를 극솟값이라고 한다.

이때, 극댓값과 극솟값을 통틀어 극값이라고 한다.

(2) 극값을 가질 필요조건: 미분가능한 함수 $f(x)$가 $x=a$에서 극값을 가지면 $f'(a)=\boxed{⑨}$ 이다.

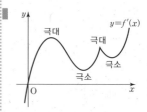

11. 함수의 극대와 극소의 판정

미분가능한 함수 $f(x)$에 대하여 $f'(a)=0$일 때

① $x=a$의 좌우에서 $f'(x)$의 부호가 양$(+)$에서 음$(-)$으로 바뀌면 $f(x)$는 $x=a$에서 $\boxed{⑩}$ 이다.

② $x=a$의 좌우에서 $f'(x)$의 부호가 음$(-)$에서 양$(+)$으로 바뀌면 $f(x)$는 $x=a$에서 $\boxed{⑪}$ 이다.

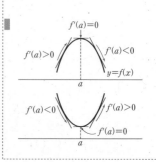

⑥ $f'(a)$　⑦ 증가　⑧ 감소　⑨ 0　⑩ 극대　⑪ 극소

12. 함수의 그래프

미분가능한 함수 $y=f(x)$의 그래프의 개형은 다음과 같은 순서로 그린다.

⑴ $f'(x)=0$을 풀어 극값을 구한다.

⑵ $f'(x)$의 부호의 변화를 조사하여 함수 $f(x)$의 증가와 감소 구간을 구한다.

⑶ x축 또는 y축과의 교점을 구한다.

⑷ 그래프의 개형을 그린다.

개념 window

■ 함수의 그래프 그리기
  ⇨ 증감표를 만든다.

13. 함수의 그래프와 최댓값, 최솟값

함수 $f(x)$가 닫힌구간 $[a, b]$에서 연속이면

$f(x)$의 극댓값, $f(x)$의 극솟값, $f(a), f(b)$

중에서 가장 큰 값이 최댓값이고 가장 작은 값이 최솟값이다.

14. 함수의 그래프와 방정식의 실근

⑴ 방정식 $f(x)=0$의 실근의 개수 ⇨ 함수 $y=f(x)$의 그래프와 x축과의 [⑫   ]의 개수와 같다.

⑵ 방정식 $f(x)=g(x)$의 실근의 개수 ⇨ 두 함수 $y=f(x)$, $y=g(x)$의 그래프의 교점의 개수와 같다.

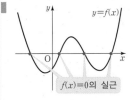

15. 삼차방정식의 근의 판별

삼차함수 $f(x)=ax^3+bx^2+cx+d$에서 $f'(x)=0$의 서로 다른 두 실근을 α, β $(\alpha<\beta)$라고 할 때, 삼차방정식 $ax^3+bx^2+cx+d=0$이

① 서로 다른 세 실근을 가질 조건 ➡ $f(\alpha)f(\beta)<0$

② 서로 다른 [⑬   ] 실근을 가질 조건 ➡ $f(\alpha)f(\beta)=0$

③ 한 실근과 서로 다른 두 허근을 가질 조건
  ➡ $f(\alpha)f(\beta)>0$

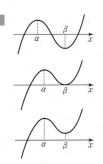

16. 부등식에의 활용

⑴ 어떤 구간에서 부등식 $f(x)\geq0$임을 증명하려면 주어진 구간에서 함수 $y=f(x)$의 최솟값을 구하여 (최솟값)≥0임을 보이면 된다.

⑵ 어떤 구간에서 부등식 $f(x)\geq g(x)$임을 증명하려면 $h(x)=f(x)-g(x)$로 놓고 $h(x)$의 최솟값이 [⑭   ]보다 크거나 같음을 보이면 된다.

• 모든 실수 x에 대하여 $f(x)>0$
  ⇨ ($f(x)$의 최솟값)>0
• 모든 실수 x에 대하여 $f(x)<0$
  ⇨ ($f(x)$의 최댓값)<0

17. 속도와 가속도

수직선 위를 움직이는 점 P의 시각 t에서의 위치 x가 $x=f(t)$일 때, 시각 t에서의 속도를 v, 가속도를 a라고 하면

⑴ $v=\dfrac{dx}{dt}=$ [⑮   ]

⑵ $a=\dfrac{dv}{dt}=$ [⑯   ]

⑫ 교점 ⑬ 두 ⑭ 0 ⑮ $f'(t)$ ⑯ $v'(t)$

포도주 통
볼록한 모양의 포도주 통의 부피는 많은 원기둥의 부피의 합으로 구한다.

보행 거리
보행거리는 순간 속도의 적분이다.

CT 촬영
단면 사진을 찍어 전체를 파악하는 CT촬영에 적분의 원리가 들어 있다.

어떻게?
곡면으로 둘러싸인 부분의 부피를
구할 수 있을까?

그 답은 바로
잘게 잘라 나누고 더하기!

　미적분학의 기본 정리가 나오기 전에는 아주 단순한 종류의 변화만 분석할 수 있었는데 예를 들어 시속 100km의 일정한 속도로 달리는 자동차는 분명히 한 시간 뒤에는 100km, 두 시간 뒤에는 200km를 달린다. 하지만 속도가 변하는 변화는 어떻게 될까?

　아르키메데스는 곡선으로 둘러싸인 부분의 넓이를 무수히 많은 삼각형으로 잘라서 각각의 삼각형의 넓이를 더해 구했다. 아르키메데스 이후 약 2000년 동안 속도가 변하는 변화를 예측하는 방법은 오직 한 가지뿐이었다. 그것은 변하는 조각들을 일일이 더하는 것이었다. 하지만 대개는 그것을 해낼 수 없었는데, 무한의 총합을 계산하는 것은 너무 어려웠기 때문이다. 높은 건물에서 떨어뜨린 동전의 낙하, 밀물과 썰물, 행성의 타원 궤도, 우리에게 나타나는 일주기 생체 리듬 등 도처에 널려 있는 자연 현상을 이런 방식으로 해석하기는 불가능하였고, 오직 미적분학만이 이처럼 일정하지 않은 변화에서 생겨나는 누적 효과에 제대로 대처할 수 있다. 미적분학의 기본 정리는 자연계에서 일어나는 많은 문제를 푸는 지름길을 제공한다.

Ⅲ 다항함수의 적분법

01 부정적분의 뜻

함수 $F(x)$의 도함수가 $f(x)$일 때, 즉 $F'(x)=f(x)$일 때, $F(x)$를 $f(x)$의 부정적분이라 하고, 기호로 $\int f(x)dx$와 같이 나타낸다.

즉, $F'(x)=f(x)$이면

$$\int f(x)dx=F(x)+C \text{ (단, } C\text{는 적분상수)}$$

| 참고 | 1. $\int f(x)dx$에서 dx는 x에 대하여 적분한다는 뜻이다.

2. 함수 x^2, x^2-1, x^2+1의 도함수는 모두 $2x$이므로 $2x$의 부정적분은 $\int 2xdx=x^2+C$이다.

(단, C는 적분상수)

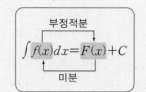

유형 061 부정적분의 뜻

※ 다음 등식을 만족하는 함수 $f(x)$를 구하여라. (단, C는 적분상수)

01 $\int f(x)dx=3x^2+4x+C$

해설 | 양변을 x에 대하여 미분하면

$$f(x)=(3x^2+4x+C)'=\boxed{}$$

02 $\int f(x)dx=3x+C$

03 $\int f(x)dx=4x^2+2x+C$

04 $\int f(x)dx=3x^3-2x^2+5x+C$

05 $\int f(x)dx=5x^4+4x^2-3x+C$

※ 다음 부정적분을 구하여라.

06 $\int 1\,dx$

07 $\int 2x\,dx$

08 $\int 3x^2\,dx$

09 $\int 4x^3\,dx$

학교시험 필수예제

10 $\int(3x^2+2ax+b)dx=cx^3+2x^2+3x+C$일 때, 상수 a, b, c의 값을 각각 구하여라.

02 부정적분의 계산

1. 함수 $y=x^n$의 부정적분

n이 0 또는 양의 정수일 때,

$$\int x^n dx = \frac{1}{n+1} x^{n+1} + C \text{ (단, } C\text{는 적분상수)}$$

2. 부정적분의 성질

두 함수 $f(x)$, $g(x)$에 대하여

① $\int kf(x)dx = k\int f(x)dx$ (단, k는 상수)

② $\int \{f(x)\pm g(x)\}dx = \int f(x)dx \pm \int g(x)dx$ (복호동순)

$$\int x^4 dx = \frac{1}{4+1}x^{4+1}+C$$
$$= \frac{1}{5}x^5 + C$$
$$\int 1 dx = \int x^0 dx$$
$$= \frac{1}{0+1}x^{0+1}+C$$
$$= x+C$$

유형 062 부정적분의 계산

※ 다음 부정적분을 구하여라.

01 $\int x^2 dx$

02 $\int x^3 dx$

03 $\int x^6 dx$

04 $\int x^{10} dx$

05 $\int 3 dx$

06 $\int 2x dx$

07 $\int 8x^7 dx$

08 $\int (8x^3 - 2x + 5)dx$

해설ㅣ $\int (8x^3 - 2x + 5)dx$

$$= \int 8x^3 dx - \int 2x dx + \int 5 dx$$

$$= 8\int x^3 dx - 2\int x dx + 5\int dx$$

$$= \boxed{}$$

09 $\int (6x^5 - 12x^3 + 4x)dx$

※ 다음 부정적분을 구하여라.

10 $\int (x+1)(2x-1)\,dx$

해설 | $\int (x+1)(2x-1)\,dx$

$\quad = \int (2x^2+x-1)\,dx$

$\quad = \boxed{} \cdot \dfrac{x^3}{3} + \dfrac{1}{2}x^2 - x + C$

$\quad = \boxed{} x^3 + \dfrac{1}{2}x^2 - x + C$

11 $\int (3x+1)(2x-2)\,dx$

12 $\int (2x+1)(6x-3)\,dx$

13 $\int (4x^2+2x)\,dx - \int (x^2-4x+1)\,dx$

14 $\int (x-1)^2\,dx - \int (x+1)^2\,dx$

※ 다음 조건을 만족하는 함수 $f(x)$를 구하여라.

15 $f'(x)=8x^3+6x$, $f(0)=1$

해설 | $f'(x)=8x^3+6x$이므로

$\quad f(x) = \int (8x^3+6x)\,dx$

$\qquad\quad = 2x^4 + 3x^2 + C$

$\quad f(0)=1$이므로 $C=\boxed{}$

$\quad \therefore f(x) = 2x^4 + 3x^2 + \boxed{}$

16 $f'(x)=6x^2+2x-3$, $f(0)=1$

17 $f'(x)=3(x+1)(x-1)$, $f(-1)=2$

18 $f'(x)=(3x-1)(5x-3)$, $f(0)=1$

학교시험 필수예제

19 다항함수 $f(x)$가 $f'(x)=2x+1$, $f(0)=3$이 성립할 때, $f(-1)$의 값은?

① -1 ② 0 ③ 1

④ 2 ⑤ 3

※ 접선의 기울기가 다음과 같이 주어진 함수 $f(x)$를 구하여라.

20 점 $(1,\ 3)$을 지나는 곡선 $y=f(x)$ 위의 임의의 점 $(x,\ f(x))$에서의 접선의 기울기가 $2x-1$인 함수 $f(x)$

해설| 곡선 $y=f(x)$ 위의 점 $(x,\ f(x))$에서의 접선의 기울기가 $f'(x)=2x-1$이므로

$$f(x)=\int f'(x)dx=\int(2x-1)dx$$
$$=x^2-x+C$$

이 곡선이 점 $(1,\ 3)$을 지나므로

$$f(1)=1-1+C=3 \quad \therefore C=\boxed{}$$

$$\therefore f(x)=\boxed{}$$

21 점 $(1,\ 2)$를 지나는 곡선 $y=f(x)$ 위의 임의의 점 $(x,\ f(x))$에서의 접선의 기울기가 $-4x+3$인 함수 $f(x)$

22 점 $(1,\ -1)$을 지나는 곡선 $y=f(x)$ 위의 임의의 점 $(x,\ f(x))$에서의 접선의 기울기가 $6x^2-8x$인 함수 $f(x)$

※ 다음 물음에 답하여라.

23 점 $(1,\ -2)$를 지나는 곡선 $y=f(x)$ 위의 점 $(x,\ f(x))$에서의 접선의 기울기가 $2x-1$일 때, $f(3)$의 값을 구하여라.

해설| $f'(x)=2x-1$이므로

$$f(x)=\int(2x-1)dx=x^2-x+C$$

이 곡선이 점 $(1,\ -2)$를 지나므로

$$f(1)=1-1+C=-2 \quad \therefore C=-2$$

즉, $f(x)=\boxed{}$

$$\therefore f(3)=9-3-\boxed{}=\boxed{}$$

24 점 $(-1,\ 6)$을 지나는 곡선 $y=f(x)$ 위의 점 $(x,\ f(x))$에서의 접선의 기울기가 $3x^2+2x$일 때, $f(1)$의 값을 구하여라.

학교시험 필수예제

25 점 $(1,\ 0)$을 지나는 곡선 $y=f(x)$ 위의 점 $(x,\ f(x))$에서의 접선의 기울기가 $6x^2-4x$일 때, $f(2)$의 값은?

① 0 　　　　② 2 　　　　③ 4
④ 6 　　　　⑤ 8

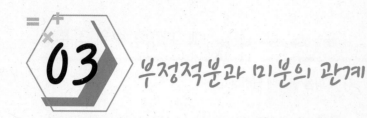

03 부정적분과 미분의 관계

함수 $f(x)$에 대하여

(1) $\dfrac{d}{dx}\displaystyle\int f(x)dx=f(x)$

(2) $\displaystyle\int\left\{\dfrac{d}{dx}f(x)\right\}dx=f(x)+C$ (단, C는 적분상수)

$$\dfrac{d}{dx}\left\{\int f(x)dx\right\}\neq\int\left\{\dfrac{d}{dx}f(x)\right\}dx$$

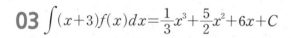 유형 064 부정적분과 미분의 관계

※ 다음 등식을 만족하는 함수 $f(x)$를 구하여라. (단, C는 적분상수)

01 $\displaystyle\int (x-1)f(x)dx=2x^3-6x+C$

해설 | $(x-1)f(x)=(2x^3-6x+C)'$이므로

$(x-1)f(x)=6x^2-6$

$(x-1)f(x)=6(\boxed{})(x-1)$

$\therefore f(x)=\boxed{}$

02 $\displaystyle\int (x+2)f(x)dx=\dfrac{1}{3}x^3-4x+C$

03 $\displaystyle\int (x+3)f(x)dx=\dfrac{1}{3}x^3+\dfrac{5}{2}x^2+6x+C$

※ 함수 $f(x)$의 한 부정적분을 $F(x)$라고 할 때, 다음을 구하여라.

04 $F(x)=xf(x)-x^3+x^2+1$이고 $f(0)=2$일 때, $f(3)$의 값

해설 | 주어진 등식의 양변을 x에 대하여 미분하면

$f(x)=f(x)+xf'(x)-3x^2+2x$

$xf'(x)=3x^2-2x$, 즉 $f'(x)=\boxed{}$

$f(x)=\displaystyle\int f'(x)dx$

$\quad=\displaystyle\int (\boxed{})dx=\dfrac{3}{2}x^2-2x+C$

이므로 $f(0)=2$에서 $C=2$

$\therefore f(x)=\dfrac{3}{2}x^2-2x+2$

$\therefore f(3)=\dfrac{3}{2}\cdot 3^2-2\cdot 3+2=\boxed{}$

05 $F(x)=xf(x)-2x^2(x+1)$일 때, $f'(1)$의 값

 학교시험 필수예제

06 $\displaystyle\int f(x)dx=xf(x)-2x^3+x^2+1,\ f(1)=4$일 때, $f(2)$의 값은?

① 9   ② 10   ③ 11

④ 12   ⑤ 13

※ 다음 물음에 답하여라.

07 $\int \{f(x)+1\}dx=x^4-6x^2+C$일 때, 함수 $f(x)$의 극댓값, 극솟값을 구하여라.

해설Ⅰ 양변을 미분하면 $f(x)+1=4x^3-12x$
　　　$f(x)=4x^3-12x-1$
　　　$f'(x)=12x^2-12=12(x+1)(x-1)$
　　　따라서 함수 $f(x)$는 $x=-1$에서 극대이고, $x=1$에서 극소이다.
　　　극댓값은 $f(-1)=-4+12-1=\boxed{}$
　　　극솟값은 $f(1)=4-12-1=\boxed{}$

08 $f(x)=x^2-4x+3$이고 $F(x)=\int f(x)dx$일 때, 함수 $F(x)$의 극댓값, 극솟값의 차를 구하여라.

09 삼차함수 $f(x)$의 도함수 $y=f'(x)$의 그래프가 오른쪽 그림과 같다. $f(x)$의 극솟값이 1, 극댓값이 5일 때, 함수 $f(x)$를 구하여라.

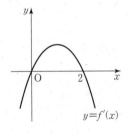

10 삼차함수 $y=f(x)$의 도함수 $f'(x)$의 그래프가 오른쪽 그림과 같다. $f(x)$의 극댓값이 11, 극솟값이 2일 때, $f(1)$의 값을 구하여라.

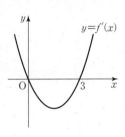

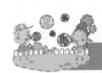
학교시험 필수예제

11 삼차함수 $f(x)$의 도함수 $y=f'(x)$의 그래프가 오른쪽 그림과 같다. $f(0)=1$일 때, $f(3)$의 값은?

① -8　　② -6
③ -4　　④ -2
⑤ 0

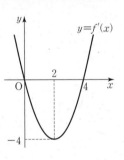

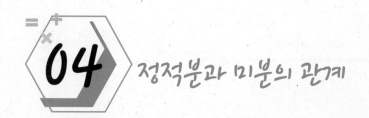

04 정적분과 미분의 관계

1. 함수 $f(x)$가 구간 $[a, b]$에서 연속일 때
$$\frac{d}{dx}\int_a^x f(t)dt=f(x)\ (단,\ a\leq x\leq b)$$

2. **적분 구간에 변수가 있는 정적분** : 항등식의 성질을 이용하여 푼다.
$$\int_a^x f(t)dt=g(x)\ (a는 상수) 꼴은$$
① 양변에 $x=a$를 대입한다. $\rightarrow g(a)=0$
② 양변을 x에 대하여 미분한다. $\rightarrow f(x)=g'(x)$

$$\frac{d}{dx}\int_a^x (3t^2-4t+2)dt$$
$$=3x^2-4x+2$$

유형 065 정적분과 미분의 관계

※ 임의의 실수 x에 대하여 다음을 만족하는 상수 a의 값과 다항함수 $f(x)$를 각각 구하여라.

01 $\int_a^x f(t)dt=x^3-1$

해설ㅣ 주어진 등식의 양변에 $x=a$를 대입하면
$\int_a^a f(t)dt=0$이므로 $a^3-1=\boxed{}$, $a=\boxed{}$
주어진 등식의 양변을 x에 대하여 미분하면 정적분과 미분의 관계에서
$f(x)=(x^3-1)'=\boxed{}$
$\therefore a=\boxed{}$, $f(x)=\boxed{}$

02 $\int_a^x f(t)dt=x^2-4x+4$

※ 다음 물음에 답하여라.

03 다항함수 $f(x)$가 임의의 실수 x에 대하여 $\int_1^x f(t)dt=x^3+x^2+ax$를 만족할 때, $f(1)$의 값을 구하여라. (단, a는 상수)

04 다항함수 $f(x)$가 임의의 실수 x에 대하여 $\int_0^x (t-1)f(t)dt=x^3-x^2-x+a$를 만족할 때, $f(1)$의 값을 구하여라. (단, a는 상수)

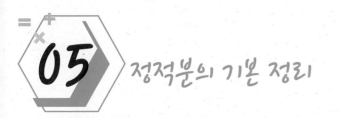

05 정적분의 기본 정리

1. **정적분의 기본 정리** : 함수 $f(x)$가 구간 $[a, b]$에서 연속이고 $f(x)$의 부정적분 중의 하나를 $F(x)$라고 하면

$$\int_a^b f(x)dx = \left[F(x) \right]_a^b = F(b) - F(a)$$

예 $\int_0^3 x^2\,dx = \left[\frac{1}{3}x^3 \right]_0^3 = \frac{1}{3}\cdot 3^3 - \frac{1}{3}\cdot 0 = 9$

2. 정적분의 기본 정리는 위끝, 아래끝의 대소에 관계없이 성립한다. 즉,

$$\int_a^a f(x)dx = 0, \ \int_a^b f(x)dx = -\int_b^a f(x)dx$$

$$\left[F(x) + C \right]_a^b$$
$$= \{F(b) + C\} - \{F(a) + C\}$$
$$= F(b) - F(a)$$
이므로 정적분의 계산에서는 적분상수 C는 고려하지 않는다.

유형 066 정적분의 기본 정리

※ 다음 정적분을 구하여라.

01 $\int_1^2 3x^2\,dx$

02 $\int_0^1 10x^4\,dx$

03 $\int_1^2 (2x^3 - 3x^2 + 2x - 4)\,dx$

04 $\int_1^3 (x-1)(x+2)\,dx$

05 $\int_8^8 (x-1)^8\,dx$

06 $\int_1^0 (x^2 + x)\,dx$

07 $\int_1^{-2} (3x^2 - 4x)\,dx$

학교시험 필수예제

08 $\int_0^k \left(\frac{1}{2}x + 1 \right)dx = \frac{5}{4}$ 일 때, 상수 k의 값은?

(단, $k > 0$)

① 1   ② 2   ③ 3
④ 4   ⑤ 5

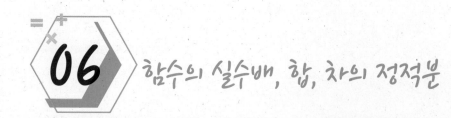

06 함수의 실수배, 합, 차의 정적분

구간 $[a, b]$에서 연속인 두 함수 $f(x)$, $g(x)$에 대하여

(1) $\int_a^b kf(x)dx = k\int_a^b f(x)dx$ (단, k는 상수)

(2) $\int_a^b \{f(x)+g(x)\}dx = \int_a^b f(x)dx + \int_a^b g(x)dx$

(3) $\int_a^b \{f(x)-g(x)\}dx = \int_a^b f(x)dx - \int_a^b g(x)dx$

정적분의 합 · 차
⇨ 적분 구간을 확인한다.

유형 067 함수의 실수배, 합, 차의 정적분

※ 다음 정적분을 구하여라.

01 $\int_{-1}^2 (2x-1)dx - \int_{-1}^2 (2x+1)dx$

해설ㅣ $\int_{-1}^2 (2x-1)dx - \int_{-1}^2 (2x+1)dx$

$= \int_{-1}^2 \{(2x-1)-(2x+1)\}dx$

$= \int_{-1}^2 \boxed{}dx$

$= \Big[\boxed{}\Big]_{-1}^2$

$= -4 - \boxed{} = \boxed{}$

02 $\int_0^1 (2x-x^2)dx + \int_0^1 (2x+x^2)dx$

03 $\int_1^3 (x+1)^2 dx - \int_1^3 (x-1)^2 dx$

04 $\int_1^3 (x-1)^2 dx - \int_3^1 2x\,dx$

05 $\int_{-1}^0 (x^3-3x^2+2x)dx + \int_0^{-1} (x^3-3x^2-2x)dx$

학교시험 필수예제

06 $\int_{-1}^1 (x^2+1)dx - \int_{-1}^1 x^2\,dx$의 값은?

① -2 ② -1 ③ 0
④ 1 ⑤ 2

07 정적분의 성질

함수 $f(x)$가 어떤 구간에서 연속일 때, 그 구간에 속하는 임의의 실수 a, b, c 에 대하여

$$\int_a^c f(x)dx + \int_c^b f(x)dx = \int_a^b f(x)dx$$

예 $\int_{-2}^1 (4x^3+1)dx + \int_1^2 (4x^3+1)dx = \int_{-2}^2 (4x^3+1)dx = \left[x^4+x \right]_{-2}^2 = 4$

a, b, c의 대소에 관계없이 성립한다.

유형 068 정적분의 성질

※ 다음 정적분을 구하여라.

01 $\int_{-2}^1 (4x^3+2)dx + \int_1^2 (4x^3+2)dx$

해설ㅣ $\int_{-2}^1 (4x^3+2)dx + \int_1^2 (4x^3+2)dx$

$= \int_{\boxed{}}^{\boxed{}} (4x^3+2)dx$

$= \left[x^4+2x \right]_{\boxed{}}^{\boxed{}}$

$= (16+4) - (16-4) = \boxed{}$

02 $\int_0^1 (x^2+1)dx + \int_1^3 (x^2+1)dx$

03 $\int_{-2}^1 (x^3-x)dx + \int_1^2 (x^3-x)dx$

04 $\int_0^2 (x-1)^2 dx - \int_3^2 (x-1)^2 dx$

05 $\int_{-1}^2 (4x^3-6x-1)dx - \int_3^2 (4x^3-6x-1)dx$

학교시험 필수예제

06 $\int_0^4 f(x)dx = 3$, $\int_1^7 f(x)dx = 6$, $\int_1^4 f(x)dx = 2$

일 때, $\int_0^7 f(x)dx$의 값은?

① 3   ② 4   ③ 5

④ 6   ⑤ 7

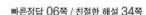

구간에 따라 다르게 정의된 함수의 정적분

1. **절댓값이 있는 정적분** : 절댓값이 0이 되는 값을 기준으로 구간을 나누어 계산한다.

2. **구간에 따라 다르게 정의된 함수의 정적분** : 그래프의 꺾인 점을 기준으로 각 구간에서 함수의 식을 찾아 정적분의 값을 구한다. 즉

연속함수 $f(x) = \begin{cases} g(x) & (x \leq b) \\ h(x) & (x > b) \end{cases}$ 에 대하여 $a < b < c$일 때,

$$\int_a^c f(x)dx = \int_a^b g(x)dx + \int_b^c h(x)dx$$

구간에 따라 다르게 정의된 함수의 정적분 ⇨ 구간을 나누어 정적분의 값을 구한다.

유형 069 절댓값이 있는 정적분

※ 다음 정적분을 구하여라.

01 $\int_0^3 |x-2|dx$

해설| $|x-2|$
$= \begin{cases} -(x-2) & (0 \leq x \leq 2) \\ x-2 & (2 < x \leq 3) \end{cases}$
이므로
$\int_0^3 |x-2|dx$

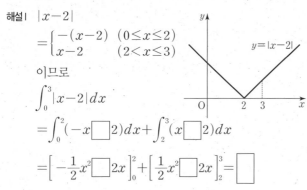

$= \int_0^2 (-x\boxed{}2)dx + \int_2^3 (x\boxed{}2)dx$

$= \left[-\dfrac{1}{2}x^2 \boxed{} 2x \right]_0^2 + \left[\dfrac{1}{2}x^2 \boxed{} 2x \right]_2^3 = \boxed{}$

02 $\int_0^4 |x-1|dx$

03 $\int_0^6 |x-4|dx$

04 $\int_0^2 |x^2-1|dx$

05 $\int_1^3 |3x^2-6x|dx$

학교시험 필수예제

06 정적분 $\int_0^3 6x|x-1|dx$의 값은?

① 13 ② 16 ③ 17
④ 24 ⑤ 29

유형 070 구간에 따라 다르게 정의된 함수의 정적분

※ 다음 정적분을 구하여라.

07 $f(x)=\begin{cases} -x^2+1 & (x\leq 1) \\ x-1 & (x>1) \end{cases}$ 일 때, $\int_0^2 f(x)dx$

해설 | $\int_0^2 f(x)dx = \int_0^1 f(x)dx + \int_1^2 f(x)dx$

$$= \int_0^1 (\boxed{})dx + \int_1^2 (\boxed{})dx$$

$$= \left[-\frac{1}{3}x^3+x \right]_0^1 + \left[\frac{1}{2}x^2-x \right]_1^2$$

$$= \boxed{}$$

08 $f(x)=\begin{cases} x^2 & (x\leq 0) \\ 2x & (x>0) \end{cases}$ 일 때, $\int_{-1}^1 f(x)dx$

09 $f(x)=\begin{cases} 2 & (x\leq 0) \\ -3x+2 & (x>0) \end{cases}$ 일 때, $\int_{-1}^1 xf(x)dx$

※ 다음 물음에 답하여라.

10 함수 $y=f(x)$의 그래프가 오른쪽 그림과 같을 때, 정적분 $\int_{-1}^1 xf(x)dx$의 값을 구하여라.

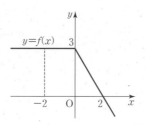

11 함수 $y=f(x)$의 그래프가 오른쪽 그림과 같을 때, 정적분 $\int_{-1}^1 xf(x)dx$의 값을 구하여라.

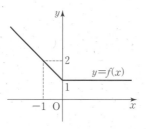

12 연속함수 $f(x)$의 도함수 $y=f'(x)$의 그래프가 오른쪽 그림과 같을 때, $f(4)-f(0)$의 값을 구하여라.

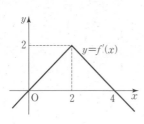

09 그래프의 대칭을 이용한 정적분

구간 $[-a, a]$에서 연속인 함수 $f(x)$에 대하여

1. $f(-x)=f(x)$ (우함수)일 때,
⇒ $y=f(x)$의 그래프가 y축에 대하여 대칭이므로
$$\int_{-a}^{a} f(x)dx = 2\int_{0}^{a} f(x)dx$$

2. $f(-x)=-f(x)$ (기함수)일 때,
⇒ $y=f(x)$의 그래프가 원점에 대하여 대칭이므로
$$\int_{-a}^{a} f(x)dx = 0$$

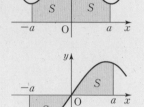

- $f(-x)=f(x)$를 만족하는 함수를 우함수라 하고, $f(-x)=-f(x)$를 만족하는 함수를 기함수라고 한다. 함수 $f(x)$가 우함수 또는 기함수이면 그래프의 대칭성을 이용하여 정적분의 값을 간단히 구할 수 있다.
- $f(x)$가 다항함수일 때
  ① 우함수는 짝수 차수의 항 또는 상수항으로 이루어져 있고,
  ② 기함수는 홀수 차수의 항만으로 이루어져 있다.

유형 071 그래프의 대칭을 이용한 정적분

※ 다음 정적분을 구하여라.

01 $\displaystyle\int_{-1}^{1} (3x^2+4)dx$

해설ㅣ $\displaystyle\int_{-1}^{1}(3x^2+4)dx = \boxed{}\int_{0}^{1}(3x^2+4)dx$
$\qquad\qquad = \boxed{}\Big[x^3+4x\Big]_{0}^{1}$
$\qquad\qquad = \boxed{}$

02 $\displaystyle\int_{-1}^{1} (x^5+2x)dx$

03 $\displaystyle\int_{-1}^{1} (5x^4+4x^3+3x^2+2x+1)dx$

04 $\displaystyle\int_{-1}^{1} (11x^{10}+12x^{11}+13x^{12}+14x^{13})dx$

05 $\displaystyle\int_{-1}^{1} x^3(1+x)^2 dx$

06 $\displaystyle\int_{-1}^{0}(3x^2+4x^3+5x^4)dx - \int_{1}^{0}(3x^2+4x^3+5x^4)dx$

학교시험 필수예제

07 다음 보기의 함수 중 $\displaystyle\int_{a}^{b} f(x)dx = \int_{-b}^{-a} f(x)dx$ 를 만족하는 것을 모두 골라라. (단, a, b는 실수)

┤ 보기 ├
ㄱ. $f(x)=x^8+1$ ㄴ. $f(x)=x^4+x^2$
ㄷ. $f(x)=x^5+x^2$ ㄹ. $f(x)=x^4+x^3+x$

10 정적분으로 나타내어진 함수

정적분을 포함한 등식에서 함수 $f(x)$는 다음과 같이 구한다.

1. $f(x)=g(x)+\int_a^b f(t)dt$ (a, b는 상수)와 같이 적분 구간이 상수인 경우

⇒ $\int_a^b f(t)dt=k$ (k는 상수)로 놓고 $f(x)=g(x)+k$를 $\int_a^b f(t)dt=k$의 $f(t)$에 대입하여 k의 값을 구한다.

2. $\int_a^x f(t)dt=g(x)$ (a는 상수)와 같이 적분 구간에 변수가 있는 경우

① 양변에 $x=a$를 대입한다. ⇒ $\int_a^a f(t)dt=g(a)=0$

② 양변을 x에 대하여 미분한다. ⇒ $f(x)=g'(x)$

---

1. $f(x)=g(x)+\int_a^b f(t)dt$에서

(i) a, b가 상수이면 정적분 $\int_a^b f(t)dt$ 의 값은 상수이므로 $\int_a^b f(t)dt=k$로 놓을 수 있다.

(ii) $f(x)=g(x)+k$를 (i)의 식에 대입하여 상수 k의 값을 구한다.

(iii) 상수 k의 값을 $f(x)=g(x)+k$ 에 대입하여 $f(x)$를 구한다.

유형 072 정적분으로 나타내어진 함수

※ 임의의 실수 x에 대하여 함수 $f(x)$가 주어진 식을 만족할 때, $f(1)$의 값을 구하여라.

01 $f(x)=3x^2+x+\int_0^2 f(t)dt$

해설ㅣ $\int_0^2 f(t)dt=k$ (k는 상수) …… ㉠으로 놓으면

$f(x)=3x^2+x+k$

이것을 ㉠에 대입하면

$\int_0^2 (3t^2+t+k)dt=\boxed{}$

$\left[t^3+\dfrac{1}{2}t^2+kt\right]_0^2=\boxed{}$

$8+2+2k=k$ ∴ $k=\boxed{}$

따라서 $f(x)=3x^2+x-\boxed{}$이므로

$f(1)=\boxed{}$

02 $f(x)=-3x^2+2x+\int_0^2 f(t)dt$

03 $f(x)=2x-3\int_0^2 f(t)dt$

학교시험 필수예제

04 함수 $f(x)$가 $f(x)=x^2-2x+\int_0^1 tf(t)dt$를 만족시킬 때, $f(3)$의 값은?

① $\dfrac{13}{6}$ ② $\dfrac{5}{2}$ ③ $\dfrac{17}{6}$

④ $\dfrac{19}{6}$ ⑤ $\dfrac{7}{2}$

※ 다음 물음에 답하여라.

05 임의의 실수 x에 대하여 함수 $f(x)$가
$$x^2 f(x) = 3x^6 - x^4 + 2\int_1^x t f(t)\,dt$$
를 만족할 때, $f(-1)$의 값을 구하여라.

해설 $x^2 f(x) = 3x^6 - x^4 + 2\int_1^x t f(t)\,dt$ ······ ㉠

㉠의 양변에 $x=1$을 대입하면

$f(1) = 3 - 1 + 2\int_1^1 t f(t)\,dt = 2 + 0 = 2$ ······ ㉡

㉠의 양변을 미분하면

$2x f(x) + x^2 f'(x) = 18x^5 - 4x^3 + 2x f(x)$

$\therefore f'(x) = 18x^3 - 4x$

따라서 $f(x) = \dfrac{9}{2}x^4 - 2x^2 + C$

㉡에서 $f(1) = 2$이므로

$f(1) = \dfrac{9}{2} - 2 + C = 2$ $\therefore C = \boxed{}$

따라서 $f(x) = \dfrac{9}{2}x^4 - 2x^2 - \dfrac{1}{2}$ 이므로

$f(-1) = \boxed{}$

06 다항함수 $f(x)$가 모든 실수 x에 대하여
$$\int_1^x f(t)\,dt = x^3 - 2ax^2 + ax$$
를 만족시킬 때, $f(3)$의 값을 구하여라.
(단, a는 상수이다.)

07 다항함수 $f(x)$가 모든 실수 x에 대하여
$$\int_2^x f(t)\,dt = x^2 - ax - 6$$
을 만족시킬 때, $f(5)$의 값을 구하여라.
(단, a는 상수이다.)

학교시험 필수예제

08 함수 $F(x) = \int_0^x (t^3 - 1)\,dt$에 대하여 $F'(2)$의 값은?

① 11 　　　② 9 　　　③ 7
④ 5 　　　⑤ 3

11 정적분으로 정의된 함수의 극대 · 극소, 최대 · 최소

① $f(x)=\int_a^x g(t)dt$의 양변을 x에 대하여 미분하여 $f'(x)$를 구한다.

② $f'(x)=0$을 만족하는 x의 값을 구하여 $f(x)$의 증감표를 만든다.

$f'(x)$의 부호가 양에서 음으로 바뀌면 극대, 음에서 양으로 바뀌면 극소이다.

유형 073 정적분으로 정의된 함수의 극대 · 극소

※ 다음 물음에 답하여라.

01 함수 $f(x)=\int_0^x (t^2-2t-3)dt$의 극댓값을 구하여라.

해설 | $f(x)=\int_0^x (t^2-2t-3)dt$의 양변을 x에 대하여 미분하면

$f'(x)=x^2-2x-3=(x+1)(x-3)$

$f'(x)=0$에서 $x=-1$ 또는 $x=3$

x	$\cdots$	-1	$\cdots$	3	$\cdots$
$f'(x)$	$+$	0	$-$	0	$+$
$f(x)$	↗	□	↘	□	↗

따라서 함수 $f(x)$는 $x=$ □ 에서 극대이므로 극댓값은

$f(\boxed{})=\int_0^{\square} (t^2-2t-3)dt$

$=\left[\dfrac{1}{3}t^3-t^2-3t\right]_0^{\square}$

$=\boxed{}$

02 함수 $f(x)=\int_0^x (t^2-6t+8)dt$의 극댓값을 구하여라.

유형 074 정적분으로 정의된 함수의 최대 · 최소

※ 다음 물음에 답하여라.

03 이차함수 $y=f(x)$의 그래프가 오른쪽 그림과 같을 때, 구간 $[-1, 2]$에서 함수 $F(x)=\int_0^x f(t)dt$의 최솟값을 구하여라.

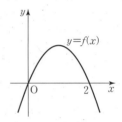

04 구간 $[-1, 0]$에서 함수 $f(x)=\int_x^{x+1} (t^2+t)dt$의 최솟값을 구하여라.

12 정적분으로 정의된 함수의 극한

1. $\lim\limits_{x \to a} \dfrac{1}{x-a} \displaystyle\int_a^x f(t)dt = f(a)$

2. $\lim\limits_{x \to 0} \dfrac{1}{x} \displaystyle\int_a^{x+a} f(t)dt = f(a)$

함수 $f(x)$의 한 부정적분을 $F(x)$라고 하면

$\lim\limits_{x \to a} \dfrac{1}{x-a} \displaystyle\int_a^x f(t)dt = \lim\limits_{x \to a} \dfrac{F(x)-F(a)}{x-a} = F'(a) = f(a)$

$\lim\limits_{x \to 0} \dfrac{1}{x} \displaystyle\int_a^{x+a} f(t)dt = \lim\limits_{x \to 0} \dfrac{F(x+a)-F(a)}{x} = F'(a) = f(a)$

유형 075 정적분으로 정의된 함수의 극한

※ $f(x)$의 한 부정적분을 $F(x)$라고 할 때, 다음 극한값을 구하여라.

01 $f(x) = x^3 - 2x$일 때, $\lim\limits_{x \to 2} \dfrac{1}{x-2} \displaystyle\int_2^x f(t)dt$의 값

해설 | $\displaystyle\int_2^x f(t)dt = F(x) - F(2)$이므로

$\lim\limits_{x \to 2} \dfrac{1}{x-2} \displaystyle\int_2^x f(t)dt = \lim\limits_{x \to 2} \dfrac{F(x)-F(2)}{x-2}$

$\qquad = F'(2) = \boxed{}$

$\qquad = 2^3 - 2 \cdot 2 = \boxed{}$

02 $f(x) = x^2 + 2x - 1$일 때, $\lim\limits_{x \to 0} \dfrac{1}{x} \displaystyle\int_0^x f(t)dt$의 값

03 $f(x) = x^2 + 3x - 2$일 때, $\lim\limits_{x \to 2} \dfrac{1}{x^2-4} \displaystyle\int_2^x f(t)dt$의 값

해설 | $\lim\limits_{x \to 2} \dfrac{1}{x^2-4} \displaystyle\int_2^x f(t)dt$

$= \lim\limits_{x \to 2} \dfrac{F(x)-F(2)}{x-2} \cdot \dfrac{1}{\boxed{}}$

$= \dfrac{1}{\boxed{}} F'(2) = \dfrac{1}{\boxed{}} f(2)$

$= \dfrac{1}{\boxed{}}(4+6-2) = \boxed{}$

04 $f(x) = 4x^2 - 3x + 1$일 때, $\lim\limits_{x \to 1} \dfrac{1}{x^2-1} \displaystyle\int_1^x f(t)dt$의 값

05 $f(x) = 4x - 3$일 때, $\lim\limits_{x \to 0} \dfrac{1}{x} \displaystyle\int_1^{1+x} f(t)dt$의 값

06 $f(x) = 3x^2 + 1$일 때, $\lim\limits_{x \to 0} \dfrac{1}{2x} \displaystyle\int_3^{3+x} f(t)dt$의 값

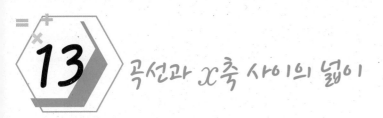

13 곡선과 x축 사이의 넓이

구간 $[a,\ b]$에서 연속인 곡선 $y=f(x)$와 x축 및 두 직선 $x=a,\ x=b\,(a<b)$로 둘러싸인 도형의 넓이 S는

$$S=\int_a^b |f(x)|dx$$

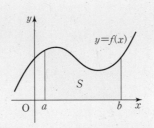

구간 $[a,\ b]$에서 함수 $f(x)$의 값이 양의 값과 음의 값을 모두 가질 때에는 $f(x)\geq 0$, $f(x)\leq 0$인 구간으로 나누어 넓이를 계산한다.

$$S=\int_a^b |f(x)|dx$$
$$=\int_a^c |f(x)|dx+\int_c^b |f(x)|dx$$

유형 O76 곡선과 x축 사이의 넓이

※ 다음 곡선과 x축으로 둘러싸인 도형의 넓이 S를 구하여라.

01 $y=-x^2+x+2$

해설 | 곡선과 x축의 교점의 x좌표는
$-x^2+x+2$
$=-(x+1)(x-2)=0$
에서 $x=\boxed{}$ 또는 $x=\boxed{}$
구간 $[\boxed{}]$에서 $y\geq 0$이
므로
$S=\int_{-1}^2 (-x^2+x+2)dx$
$\quad=\left[-\dfrac{1}{3}x^3+\dfrac{1}{2}x^2+2x\right]_{-1}^2=\boxed{}$

02 $y=x^2-2x$

03 $y=x^2-4x+3$

04 $y=-x^3+x$

해설 | 곡선과 x축의 교점의
x좌표는
$-x^3+x$
$=-x(x+1)(x-1)$
$=0$
에서 $x=-1$, $x=0$,
$x=1$
구간 $[-1,\ 0]$에서 $y\leq 0$이고 구간 $[0,\ 1]$에서 $y\geq 0$
이므로
$S=-\int_{-1}^0 (\boxed{})dx+\int_0^1 (-x^3+x)dx$
$\quad=-\Big[\boxed{}\Big]_{-1}^0+\left[-\dfrac{1}{4}x^4+\dfrac{1}{2}x^2\right]_0^1$
$\quad=\boxed{}$

05 $y=x^3+3x^2+2x$

※ 주어진 구간에서 다음 곡선과 x축으로 둘러싸인 도형의 넓이를 구하여라.

06 $y=x^2-2x$ $[0, 3]$

해설ㅣ $y=x^2-2x$의 그래프는
오른쪽 그림과 같다.
따라서 구하는 넓이 S는

$S=-\int_0^2(\boxed{})dx$

$\quad +\int_2^3(x^2-2x)dx$

$\quad =-\Big[\boxed{}\Big]_0^2+\Big[\dfrac{1}{3}x^3-x^2\Big]_2^3=\boxed{}$

07 $y=x^2+x-2$ $[0, 2]$

08 $y=x^2-4x+3$ $[0, 2]$

09 $y=x(x-1)(x-3)$ $[0, 2]$

10 $y=x^2(x-2)$ $[0, 4]$

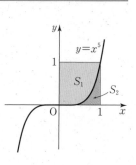

학교시험 필수예제

11 네 직선 $x=0$, $x=1$, $y=0$, $y=1$로 둘러싸인 정사각형을 곡선 $y=x^5$이 그림과 같이 두 부분으로 나눌 때, 두 부분의 넓이의 비 $S_1 : S_2$는?

① 3 : 1　　② 4 : 1
③ 5 : 1　　④ 6 : 1
⑤ 7 : 1

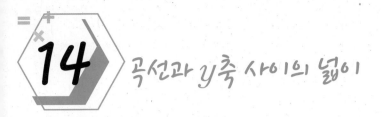

14 곡선과 y축 사이의 넓이

구간 $[c,\ d]$에서 연속인 곡선 $x=f(y)$와 y축 및 두 직선 $y=c$, $y=d$ $(c<d)$로 둘러싸인 도형의 넓이 S는

$$S=\int_c^d |f(y)|\,dy$$

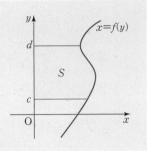

곡선과 y축으로 둘러싸인 도형의 넓이는 축만 바뀐 것으로, 곡선과 x축으로 둘러싸인 도형의 넓이를 구하는 방법과 같다.

유형 ▶ O77 곡선과 y축 사이의 넓이

※ 다음 곡선과 직선으로 둘러싸인 도형의 넓이 S를 구하여라.

01 $y=\sqrt{x}$, y축, $y=1$, $y=2$

02 $x=y^2-4$, y축

03 $x=-y^2+2y$, y축, $y=0$, $y=3$

해설 | $x=-y^2+2y$와 y축의 교점의 y좌표는
$-y^2+2y=0$에서
$y(y-2)=0$
$\therefore y=0$ 또는 $y=2$
$0\le y\le 2$일 때 $x\ge 0$,
$2\le y\le 3$일 때 $x\le 0$이므로

$$S=\int_0^2 (-y^2+2y)dy-\int_2^3 (\boxed{})dy$$

$$=\left[-\frac{1}{3}y^3+y^2\right]_0^2-\left[\boxed{}\right]_2^3$$

$$=\boxed{}$$

04 $x=y^2-2y$, y축, $y=1$, $y=3$

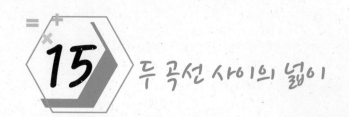

15 두 곡선 사이의 넓이

빠른정답 06쪽 / 친절한 해설 37쪽

1. 두 곡선 사이의 넓이
구간 $[a,\ b]$에서 연속인 두 곡선 $y=f(x)$, $y=g(x)$와 두 직선 $x=a$, $x=b\ (a<b)$로 둘러싸인 도형의 넓이 S는
$$S=\int_a^b |f(x)-g(x)|\,dx$$

2. 포물선으로 둘러싸인 도형의 넓이
포물선 $y=ax^2+bx+c=a(x-\alpha)(x-\beta)$와 x축으로 둘러싸인 도형의 넓이 S는
$$S=\frac{|a|}{6}(\beta-\alpha)^3\ (\beta>\alpha)$$

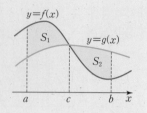

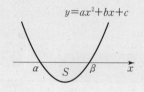

1. 두 함수 $f(x)$와 $g(x)$의 차 $f(x)-g(x)$의 값이 음수인 구간과 양수인 구간을 구하기 위해서, $f(x)$와 $g(x)$의 그래프의 교점의 x좌표를 구해야 한다.

2. 포물선과 x축으로 둘러싸인 도형의 넓이 공식을 이용하면 포물선과 직선, 두 포물선으로 둘러싸인 도형의 넓이를 쉽게 계산할 수 있다.

유형 078 두 곡선 사이의 넓이

※ 다음 도형의 넓이를 구하여라.

01 곡선 $y=-x^3+4x+3$과 직선 $y=x+1$로 둘러싸인 도형의 넓이

해설ㅣ 곡선
$y=-x^3+4x+3$과 직선 $y=x+1$의 교점의 x좌표는
$-x^3+4x+3=x+1$
에서
$x^3-3x-2=0$
$(x+1)^2(x-2)=0$
$\therefore x=-1$ 또는 $x=2$
따라서 구하는 도형의 넓이 S는
$$S=\int_{-1}^{2}\{(\boxed{})-(\boxed{})\}dx$$
$$=\int_{-1}^{2}(-x^3+3x+2)dx$$
$$=\left[-\frac{1}{4}x^4+\frac{3}{2}x^2+2x\right]_{-1}^{2}=\boxed{}$$

02 곡선 $y=x^2+2$와 직선 $y=-x+2$로 둘러싸인 도형의 넓이

03 곡선 $y=-x^2+3x$와 직선 $y=x$로 둘러싸인 도형의 넓이

학교시험 필수예제

04 곡선 $y=-x^2+x+4$와 직선 $y=-x+1$로 둘러싸인 부분의 넓이는?

① $\dfrac{9}{2}$ 　　② $\dfrac{11}{2}$ 　　③ $\dfrac{20}{3}$

④ $\dfrac{32}{3}$ 　　⑤ $\dfrac{64}{3}$

※ 다음 두 곡선으로 둘러싸인 도형의 넓이를 구하여라.

05 $y=-x^2+4x-3,\ y=x^2-6x+5$

06 $y=2x^2-4x-4,\ y=x^2-2x+4$

07 $y=x^2-2x-1,\ y=-2x^2+4x-1$

08 $y=x^3-2x^2,\ y=-x(x-2)$

09 $y=x(x+2),\ y=x(x+2)(x-1)$

※ 다음 이차함수의 그래프와 직선으로 둘러싸인 도형의 넓이를 구하여라.

10 $y=-(x-1)(x-3)$, x축

해설| 곡선 $y=-(x-1)(x-3)$
과 x축의 교점의 x좌표는
$x=1$ 또는 $x=3$이므로 구
하는 도형의 넓이 S는

$$S=\frac{|-1|(\boxed{}-1)^3}{6}$$

$$=\boxed{}$$

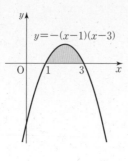
$y=-(x-1)(x-3)$

11 $y=2(x+1)(x-2)$, x축

12 $y=-x^2+4$, $y=x-2$

해설| 곡선 $y=-x^2+4$와 직선
$y=x-2$로 둘러싸인 도형
의 넓이는

$$y=(\boxed{})-(\boxed{})$$

$$=-x^2-x+6$$

의 그래프와 x축으로 둘러
싸인 도형의 넓이와 같다.
교점의 x좌표는
$-x^2-x+6=-(x+3)(x-2)=0$에서
$x=-3$ 또는 $x=2$이므로 구하는 도형의 넓이 S는

$$S=\frac{|-1|\{2-(-3)\}^3}{6}=\boxed{}$$

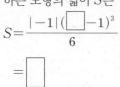
$y=-x^2+4$ $y=x-2$

13 $y=-x^2+7x$, $y=2x+4$

※ 다음 두 이차함수의 그래프로 둘러싸인 도형의 넓이를 구하여라.

14 $y=-x^2+x$, $y=x^2+x-2$

해설| 두 곡선 $y=-x^2+x$,
$y=x^2+x-2$로 둘러싸
인 도형의 넓이는

$$y=(\boxed{})$$

$$-(\boxed{})$$

$$=-2x^2+2$$

의 그래프와 x축으로 둘
러싸인 도형의 넓이와 같다.
교점의 x좌표는 $-2x^2+2=-2(x+1)(x-1)=0$에
서 $x=-1$ 또는 $x=1$이므로 구하는 도형의 넓이 S는

$$S=\frac{|\boxed{}|\{1-(-1)\}^3}{6}=\boxed{}$$

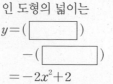
$y=x^2+x-2$
$y=-x^2+x$

15 $y=x^2-3x$, $y=-x^2+5x-6$

Tip

포물선으로 둘러싸인 도형의 넓이
포물선과 x축, 포물선과 직선, 포물선과 포물선의 교점의 x좌표가
α, β ($\alpha<\beta$)일 때

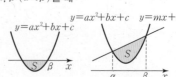
$y=ax^2+bx+c$ $y=ax^2+bx+c$ $y=mx+n$ $y=ax^2+bx+c$
$y=a'x^2+b'x+c'$

$$S=\frac{|a|}{6}(\beta-\alpha)^3 \qquad S=\frac{|a|}{6}(\beta-\alpha)^3 \qquad S=\frac{|a-a'|}{6}(\beta-\alpha)^3$$

16 역함수의 그래프로 둘러싸인 넓이

함수 $f(x)$의 역함수를 $g(x)$라고 할 때,
(1) 두 곡선 $y=f(x)$, $y=g(x)$는 직선 $y=x$에 대하여 대칭이다.
(2) 두 곡선 $y=f(x)$, $y=g(x)$의 교점을 지나는 직선 $y=x$는 두 곡선 $y=f(x)$와 $y=g(x)$로 둘러싸인 도형의 넓이를 이등분한다.

함수와 그 역함수의 그래프는 직선 $y=x$에 대하여 대칭임을 이용하여 넓이를 구한다.

유형 080 역함수의 그래프로 둘러싸인 넓이

※ 다음 물음에 답하여라.

01 함수 $f(x)=\dfrac{1}{2}x^2$의 역함수를 $g(x)$라고 할 때, 두 곡선 $y=f(x)$와 $y=g(x)$로 둘러싸인 부분의 넓이를 구하여라.

해설 | 두 곡선 $y=f(x)$와 $y=g(x)$는 직선 $y=x$에 대하여 대칭이므로 구하는 넓이를 S라고 하면 S는 곡선 $y=f(x)$와 직선 $y=x$로 둘러싸인 부분의 넓이의 □배이다.

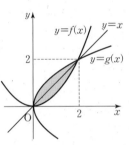

곡선 $y=f(x)$와 직선 $y=x$의 교점의 x좌표는 $\dfrac{1}{2}x^2=x$에서 $x(x-2)=0$ ∴ $x=0$ 또는 $x=2$

따라서 구하는 넓이 S는

$$S=\square\int_0^2\left(x-\dfrac{1}{2}x^2\right)dx$$

$$=\square\left[\dfrac{1}{2}x^2-\dfrac{1}{6}x^3\right]_0^2=\square$$

02 함수 $f(x)=\dfrac{1}{4}x^3 \ (x\geq0)$의 역함수를 $g(x)$라고 할 때, 두 곡선 $y=f(x)$와 $y=g(x)$로 둘러싸인 부분의 넓이를 구하여라.

03 함수 $f(x)=x^3+x-1$의 역함수를 $g(x)$라고 할 때, $\displaystyle\int_1^9 g(x)dx$의 값을 구하여라.

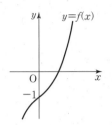

해설 두 곡선 $y=f(x)$와 $y=g(x)$는 직선 $y=x$에 대하여 대칭이므로 오른쪽 그림에서 $\displaystyle\int_1^9 g(x)dx$의 값은 색칠된 부분 B의 넓이이고, 역함수의 성질에 의하여 직선 $y=x$에 대하여 대칭이동한 부분 B'의 넓이와 같다.

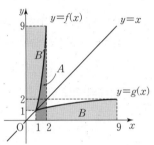

∴ $\displaystyle\int_1^9 g(x)dx=(B의 \ 넓이)=(\square의 \ 넓이)$

$$=2\cdot9-1\cdot1-(\square의 \ 넓이)$$

$$=18-1-\int_1^2 f(x)dx$$

$$=17-\left[\dfrac{1}{4}x^4+\dfrac{1}{2}x^2-x\right]_1^2=\square$$

04 함수 $f(x)=x^2 \ (x\geq0)$의 역함수를 $g(x)$라고 할 때, $\displaystyle\int_2^3 f(x)dx+\int_4^9 g(x)dx$의 값을 구하여라.

 속도와 거리

수직선 위를 움직이는 점 P의 시각 t에서의 속도가 $v(t)$이고 $t=a$에서의 점 P의 위치가 x_0일 때

1. **시각 t에서 점 P의 위치 x** $\Rightarrow x=x_0+\int_a^t v(t)dt$

2. **시각 $t=a$에서 $t=b$까지 점 P의 위치의 변화량**
   $\Rightarrow \int_a^b v(t)dt \Rightarrow S_1-S_2$

3. **시각 $t=a$에서 $t=b$까지 점 P가 움직인 거리**
   $\Rightarrow \int_a^b |v(t)|\,dt \Rightarrow S_1+S_2$

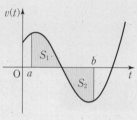

거리, 속도, 가속도의 관계

$$\text{위치 } x \underset{\text{적분}}{\overset{\text{미분}}{\rightleftharpoons}} \text{속도 } v \underset{\text{적분}}{\overset{\text{미분}}{\rightleftharpoons}} \text{가속도 } a$$

원점을 출발하여 수직선 위를 움직이는 점 P의 시각 t에서의 속도가 $v(t)=2t+1$일 때, $t=0$에서 $t=3$까지 점 P의 위치의 변화량은

$$\int_0^3 v(t)dt=\int_0^3 (2t+1)dt$$
$$=\Big[t^2+t\Big]_0^3=12$$

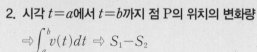 **유형 081 수직선 위를 움직이는 점이 움직인 거리**

※ 수직선 위에서 좌표가 3인 점을 출발하여 움직이는 물체의 시각 t일 때의 속도 $v(t)$는 $v(t)=t^2-3t+2$이다. 다음을 구하여라.

01 시각 t일 때의 물체의 위치

02 시각 $t=0$에서 $t=2$까지 물체의 위치의 변화량

03 시각 $t=0$에서 $t=2$까지 물체가 움직인 거리

※ 다음 물음에 답하여라.

04 원점을 동시에 출발하여 수직선 위를 움직이는 두 점 P, Q가 있다. 출발한 지 t초 후의 점 P의 속도 v와 점 Q의 속도 u는 $v=3t(4-t)$, $u=2t$라고 한다. 출발 후 P, Q가 다시 만나는 것은 몇 초 후인지 구하여라.

해설 | t초 후에 P, Q가 만난다는 것은 t초 후에 두 점 P, Q의 위치가 같아진다는 것을 뜻한다. t초 후 두 점 P, Q의 위치는 각각 $\int_0^t 3t(4-t)dt$, $\int_0^t 2t\,dt$이므로

$$\int_0^t (12t-3t^2)dt=\int_0^t 2t\,dt$$
$$6t^2-t^3=t^2, \quad -t^2(t-\boxed{})=0$$
$$\therefore t=0 \text{ 또는 } t=\boxed{}$$

따라서 $\boxed{}$초 후에 두 점 P, Q는 다시 만나게 된다.

05 두 개의 동점 P, Q가 동시에 출발하여 직선 위를 같은 방향으로 움직인다. t초 후의 속도가 각각
$$7t(4-t), \quad 2t(3-t)(6-t)$$
로 주어진다면, 움직이기 시작하여 점 P와 Q가 두 번째 만나는 것은 몇 초 후인지 구하여라.

※ 다음 물음에 답하여라.

06 직선 철로 위를 초속 20 m로 달리고 있는 기차가 제동을 건지 t초 후의 속도는 $v(t)=-2t+20(\text{m/초})$라고 한다. 제동을 건 후 기차가 정지할 때까지 달린 거리를 구하여라.

해설ㅣ 기차가 정지하는 시각은 $v(t)=-2t+20=0$에서 $t=\boxed{}$이다.

기차가 10초 동안 움직인 거리는

$$\int_0^{\boxed{}}|v(t)|\,dt=\int_0^{\boxed{}}(-2t+20)\,dt$$
$$=\left[-t^2+20t\right]_0^{\boxed{}}$$
$$=\boxed{}(\text{m})$$

07 직선 철로 위를 초속 60 m의 속도로 달리는 기차가 제동을 건지 t초 후의 속도는 $v(t)=60-3t(\text{m/초})$라고 한다. 제동을 건 후 기차가 정지할 때까지 달린 거리를 구하여라.

08 직선 철로 위를 초속 30 m의 속도로 달리는 전동차가 제동을 건지 t초 후의 속도는 $v(t)=30-2t(\text{m/초})$라고 한다. 제동을 건 후 전동차가 정지할 때까지 달린 거리를 구하여라.

09 직선의 철로 위를 움직이는 기차의 시각 t에서의 위치가 $x=\dfrac{1}{3}t^3-2t^2+3t$이다. $t=0$일 때의 운동 방향과 반대 방향으로 기차가 움직인 거리를 구하여라.

학교시험 필수예제

10 고속열차가 출발하여 3 km를 달리는 동안은 출발 후 시각 t분에서의 속력이 $v(t)=\dfrac{3}{4}t^2+\dfrac{1}{2}t(\text{km/분})$이고, 그 이후로는 속력이 일정하다. 출발 후 5분 동안 이 열차가 달린 거리는?

① 17 km   ② 16 km   ③ 15 km
④ 14 km   ⑤ 13 km

※ 다음 물음에 답하여라.

※ 지면으로부터 높이가 55 m인 곳에서 똑바로 위로 던진 물체의 시각 t초 후의 속도를 $v(t)$ m/초라고 하면 $v(t)=50-10t$일 때, 다음을 구하여라.

11 6초 후 지면으로부터 물체까지의 높이

12 최고점에 도달하였을 때 지면으로부터 물체까지의 높이

13 지면에 떨어지는 순간의 물체의 속도

14 던진 후 2초부터 8초까지 물체가 움직인 거리

15 지상 20 m 높이의 건물 옥상에서 49 m/초의 속도로 똑바로 위로 쏘아 올린 어떤 물체의 t초 후의 속도는 $v(t)=49-9.8t$ (m/초)라고 한다. $t=1$일 때, 지상으로부터의 이 물체의 높이를 구하여라.

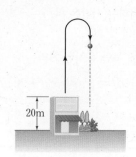

20m

16 운동장에 서서 지면으로부터 1.4 m 높이에서 야구공을 초속 14 m로 수직으로 던져 올릴 때, t초 후의 공의 속도를 $v(t)$ (m/초)라고 하면
$$v(t)=-9.8t+14$$
이다. 던져진 야구공이 운동장 지면에 닿을 때까지 걸리는 시간을 구하여라.

18 속도 그래프의 해석

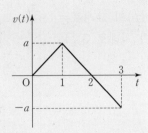

속도 그래프가 주어질 때 움직인 거리는
⇨ 속도 $v(t)$의 그래프와 t축으로 둘러싸인 부분의 넓이

처음 위치를 x_0라고 할 때, t초 후의

위치 ⇨ $x = x_0 + \int_a^t v(t)dt$

위치의 변화량 ⇨ $\int_a^b v(t)dt$

움직인 거리 ⇨ $\int_a^b |v(t)|dt$

유형 083 속도 그래프의 해석

※ 다음 그림은 원점을 출발하여 x축 위를 움직이는 점 P의 시각 t에서의 속도 $v(t)$를 나타낸 그래프이다. 옳은 것에는 ○표, 옳지 은 것에는 ×표 하여라.

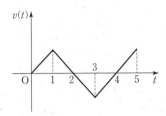

01 $t=3$일 때, 점 P의 위치는 $\int_0^3 |v(t)|dt$이다.

( )

02 $0 \le t \le 5$일 때 점 P가 움직인 거리는 $\int_0^5 |v(t)|dt$이다. ( )

03 점 P는 $t=1$에서 운동 방향을 바꾼다. ( )

04 점 P는 출발하여 $t=5$일 때까지 세 번 정지한다. ( )

05 $\int_0^2 v(t)dt = \int_2^4 \{-v(t)\}dt$이면 점 P의 $t=4$에서의 위치는 원점이다. ( )

※ 다음은 원점을 출발하여 x축 위를 움직이는 점 P의 시각 t에서의 속도 $v(t)$를 나타낸 그래프이다. 보기의 설명 중 옳은 것을 모두 골라라.

06

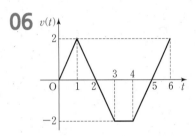

┤ 보기 ├
ㄱ. 출발 후 2초에서 점 P의 위치는 원점이다.
ㄴ. 출발 후 1초와 3초 사이에서 움직이는 방향이 바뀐다.
ㄷ. 점 P는 출발한 후 6초 동안 움직이면서 운동 방향을 2번 바꿨다.

07

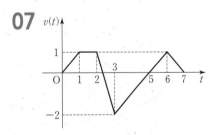

┤ 보기 ├
ㄱ. 점 P가 움직이는 방향은 출발 후 $t=7$일 때까지 두 번 바뀐다.
ㄴ. $t=3$일 때 속력이 가장 크다.
ㄷ. $t=7$일 때 점 P는 원점으로부터 가장 멀리 떨어져 있다.

※ 다음 물음에 답하여라.

08 수직선 위에서 좌표가 5인 점을 출발하여 움직이는 어떤 물체의 시각 t일 때의 속도 $v(t)$의 그래프는 다음과 같다. 색칠한 세 부분의 넓이가 차례로 3, 4, 20일 때, 다음을 구하여라.

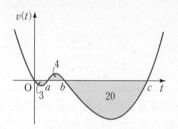

(1) $t=0$에서 $t=c$까지 이 물체의 위치의 변화량

(2) $t=0$에서 $t=c$까지 이 물체의 이동 거리

(3) $t=a$, $t=b$, $t=c$일 때의 이 물체의 위치

09 원점을 출발하여 수직선 위를 움직이는 점 P의 시각 $t(0 \le t \le 6)$에서의 속도 $v(t)$의 그래프가 그림과 같다. 점 P가 시각 $t=0$에서 시각 $t=6$까지 움직인 거리를 구하여라.

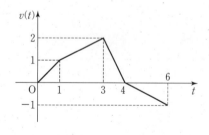

10 원점을 출발하여 수직선 위를 움직이는 점 P의 시각 t에서의 위치 $f(t)$에 대하여 이차함수 $y=f'(t)$의 그래프는 그림과 같다.

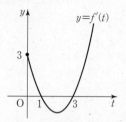

점 P가 출발할 때의 운동 방향에 대하여 반대 방향으로 움직인 거리를 d라고 할 때, $12d$의 값을 구하여라.

11 어떤 물체가 수직선 위를 $t=0$에서 원점을 출발하여 $t=16$까지 아래 그림과 같은 속도 $v(t)(\text{m}/초)$로 달리고 있다. 이 물체가 다시 원점을 통과하는 것은 몇 초 후인지 구하여라.

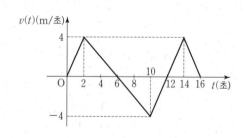

Ⅲ. 다항함수의 적분법

1. 부정적분의 뜻

$F'(x)=f(x)$이면 $\int f(x)dx=\boxed{❶}+C$ (단, C는 적분상수)

개념 window

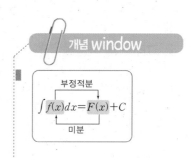

2. 부정적분의 계산

(1) 함수 $y=x^n$의 부정적분

n이 0 또는 양의 정수일 때, $\int x^n dx=\boxed{❷}x^{n+1}+C$ (단, C는 적분상수)

(2) 부정적분의 성질

두 함수 $f(x)$, $g(x)$에 대하여

① $\int kf(x)dx=k\int f(x)dx$ (단, k는 상수)

② $\int \{f(x)\pm g(x)\}dx=\int f(x)dx\pm\int g(x)dx$ (복호동순)

3. 정적분과 미분의 관계

함수 $f(x)$가 구간 $[a,\ b]$에서 연속일 때 $\dfrac{d}{dx}\displaystyle\int_a^x f(t)dt=f(x)$ (단, $a\leq x\leq b$)

4. 정적분의 기본 정리

(1) 정적분의 기본 정리 : 함수 $f(x)$가 구간 $[a,\ b]$에서 연속이고 $f(x)$의 부정적분 중의 하나를 $F(x)$라고 하면

$$\int_a^b f(x)dx=\Big[F(x)\Big]_a^b=F(b)-\boxed{❸}$$

$\left[F(x)+C\right]_a^b$
$=\{F(b)+C\}-\{F(a)+C\}$
$=F(b)-F(a)$
이므로 정적분의 계산에서는
적분상수 C는 고려하지 않는다.

(2) 정적분의 기본 정리는 위끝, 아래끝의 대소에 관계없이 성립한다. 즉,

$$\int_a^a f(x)dx=\boxed{❹},\ \int_a^b f(x)dx=-\int_b^a f(x)dx$$

5. 함수의 실수배, 합, 차의 정적분

구간 $[a,\ b]$에서 연속인 두 함수 $f(x)$, $g(x)$에 대하여

(1) $\displaystyle\int_a^b kf(x)dx=\boxed{❺}\int_a^b f(x)dx$ (단, k는 상수)

(2) $\displaystyle\int_a^b \{f(x)+g(x)\}dx=\int_a^b f(x)dx+\int_a^b g(x)dx$

(3) $\displaystyle\int_a^b \{f(x)-g(x)\}dx=\int_a^b f(x)dx-\int_a^b g(x)dx$

❶ $F(x)$　　❷ $\dfrac{1}{n+1}$　　❸ $F(a)$　　❹ 0　　❺ k

6. 정적분의 성질

함수 $f(x)$가 어떤 구간에서 연속일 때, 그 구간에 속하는 임의의 실수 a, b, c에 대하여

$$\int_a^c f(x)dx+\int_c^b f(x)dx=\int_a^b f(x)dx$$

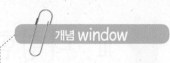

7. 그래프의 대칭을 이용한 정적분

구간 $[-a,\ a]$에서 연속인 함수 $f(x)$에 대하여

(1) $f(-x)=f(x)$ (우함수)일 때,

　⇒ $y=f(x)$의 그래프가 y축에 대하여 대칭이므로

$$\int_{-a}^a f(x)dx=\boxed{⑥}\int_0^a f(x)dx$$

(2) $f(-x)=-f(x)$ (기함수)일 때,

　⇒ $y=f(x)$의 그래프가 원점에 대하여 대칭이므로

$$\int_{-a}^a f(x)dx=\boxed{⑦}$$

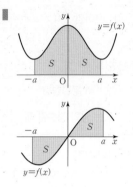

8. 곡선과 x축 사이의 넓이

구간 $[a,\ b]$에서 연속인 곡선 $y=f(x)$와 x축 및 두 직선 $x=a$, $x=b\,(a<b)$로 둘러싸인 도형의 넓이 S는

$$S=\int_a^b |f(x)|\,dx$$

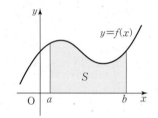

구간 $[a,\ b]$에서 함수 $f(x)$의 값이 양의 값과 음의 값을 모두 가질 때에는 $f(x)\geq0$, $f(x)\leq0$인 구간으로 나누어 넓이를 계산한다.

9. 곡선과 y축 사이의 넓이

구간 $[c,\ d]$에서 연속인 곡선 $x=f(y)$와 y축 및 두 직선 $y=c$, $y=d\,(c<d)$로 둘러싸인 도형의 넓이 S는

$$S=\int_c^d |f(y)|\,dy$$

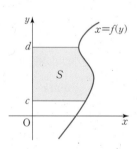

10. 두 곡선 사이의 넓이

구간 $[a,\ b]$에서 연속인 두 곡선 $y=f(x)$, $y=g(x)$와 두 직선 $x=a$, $x=b\,(a<b)$로 둘러싸인 도형의 넓이 S는

$$S=\int_{\boxed{⑨}}^{\boxed{⑧}} |f(x)-g(x)|\,dx$$

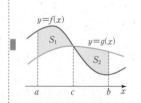

❻ 2　　❼ 0　　❽ b　　❾ a

유형 익힘 분석

틀린 문항이 20% 이하이면 ○표, 20%~50% 범위이면 △표, 50% 이상이면 ×표를 하여 결과를 기준으로 나에게 취약한 유형을 파악한 후 관련 개념과 문제를 반드시 복습하고 개념을 완벽히 이해하도록 하세요.

유형No.	유형	총 문항수	틀린 문항수	채점결과
001	함수의 극한	4		○△×
002	함수의 수렴과 발산	3		○△×
003	우극한과 좌극한	8		○△×
004	극한값의 존재	7		○△×
005	함수의 그래프에서 극한값 구하기	4		○△×
006	함수의 극한의 성질	10		○△×
007	$\dfrac{0}{0}$꼴의 극한	9		○△×
008	$\dfrac{\infty}{\infty}$꼴의 극한	10		○△×
009	$\infty-\infty$꼴의 극한	4		○△×
010	$\infty\times0$꼴의 극한	4		○△×
011	함수의 극한의 대소 관계	5		○△×
012	미정계수의 결정	12		○△×
013	다항함수의 결정	12		○△×
014	함수의 극한의 활용	8		○△×
015	$x=a$에서의 연속	6		○△×
016	함수의 연속과 미정계수의 결정 (1)	5		○△×
017	구간에서의 연속	4		○△×

유형No.	유형	총 문항수	틀린 문항수	채점결과
018	함수의 연속과 미정계수의 결정 (2)	4		○△×
019	$(x-a)f(x)=g(x)$꼴로 정의된 함수 $f(x)$의 연속성	2		○△×
020	연속함수의 성질	8		○△×
021	최대 · 최소 정리	6		○△×
022	최댓값, 최솟값의 존재	5		○△×
023	사잇값 정리	9		○△×
024	평균변화율	8		○△×
025	미분계수	15		○△×
026	미분계수와 접선의 기울기	7		○△×
027	미분가능성과 연속성	12		○△×
028	도함수	7		○△×
029	미분법의 공식	26		○△×
030	미분계수를 이용하여 미정계수 구하기	5		○△×
031	미분계수를 이용한 극한값의 계산	13		○△×
032	미분가능한 함수의 미정계수 구하기	4		○△×
033	미분의 항등식에의 활용	5		○△×
034	미분과 다항식의 나눗셈	5		○△×
035	곡선 위의 점에서의 접선의 방정식	6		○△×
036	기울기가 주어진 접선의 방정식	6		○△×
037	곡선 밖의 한 점에서 그은 접선의 방정식	10		○△×
038	롤의 정리	6		○△×
039	평균값 정리	5		○△×

연마 수학

수학Ⅱ
정답 및 해설

연마 수학

수학 Ⅱ

빠른 정답

02 최댓값 30, 최솟값 -13

03 최댓값 2, 최솟값 -15

04 최댓값 14, 최솟값 10

05 b, 2, 3, 2

06 -6

07 ④

08 -1, -1, -1, -1, 1

09 $P(2, 2)$

10 $\sqrt{2}$, $\sqrt{2}$, $\sqrt{2}$, $\sqrt{2}$, 4

11 2

12 $\dfrac{2}{3}$, $\dfrac{2}{3}$, $\dfrac{2}{3}$, $\dfrac{2}{3}$

13 2 cm

14 2, 2, 2, 2, 2

15 4 cm³

16 4, 4, 2

17 96π cm³

I9 함수의 그래프와
방정식의 실근 본문 75쪽

01 2, -2, 3

02 2개

03 1개

04 2개

05 4, 0, 4

06 $0 < a < 2$

07 $a < 0$ 또는 $a > 4$

08 ②

20 삼차방정식의 근의
판별 본문 77쪽

01 1, -1, 세

02 서로 다른 두 실근

03 서로 다른 두 실근

04 한 실근과 두 허근

05 2, $-\dfrac{5}{2}$, -2

06 $-4 < a < 0$

07 $0 < a < 4$

08 $0 < a < 4$

---

09 $-27 < a < 5$

10 ④

2I 부등식에의 활용
본문 79 쪽

01 1, 1, 1, 0, 0, 0

02 해설 참조

03 해설 참조

04 해설 참조

05 해설 참조

06 해설 참조

07 0, 0, k, k

08 $k \geq 3$

09 $k \leq -1$

10 $k \geq 20$

11 $k \geq 11$

12 $k \leq -4$

22 속도와 가속도
본문 81 쪽

01 (1) 속도 24, 가속도 18
　　(2) 1

02 (1) 속도 -9, 가속도 6
　　(2) 4

03 24

04 30

05 10

06 (1) 속도 10 m/초,
　　가속도 -10 m/초²
　　(2) 2초, 35 m

07 (1) 속도 10 m/초,
　　가속도 -10 m/초²
　　(2) 3초, 45 m

08 (1) 속도 23.4 m/초,
　　가속도 -1.3 m/초²
　　(2) 20초, 260 m

09 (1) 속도 9 m/초,
　　가속도 -1.8 m/초²
　　(2) 15초, 202.5 m

10 150 m/분

11 3.0 m/초

12 $2\sqrt{3}$ cm²/초

---

13 48 cm³/초

14 ㄴ, ㄹ

15 ㄱ, ㄷ

16 ㄱ, ㄷ

17 ⑤

Ⅲ. 다항함수의 적분법

0I 부정적분의 뜻 본문 90쪽

01 $6x + 4$

02 3

03 $8x + 2$

04 $9x^2 - 4x + 5$

05 $20x^3 + 8x - 3$

06 $x + C$

07 $x^2 + C$

08 $x^3 + C$

09 $x^4 + C$

10 $a = 2$, $b = 3$, $c = 1$

02 부정적분의 계산
본문 91쪽

01 $\dfrac{1}{3}x^3 + C$

02 $\dfrac{1}{4}x^4 + C$

03 $\dfrac{1}{7}x^7 + C$

04 $\dfrac{1}{11}x^{11} + C$

05 $3x + C$

06 $x^2 + C$

07 $x^8 + C$

08 $2x^4 - x^2 + 5x + C$

09 $x^6 - 3x^4 + 2x^2 + C$

10 2, $\dfrac{2}{3}$

11 $2x^3 - 2x^2 - 2x + C$

12 $4x^3 - 3x + C$

---

13 $x^3 + 3x^2 - x + C$

14 $-2x^2 + C$

15 1, 1

16 $2x^3 + x^2 - 3x + 1$

17 $x^3 - 3x$

18 $5x^3 - 7x^2 + 3x + 1$

19 ⑤

20 3, $x^2 - x + 3$

21 $-2x^2 + 3x + 1$

22 $2x^3 - 4x^2 + 1$

23 $x^2 - x - 2$, 2, 4

24 8

25 ⑤

03 부정적분과 미분의
관계 본문 94쪽

01 $x + 1$, $6x + 6$

02 $x - 2$

03 $x + 2$

04 $3x - 2$, $3x - 2$, $\dfrac{19}{2}$

05 10

06 ③

07 7, -9

08 $\dfrac{4}{3}$

09 $-x^3 + 3x^2 + 1$

10 $\dfrac{26}{3}$

11 ①

04 정적분과 미분의
관계 본문 96쪽

01 0, 1, $3x^2$, 1, $3x^2$

02 $a = 2$, $f(x) = 2x - 4$

03 3

04 4

05 정적분의 기본 정리
본문 97쪽

01 7

02 2

03 $-\dfrac{1}{2}$

04 $\dfrac{26}{3}$

05 0

06 $-\dfrac{5}{6}$

07 -15

08 ①

06 함수의 실수배, 합, 차의 정적분 _{본문 98쪽}

01 $-2,\ -2x,\ 2,\ -6$

02 2

03 16

04 $\dfrac{32}{3}$

05 -2

06 ⑤

07 정적분의 성질 _{본문 99쪽}

01 $2,\ -2,\ 2,\ -2,\ 8$

02 12

03 0

04 3

05 52

06 ⑤

08 구간에 따라 다르게 정의된 함수의 정적분 _{본문 100쪽}

01 $+,\ -,\ +,\ -,\ \dfrac{5}{2}$

02 5

03 10

04 2

05 6

06 ⑤

07 $-x^2+1,\ x-1,\ \dfrac{7}{6}$

08 $\dfrac{4}{3}$

---

09 -1

10 $-\dfrac{1}{2}$

11 $-\dfrac{1}{3}$

12 4

09 그래프의 대칭을 이용한 정적분 _{본문 102쪽}

01 $2,\ 2,\ 10$

02 0

03 6

04 4

05 $\dfrac{4}{5}$

06 4

07 ㄱ, ㄴ

10 정적분으로 나타내어진 함수 _{본문 103쪽}

01 $k,\ k,\ -10,\ 10,\ -6$

02 3

03 $\dfrac{2}{7}$

04 ①

05 $-\dfrac{1}{2},\ 2$

06 16

07 11

08 ③

11 정적분으로 정의된 함수의 극대·극소, 최대·최소 _{본문 105쪽}

01 극대, 극소, $-1,\ -1,$ $-1,\ -1,\ \dfrac{5}{3}$

02 $\dfrac{20}{3}$

03 $F(0)$

04 $-\dfrac{1}{6}$

---

12 정적분으로 정의된 함수의 극한 _{본문 106쪽}

01 $f(2),\ 4$

02 -1

03 $x+2,\ 4,\ 4,\ 4,\ 2$

04 1

05 1

06 14

13 곡선과 x축 사이의 넓이 _{본문 107쪽}

01 $-1,\ 2,\ -1,\ 2,\ \dfrac{9}{2}$

02 $\dfrac{4}{3}$

03 $\dfrac{4}{3}$

04 $-x^3+x,$ $-\dfrac{1}{4}x^4+\dfrac{1}{2}x^2,\ \dfrac{1}{2}$

05 $\dfrac{1}{2}$

06 $x^2-2x,\ \dfrac{1}{3}x^3-x^2,\ \dfrac{8}{3}$

07 3

08 2

09 $\dfrac{3}{2}$

10 24

11 ③

14 곡선과 y축 사이의 넓이 _{본문 109쪽}

01 $\dfrac{7}{3}$

02 $\dfrac{32}{3}$

03 $-y^2+2y,$ $-\dfrac{1}{3}y^3+y^2,\ \dfrac{8}{3}$

04 2

15 두 곡선 사이의 넓이 _{본문 110쪽}

---

01 $-x^3+4x+3,\ x+1,$ $\dfrac{27}{4}$

02 $\dfrac{1}{6}$

03 $\dfrac{4}{3}$

04 ④

05 9

06 36

07 4

08 $\dfrac{37}{12}$

09 8

10 $3,\ \dfrac{4}{3}$

11 9

12 $-x^2+4,\ x-2,\ \dfrac{125}{6}$

13 $\dfrac{9}{2}$

14 $-x^2+x,\ x^2+x-2,$ $-2,\ \dfrac{8}{3}$

15 $\dfrac{8}{3}$

16 역함수의 그래프로 둘러싸인 넓이 _{본문 113쪽}

01 $2,\ 2,\ 2,\ \dfrac{4}{3}$

02 2

03 $B',\ A,\ \dfrac{51}{4}$

04 19

17 속도와 거리 _{본문 114쪽}

01 $\dfrac{1}{3}t^3-\dfrac{3}{2}t^2+2t+3$

02 $\dfrac{2}{3}$

03 1

04 $5,\ 5,\ 5$

05 6초 후

06 $10,\ 10,\ 10,\ 10,\ 100$

07 $600\ \text{m}$

08   225 m

09   $\dfrac{4}{3}$

10   ③

11   175 m

12   180 m

13   -60 m/초

14   90 m

15   64.1 m

16   $\dfrac{10+\sqrt{114}}{7}$초

18 속도 그래프의 해석

본문 117쪽

01   ×

02   ○

03   ×

04   ×

05   ○

06   ㄴ, ㄷ

07   ㄱ, ㄴ

08   ⑴ -19
     ⑵ 27
     ⑶ $t=a$일 때 2,
       $t=b$일 때 6,
       $t=c$일 때 -14

09   $\dfrac{11}{2}$

10   16

11   12초

I. 함수의 극한과 연속

OI 함수의 극한 본문8쪽

01 $f(x)=2x+1$이라고 하면 x의 값이 3에 한없이 가까워질 때,
$f(x)$의 값은 7에 한없이 가까워지므로
$$\lim_{x \to 3}(2x+1)=7$$

02 $f(x)=\sqrt{2x+5}$라고 하면 x의 값이 2에 한없이 가까워질 때,
$f(x)$의 값은 3에 한없이 가까워지므로
$$\lim_{x \to 2}\sqrt{2x+5}=3$$

03 $f(x)=x^2+2$라고 하면 x의 값이 1에 한없이 가까워질 때,
$f(x)$의 값은 3에 한없이 가까워지므로
$$\lim_{x \to 1}(x^2+2)=3$$

04 $f(x)=\dfrac{1}{x}$이라고 하면 x의 값이 2에 한없이 가까워질 때,
$f(x)$의 값은 $\dfrac{1}{2}$에 한없이 가까워지므로
$$\lim_{x \to 2}\frac{1}{x}=\frac{1}{2}$$

05 $y=\dfrac{1}{x+1}$의 그래프가 오른쪽
그림과 같으므로
$$\lim_{x \to \infty}\frac{1}{x+1}=0$$

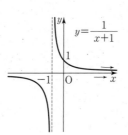

06 $y=\dfrac{1}{x}-1$의 그래프가 오른쪽
그림과 같으므로
$$\lim_{x \to -\infty}\left(\frac{1}{x}-1\right)=-1$$

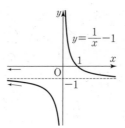

07 $y=x^2-x$의 그래프가 오른쪽
그림과 같으므로
$$\lim_{x \to -\infty}(x^2-x)=\infty$$
즉, 양의 무한대로 발산한다.

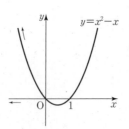

O2 우극한과 좌극한 본문9쪽

01 x의 값이 0보다 크면서 0에 한없이 가까워질 때,
$f(x)$의 값은 -1에 가까워지므로 $\lim\limits_{x \to 0+}f(x)=-1$

02 x의 값이 0보다 작으면서 0에 한없이 가까워질 때,
$f(x)$의 값은 1에 가까워지므로
$$\lim_{x \to 0-}f(x)=1$$

03 x의 값이 2보다 크면서 2에 한없이 가까워질 때,
$f(x)$의 값은 2에 가까워지므로
$$\lim_{x \to 2+}f(x)=2$$

04 x의 값이 2보다 작으면서 2에 한없이 가까워질 때,
$f(x)$의 값은 2에 가까워지므로
$$\lim_{x \to 2-}f(x)=2$$

05 $x>1$일 때 $|x-1|=x-1$이므로
$$\lim_{x \to 1+}\frac{|x-1|}{x-1}=\lim_{x \to 1+}\frac{x-1}{x-1}=1$$

06 $x<1$일 때 $|x-1|=-(x-1)$이므로
$$\lim_{x \to 1-}\frac{|x-1|}{x-1}=\lim_{x \to 1-}\frac{-(x-1)}{x-1}=-1$$

07 $x>2$일 때 $|x-2|=x-2$이므로
$$\lim_{x \to 2+}\frac{x^2-4}{|x-2|}=\lim_{x \to 2+}\frac{x^2-4}{x-2}=\lim_{x \to 2+}(x+2)=4$$

08 $x<2$일 때 $|x-2|=-(x-2)$이므로
$$\lim_{x \to 2-}\frac{x^2-4}{|x-2|}=\lim_{x \to 2-}\frac{x^2-4}{-(x-2)}=\lim_{x \to 2-}\{-(x+2)\}=-4$$

10
$$\lim_{x \to -2+}\frac{x^2-4}{|x+2|}=\lim_{x \to -2+}\frac{(x+2)(x-2)}{x+2}$$
$$=\lim_{x \to -2+}(x-2)=-4$$
$$\lim_{x \to -2-}\frac{x^2-4}{|x+2|}=\lim_{x \to -2-}\frac{(x+2)(x-2)}{-(x+2)}$$
$$=\lim_{x \to -2-}\{-(x-2)\}=4$$
$$\lim_{x \to -2+}\frac{x^2-4}{|x+2|} \neq \lim_{x \to -2-}\frac{x^2-4}{|x+2|}$$이므로
$$\lim_{x \to -2}\frac{x^2-4}{|x+2|}$$의 극한값은 존재하지 않는다.

11
$$\lim_{x \to -1+}\frac{x^2-1}{|x+1|}=\lim_{x \to -1+}\frac{(x+1)(x-1)}{x+1}$$
$$=\lim_{x \to -1+}(x-1)=-2$$
$$\lim_{x \to -1-}\frac{x^2-1}{|x+1|}=\lim_{x \to -1-}\frac{(x+1)(x-1)}{-(x+1)}$$
$$=\lim_{x \to -1-}\{-(x-1)\}=2$$
$$\lim_{x \to -1+}\frac{x^2-1}{|x+1|} \neq \lim_{x \to -1-}\frac{x^2-1}{|x+1|}$$이므로
$$\lim_{x \to -1}\frac{x^2-1}{|x+1|}$$의 극한값은 존재하지 않는다.

12 $x \neq 2$일 때, $\dfrac{x^2-2x}{x-2}=\dfrac{x(x-2)}{x-2}=x$이므로
$$\lim_{x \to 2+}\frac{x^2-2x}{x-2}=\lim_{x \to 2+}x=2,$$
$$\lim_{x \to 2-}\frac{x^2-2x}{x-2}=\lim_{x \to 2-}x=2$$
$$\lim_{x \to 2+}\frac{x^2-2x}{x-2}=\lim_{x \to 2-}\frac{x^2-2x}{x-2}$$이므로
$$\lim_{x \to 2}\frac{x^2-2x}{x-2}=2$$

13 (1) $x \to 1+$일 때, $x>1$이므로 $\lim\limits_{x \to 1+}[x]=1$

(2) $x \to 1-$일 때, $x<1$이므로 $\lim\limits_{x \to 1-}[x]=0$

(3) $\lim\limits_{x \to 1+}[x] \neq \lim\limits_{x \to 1-}[x]$이므로

$\lim\limits_{x \to 1}[x]$의 극한값은 존재하지 않는다.

14 (1) $x \to 5+$일 때, $[x]=5$이므로

$$\lim_{x \to 5+}(3-[x])=3-5=-2$$

(2) $x \to 5-$일 때, $[x]=4$이므로

$$\lim_{x \to 5-}(3-[x])=3-4=-1$$

(3) $\lim\limits_{x \to 5+}(3-[x]) \neq \lim\limits_{x \to 5-}(3-[x])$이므로

$\lim\limits_{x \to 5}(3-[x])$의 극한값은 존재하지 않는다.

15 (1) $\lim\limits_{x \to 2+}\dfrac{[x]}{x}=\lim\limits_{x \to 2+}\dfrac{2}{x}=1$

(2) $\lim\limits_{x \to 2-}\dfrac{[x]}{x}=\lim\limits_{x \to 2-}\dfrac{1}{x}=\dfrac{1}{2}$

(3) $\lim\limits_{x \to 2+}\dfrac{[x]}{x} \neq \lim\limits_{x \to 2-}\dfrac{[x]}{x}$이므로

$\lim\limits_{x \to 2}\dfrac{[x]}{x}$의 극한값은 존재하지 않는다.

17 x가 0보다 작은 값을 가지면서 0에 한없이 가까워질 때 $f(x)$는 2에 한없이 가까워지므로

$$\lim_{x \to 0-}f(x)=2$$

x가 1이 아니면서 1에 한없이 가까워질 때 $f(x)$는 2에 한없이 가까워지므로

$$\lim_{x \to 1}f(x)=2$$

$$\therefore \lim_{x \to 0-}f(x)+\lim_{x \to 1}f(x)=2+2=4$$

18 x가 -1보다 작은 값을 가지면서 -1에 한없이 가까워질 때 $f(x)$는 3에 한없이 가까워지므로

$$\lim_{x \to -1-}f(x)=3$$

x가 0보다 큰 값을 가지면서 0에 한없이 가까워질 때 $f(x)$는 0에 한없이 가까워지므로

$$\lim_{x \to 0+}f(x)=0$$

$$\therefore \lim_{x \to -1-}f(x)+\lim_{x \to 0+}f(x)=3+0=3$$

19 x가 0보다 작은 값을 가지면서 0에 한없이 가까워질 때 $f(x)$는 2에 한없이 가까워지므로

$$\lim_{x \to 0-}f(x)=2$$

x가 1보다 큰 값을 가지면서 1에 한없이 가까워질 때 $f(x)$는 1에 한없이 가까워지므로

$$\lim_{x \to 1+}f(x)=1 \qquad \therefore \lim_{x \to 0-}f(x)+\lim_{x \to 1+}f(x)=2+1=3$$

03 함수의 극한의 성질 본문 12쪽

01 $\lim\limits_{x \to a}5f(x)=5\lim\limits_{x \to a}f(x)=5 \cdot (-2)=-10$

02 $\lim\limits_{x \to a}\{2f(x)-g(x)\}=2\lim\limits_{x \to a}f(x)-\lim\limits_{x \to a}g(x)$

$$=2 \cdot (-2)-3=-7$$

03 $\lim\limits_{x \to a}f(x)g(x)=\lim\limits_{x \to a}f(x) \cdot \lim\limits_{x \to a}g(x)$

$$=(-2) \cdot 3=-6$$

04 $\lim\limits_{x \to a}\{f(x)\}^2=\lim\limits_{x \to a}f(x) \cdot \lim\limits_{x \to a}f(x)$

$$=(-2) \cdot (-2)=4$$

05 $\lim\limits_{x \to a}\dfrac{f(x)}{g(x)}=\dfrac{\lim\limits_{x \to a}f(x)}{\lim\limits_{x \to a}g(x)}=-\dfrac{2}{3}$

06 $\lim\limits_{x \to a}\dfrac{f(x)-3}{2g(x)+1}=\dfrac{\lim\limits_{x \to a}f(x)-\lim\limits_{x \to a}3}{2\lim\limits_{x \to a}g(x)+\lim\limits_{x \to a}1}=\dfrac{(-2)-3}{2 \cdot 3+1}=-\dfrac{5}{7}$

07 $\lim\limits_{x \to 2}(x^2-2x+4)=\lim\limits_{x \to 2}x^2-2\lim\limits_{x \to 2}x+\lim\limits_{x \to 2}4$

$$=2^2-2 \cdot 2+4=4$$

08 $\lim\limits_{x \to 3}(x-2)(x^2+3)=\lim\limits_{x \to 3}(x-2) \cdot \lim\limits_{x \to 3}(x^2+3)$

$$=1 \cdot 12=12$$

09 $\lim\limits_{x \to -2}\dfrac{x-1}{2x^2+1}=\dfrac{\lim\limits_{x \to -2}(x-1)}{\lim\limits_{x \to -2}(2x^2+1)}=\dfrac{-3}{9}=-\dfrac{1}{3}$

10 $\lim\limits_{x \to 3}\dfrac{x^2-4}{x+1}=\dfrac{\lim\limits_{x \to 3}(x^2-4)}{\lim\limits_{x \to 3}(x+1)}=\dfrac{5}{4}$

04 함수의 극한값의 계산 본문 13쪽

02 $\lim\limits_{x \to -1}\dfrac{x^2-x-2}{x+1}=\lim\limits_{x \to -1}\dfrac{(x-2)(x+1)}{x+1}$

$$=\lim_{x \to -1}(x-2)=-3$$

03 $\lim\limits_{x \to 1}\dfrac{x^2+3x-4}{x-1}=\lim\limits_{x \to 1}\dfrac{(x-1)(x+4)}{x-1}$

$$=\lim_{x \to 1}(x+4)=5$$

04 $\lim\limits_{x \to 1}\dfrac{x^3-1}{x^2-1}=\lim\limits_{x \to 1}\dfrac{(x-1)(x^2+x+1)}{(x-1)(x+1)}$

$$=\lim_{x \to 1}\dfrac{x^2+x+1}{x+1}=\dfrac{3}{2}$$

05 $\lim\limits_{x \to 0}\dfrac{x}{\sqrt{x+4}-2}=\lim\limits_{x \to 0}\dfrac{x(\sqrt{x+4}+2)}{(\sqrt{x+4}-2)(\sqrt{x+4}+2)}$

$$=\lim_{x \to 0}\dfrac{x(\sqrt{x+4}+2)}{x}$$

$$=\lim_{x \to 0}(\sqrt{x+4}+2)=4$$

06 $\lim\limits_{x \to 4}\dfrac{x-4}{\sqrt{x}-2}=\lim\limits_{x \to 4}\dfrac{(x-4)(\sqrt{x}+2)}{x-4}$

$$=\lim_{x \to 4}(\sqrt{x}+2)=4$$

07 $\lim\limits_{x \to 3}\dfrac{\sqrt{x+1}-2}{x-3}=\lim\limits_{x \to 3}\dfrac{x-3}{(x-3)(\sqrt{x+1}+2)}$

$$=\lim_{x \to 3}\dfrac{1}{\sqrt{x+1}+2}=\dfrac{1}{4}$$

08 $\lim\limits_{x \to 2}\dfrac{x^2-4}{\sqrt{x+7}-3}=\lim\limits_{x \to 2}\dfrac{(x^2-4)(\sqrt{x+7}+3)}{(\sqrt{x+7}-3)(\sqrt{x+7}+3)}$

$$=\lim_{x \to 2}\dfrac{(x-2)(x+2)(\sqrt{x+7}+3)}{x-2}$$

$$=\lim_{x \to 2}(x+2)(\sqrt{x+7}+3)=4 \cdot 6=24$$

09 $\lim\limits_{x \to 1}(3x^2-x+4)=6$, $\lim\limits_{x \to 2}\dfrac{x^2-4}{x-2}=\lim\limits_{x \to 2}(x+2)=4$

$$\therefore a+b=6+4=10$$

10 $\lim\limits_{x \to \infty}\dfrac{x}{x+1}=\lim\limits_{x \to \infty}\dfrac{1}{1+\dfrac{1}{x}}=1$

11 $\lim\limits_{x \to \infty}\dfrac{3x+1}{x+1}=\lim\limits_{x \to \infty}\dfrac{3+\dfrac{1}{x}}{1+\dfrac{1}{x}}=3$

12 $\displaystyle\lim_{x\to\infty}\frac{x+1}{3x^2+x+1}=\lim_{x\to\infty}\frac{\dfrac{1}{x}+\dfrac{1}{x^2}}{3+\dfrac{1}{x}+\dfrac{1}{x^2}}=0$

13 $\displaystyle\lim_{x\to\infty}\frac{x^2+x+2}{2x^2-3}=\lim_{x\to\infty}\frac{1+\dfrac{1}{x}+\dfrac{2}{x^2}}{2-\dfrac{3}{x^2}}=\frac{1}{2}$

14 $\displaystyle\lim_{x\to\infty}\frac{(2x+3)(2x-1)}{x^2+1}=\lim_{x\to\infty}\frac{4x^2+4x-3}{x^2+1}$

$\displaystyle\qquad\qquad=\lim_{x\to\infty}\frac{4+\dfrac{4}{x}-\dfrac{3}{x^2}}{1+\dfrac{1}{x^2}}=4$

15 $\displaystyle\lim_{x\to\infty}\frac{2x-1}{5x+\sqrt{x^2+1}}=\lim_{x\to\infty}\frac{2-\dfrac{1}{x}}{5+\sqrt{1+\dfrac{1}{x^2}}}=\frac{1}{3}$

16 $\displaystyle\lim_{x\to\infty}\frac{\sqrt{x^2-1}+x}{2x+3}=\lim_{x\to\infty}\frac{\sqrt{1-\dfrac{1}{x^2}}+1}{2+\dfrac{3}{x}}=\frac{1+1}{2}=1$

17 $x=-t$로 놓으면 $x\to-\infty$일 때 $t\to\infty$이므로

$\displaystyle\lim_{x\to-\infty}\frac{x}{\sqrt{x^2}}=\lim_{t\to\infty}\frac{-t}{\sqrt{t^2}}=-1$

18 $x=-t$로 놓으면 $x\to-\infty$일 때 $t\to\infty$이므로

$\displaystyle\lim_{x\to-\infty}\frac{2x}{\sqrt{x^2+1}-2}=\lim_{t\to\infty}\frac{-2t}{\sqrt{t^2+1}-2}$

$\displaystyle\qquad\qquad=\lim_{t\to\infty}\frac{-2}{\sqrt{1+\dfrac{1}{t^2}}-\dfrac{2}{t}}=-2$

19 $x=-t$로 놓으면 $x\to-\infty$일 때 $t\to\infty$이므로

$\displaystyle\lim_{x\to-\infty}\frac{x+1}{\sqrt{x^2+x}-x}=\lim_{t\to\infty}\frac{-t+1}{\sqrt{t^2-t}+t}$

$\displaystyle\qquad\qquad=\lim_{t\to\infty}\frac{-1+\dfrac{1}{t}}{\sqrt{1-\dfrac{1}{t}}+1}=-\frac{1}{2}$

21 $\displaystyle\lim_{x\to\infty}(-2x^3+4x^2-3x+1)$

$\displaystyle\qquad=\lim_{x\to\infty}x^3\left(-2+\frac{4}{x}-\frac{3}{x^2}+\frac{1}{x^3}\right)=-\infty$

22 $\displaystyle\lim_{x\to\infty}(\sqrt{x^2+2x}-x)$

$\displaystyle\qquad=\lim_{x\to\infty}\frac{(\sqrt{x^2+2x}-x)(\sqrt{x^2+2x}+x)}{\sqrt{x^2+2x}+x}$

$\displaystyle\qquad=\lim_{x\to\infty}\frac{2x}{\sqrt{x^2+2x}+x}=\lim_{x\to\infty}\frac{2}{\sqrt{1+\dfrac{2}{x}}+1}=1$

23 $\displaystyle\lim_{x\to\infty}(\sqrt{x^2+4x}-x)$

$\displaystyle\qquad=\lim_{x\to\infty}\frac{(\sqrt{x^2+4x}-x)(\sqrt{x^2+4x}+x)}{\sqrt{x^2+4x}+x}$

$\displaystyle\qquad=\lim_{x\to\infty}\frac{4x}{\sqrt{x^2+4x}+x}$

$\displaystyle\qquad=\lim_{x\to\infty}\frac{4}{\sqrt{1+\dfrac{4}{x}}+1}=\frac{4}{1+1}=2$

25 $\displaystyle\lim_{x\to0}\frac{1}{x}\left\{1-\frac{1}{(x-1)^2}\right\}$

$\displaystyle\qquad=\lim_{x\to0}\frac{1}{x}\left(1-\frac{1}{x-1}\right)\left(1+\frac{1}{x-1}\right)$

$\displaystyle\qquad=\lim_{x\to0}\frac{1}{x}\cdot\frac{x-2}{x-1}\cdot\frac{x}{x-1}=\lim_{x\to0}\frac{x-2}{(x-1)^2}=-2$

27 $\displaystyle\lim_{x\to0}\frac{1}{x}\left(\frac{1}{\sqrt{3-x}}-\frac{1}{\sqrt3}\right)=\lim_{x\to0}\frac{1}{x}\cdot\frac{x}{\sqrt3(\sqrt{3-x})}$

$\displaystyle\qquad\qquad=\lim_{x\to0}\frac{1}{3-\sqrt{3x}}=\frac{1}{3}$

05 함수의 극한의 대소 관계 본문 16쪽

02 $\dfrac{x-4}{x+1}<f(x)<\dfrac{x-2}{x+1}$에서

$\displaystyle\lim_{x\to\infty}\frac{x-4}{x+1}=\lim_{x\to\infty}\frac{1-\dfrac{4}{x}}{1+\dfrac{1}{x}}=1$

$\displaystyle\lim_{x\to\infty}\frac{x-2}{x+1}=\lim_{x\to\infty}\frac{1-\dfrac{2}{x}}{1+\dfrac{1}{x}}=1\qquad\therefore\lim_{x\to\infty}f(x)=1$

03 $\dfrac{x^2+1}{2x^2-4x+1}<f(x)<\dfrac{2x^2+5x+3}{4x^2-1}$에서

$\displaystyle\lim_{x\to\infty}\frac{x^2+1}{2x^2-4x+1}=\lim_{x\to\infty}\frac{1+\dfrac{1}{x^2}}{2-\dfrac{4}{x}+\dfrac{1}{x^2}}=\frac{1}{2}$

$\displaystyle\lim_{x\to\infty}\frac{2x^2+5x+3}{4x^2-1}=\lim_{x\to\infty}\frac{2+\dfrac{5}{x}+\dfrac{3}{x^2}}{4-\dfrac{1}{x^2}}=\frac{1}{2}$

$\displaystyle\therefore\lim_{x\to\infty}f(x)=\frac{1}{2}$

05 $x^2+2\le f(x)\le x^2+5$의 각 변을 x^2으로 나누면

$\dfrac{x^2+2}{x^2}\le\dfrac{f(x)}{x^2}\le\dfrac{x^2+5}{x^2}$

이때, $\displaystyle\lim_{x\to\infty}\frac{x^2+2}{x^2}=\lim_{x\to\infty}\frac{x^2+5}{x^2}=1$이므로

$\displaystyle\lim_{x\to\infty}\frac{f(x)}{x^2}=1$

06 미정계수의 결정 본문 17쪽

02 $x\to2$일 때, (분모)$\to0$이므로 (분자)$\to0$이어야 한다.

$\displaystyle\lim_{x\to2}(x^2+ax-b)=4+2a-b=0$

$\therefore b=2a+4$ ······㉠

㉠을 주어진 식에 대입하면

$\displaystyle\lim_{x\to2}\frac{x^2+ax-2a-4}{x-2}=\lim_{x\to2}\frac{(x-2)(x+a+2)}{x-2}$

$\displaystyle\qquad=\lim_{x\to2}(x+a+2)=4+a$

$4+a=9$이므로 $a=5$

이 값을 ㉠에 대입하면 $b=14$ $\therefore a+b=19$

03 $x\to2$일 때, (분자)$\to0$이므로 (분모)$\to0$이어야 한다.

$$\lim_{x \to 2}(x^2+ax+b)=4+2a+b=0$$

$$\therefore b=-2a-4 \quad \cdots\cdots \text{㉠}$$

㉠을 주어진 식에 대입하면 $\displaystyle\lim_{x \to 2}\dfrac{x-2}{x^2+ax-2a-4}$

$$=\lim_{x \to 2}\dfrac{x-2}{(x-2)(x+a+2)}=\lim_{x \to 2}\dfrac{1}{x+a+2}=\dfrac{1}{a+4}$$

$\dfrac{1}{a+4}=\dfrac{1}{8}$이므로 $a=4$

이 값을 ㉠에 대입하면 $b=-12$ $\therefore a+b=-8$

04 $x \to 1$일 때, (분자) $\to 0$이므로 (분모) $\to 0$이어야 한다.

$$\lim_{x \to 1}(x^2-ax+b)=1-a+b=0 \quad \therefore b=a-1 \quad \cdots\cdots \text{㉠}$$

㉠을 주어진 식에 대입하면 $\displaystyle\lim_{x \to 1}\dfrac{x-1}{x^2-ax+a-1}$

$$=\lim_{x \to 1}\dfrac{x-1}{(x-1)(x-a+1)}=\lim_{x \to 1}\dfrac{1}{x-a+1}=\dfrac{1}{2-a}$$

$\dfrac{1}{2-a}=\dfrac{1}{3}$이므로 $a=-1$

이 값을 ㉠에 대입하면 $b=-2$ $\therefore a+b=-3$

05 $x \to 1$일 때, (분자) $\to 0$이므로 (분모) $\to 0$이어야 한다.

$$\lim_{x \to 1}(x^2-b)=1-b=0 \quad \therefore b=1 \quad \cdots\cdots \text{㉠}$$

㉠을 주어진 식에 대입하면 $\displaystyle\lim_{x \to 1}\dfrac{x^2-(a+1)x+a}{x^2-1}$

$$=\lim_{x \to 1}\dfrac{(x-1)(x-a)}{(x-1)(x+1)}=\lim_{x \to 1}\dfrac{x-a}{x+1}=\dfrac{1-a}{2}$$

$\dfrac{1-a}{2}=4$이므로 $a=-7$ $\therefore a+b=-6$

06 $x \to 1$일 때, (분모) $\to 0$이므로 (분자) $\to 0$이어야 한다.

$$\lim_{x \to 1}(x^2+ax-b)=1+a-b=0 \quad \therefore b=a+1 \quad \cdots\cdots \text{㉠}$$

㉠을 주어진 식에 대입하면

$$\lim_{x \to 1}\dfrac{x^2+ax-(a+1)}{x^3-1}=\lim_{x \to 1}\dfrac{(x+a+1)(x-1)}{(x-1)(x^2+x+1)}$$

$$=\lim_{x \to 1}\dfrac{x+a+1}{x^2+x+1}=\dfrac{a+2}{3}$$

$\dfrac{a+2}{3}=3$이므로 $a=7$

이 값을 ㉠에 대입하면 $b=8$ $\therefore a+b=15$

08 $x \to 3$일 때, (분모) $\to 0$이므로 (분자) $\to 0$이어야 한다.

$$\lim_{x \to 3}(\sqrt{x+a}-b)=\sqrt{3+a}-b=0$$

$$\therefore b=\sqrt{3+a} \quad \cdots\cdots \text{㉠}$$

㉠을 주어진 식에 대입하면

$$\lim_{x \to 3}\dfrac{\sqrt{x+a}-\sqrt{3+a}}{x-3}=\lim_{x \to 3}\dfrac{1}{\sqrt{x+a}+\sqrt{3+a}}=\dfrac{1}{2\sqrt{3+a}}$$

$\dfrac{1}{2\sqrt{3+a}}=\dfrac{1}{4}$이므로 $\sqrt{3+a}=2$, $3+a=4$ $\therefore a=1$

이 값을 ㉠에 대입하면 $b=\sqrt{3+1}=2$ $\therefore a=1,\ b=2$

09 $x \to 4$일 때, (분모) $\to 0$이므로 (분자) $\to 0$이어야 한다.

$$\lim_{x \to 4}(\sqrt{x+a}-b)=\sqrt{4+a}-b=0 \quad \therefore b=\sqrt{4+a} \quad \cdots\cdots \text{㉠}$$

㉠을 주어진 식에 대입하면

$$\lim_{x \to 4}\dfrac{\sqrt{x+a}-\sqrt{4+a}}{x-4}=\lim_{x \to 4}\dfrac{1}{\sqrt{x+a}+\sqrt{4+a}}=\dfrac{1}{2\sqrt{4+a}}$$

$\dfrac{1}{2\sqrt{4+a}}=\dfrac{1}{6}$이므로 $\sqrt{4+a}=3$, $4+a=9$ $\therefore a=5$

이 값을 ㉠에 대입하면 $b=\sqrt{4+5}=3$ $\therefore a=5,\ b=3$

10 $x \to -3$일 때, (분모) $\to 0$이므로 (분자) $\to 0$이어야 한다.

$$\lim_{x \to -3}(\sqrt{x^2-x-3}+ax)=\sqrt{(-3)^2-(-3)-3}-3a=0$$

$3-3a=0$ $\therefore a=1$

$a=1$을 주어진 식에 대입하면

$$\lim_{x \to -3}\dfrac{\sqrt{x^2-x-3}+x}{x+3}=\lim_{x \to -3}\dfrac{-(x+3)}{(x+3)(\sqrt{x^2-x-3}-x)}$$

$$=\lim_{x \to -3}\dfrac{-1}{\sqrt{x^2-x-3}-x}=-\dfrac{1}{6}=b$$

$$\therefore a=1,\ b=-\dfrac{1}{6}$$

11 $x \to 0$일 때, (분모) $\to 0$이므로 (분자) $\to 0$이어야 한다.

$$\lim_{x \to 0}(\sqrt{ax+4}-\sqrt{2x+a})=\sqrt{4}-\sqrt{a}=0 \quad \therefore a=4$$

$a=4$를 주어진 식에 대입하면

$$\lim_{x \to 0}\dfrac{\sqrt{4x+4}-\sqrt{2x+4}}{x}=\lim_{x \to 0}\dfrac{(4x+4)-(2x+4)}{x(\sqrt{4x+4}+\sqrt{2x+4})}$$

$$=\lim_{x \to 0}\dfrac{2}{\sqrt{4x+4}+\sqrt{2x+4}}=\dfrac{1}{2}$$

$$\therefore a=4,\ b=\dfrac{1}{2}$$

12 $x \to 2$일 때, (분모) $\to 0$이므로 (분자) $\to 0$이어야 한다.

$$\lim_{x \to 2}(\sqrt{x+a}-2)=\sqrt{2+a}-2=0$$

$2+a=4$ $\therefore a=2$

$a=2$를 주어진 식에 대입하면

$$\lim_{x \to 2}\dfrac{\sqrt{x+a}-2}{x-2}=\lim_{x \to 2}\dfrac{\sqrt{x+2}-2}{x-2}$$

$$=\lim_{x \to 2}\dfrac{x-2}{(x-2)(\sqrt{x+2}+2)}$$

$$=\lim_{x \to 2}\dfrac{1}{\sqrt{x+2}+2}=\dfrac{1}{\sqrt{2+2}+2}=\dfrac{1}{4}=b$$

$$\therefore 10a+4b=10 \times 2+4 \times \dfrac{1}{4}=21$$

07 다항함수의 결정 본문 19쪽

02 $\displaystyle\lim_{x \to \infty}\dfrac{f(x)}{x^2+2x+5}=1$이므로 $f(x)$는 이차항의 계수가 1인 이차식이다.

또, $\displaystyle\lim_{x \to 1}\dfrac{f(x)}{x-1}=3$에서 $x \to 1$일 때, (분모) $\to 0$이므로 (분자) $\to 0$이어야 한다.

즉, $\displaystyle\lim_{x \to 1}f(x)=f(1)=0$

따라서 $f(x)=(x-1)(x+a)$ (a는 상수)라고 놓으면

$$\lim_{x \to 1}\dfrac{f(x)}{x-1}=\lim_{x \to 1}\dfrac{(x-1)(x+a)}{x-1}=\lim_{x \to 1}(x+a)=1+a$$

$1+a=3$이므로 $a=2$

$$\therefore f(x)=(x-1)(x+2)=x^2+x-2$$

04 $\displaystyle\lim_{x \to \infty}\dfrac{f(x)-x^3}{x^2}=1$이므로 $f(x)$는 삼차항과 이차항의 계수가 모두 1인 삼차식이다. $\quad \cdots\cdots \text{㉠}$

$\displaystyle\lim_{x \to 0}\dfrac{f(x)}{x}=5$에서 $x \to 0$일 때, (분모) $\to 0$이므로 (분자) $\to 0$이어야 한다.

즉, $\lim_{x \to 0} f(x) = f(0) = 0$ ……㉡

㉠, ㉡에서 $f(x) = x^3 + x^2 + ax$ (a는 상수)라고 놓으면

$\lim_{x \to 0} \dfrac{f(x)}{x} = \lim_{x \to 0} \dfrac{x^3 + x^2 + ax}{x} = \lim_{x \to 0} (x^2 + x + a) = a$

$a = 5$이므로 $f(x) = x^3 + x^2 + 5x$

06 $\lim_{x \to 1} \dfrac{f(x-1)}{x^2 - 1} = \lim_{x \to 1} \dfrac{f(x-1)}{(x-1)(x+1)}$

$= \lim_{x \to 1} \dfrac{f(x-1)}{x-1} \times \lim_{x \to 1} \dfrac{1}{x+1}$

여기서 $x - 1 = t$로 놓으면, $x \to 1$일 때 $t \to 0$이므로

$\lim_{x \to 1} \dfrac{f(x-1)}{x-1} = \lim_{t \to 0} \dfrac{f(t)}{t} = 4$

$\therefore \lim_{x \to 1} \dfrac{f(x-1)}{x^2 - 1} = 4 \times \dfrac{1}{2} = 2$

07 $\lim_{x \to 2} \dfrac{f(x-2)}{x^2 - 2x} = 4$에서 $x - 2 = t$로 놓으면

$x = t + 2$이고, $x \to 2$일 때 $t \to 0$이므로

$\lim_{x \to 2} \dfrac{f(x-2)}{x^2 - 2x} = \lim_{t \to 0} \dfrac{f(t)}{(t+2)^2 - 2(t+2)} = \lim_{t \to 0} \dfrac{f(t)}{t(t+2)}$

$= \lim_{t \to 0} \dfrac{f(t)}{t} \cdot \dfrac{1}{t+2} = \dfrac{1}{2} \lim_{t \to 0} \dfrac{f(t)}{t} = 4$

$\therefore \lim_{x \to 0} \dfrac{f(x)}{x} = 8$

08 $\lim_{x \to 2} \dfrac{f(x) - 3}{x - 2} = 5$에서 $x \to 2$일 때 (분모) $\to 0$이고 극한값이 존재하므로 (분자) $\to 0$이다.

즉, $\lim_{x \to 2} \{f(x) - 3\} = 0$이므로 $\lim_{x \to 2} f(x) = 3$

$\therefore \lim_{x \to 2} \dfrac{x - 2}{\{f(x)\}^2 - 9} = \lim_{x \to 2} \dfrac{x - 2}{\{f(x) - 3\}\{f(x) + 3\}}$

$= \lim_{x \to 2} \dfrac{1}{\dfrac{f(x) - 3}{x - 2} \cdot \{f(x) + 3\}}$

$= \lim_{x \to 2} \dfrac{1}{\dfrac{f(x) - 3}{x - 2}} \cdot \lim_{x \to 2} \dfrac{1}{\{f(x) + 3\}} = \dfrac{1}{5} \cdot \dfrac{1}{3 + 3} = \dfrac{1}{30}$

09 $\lim_{x \to \infty} \dfrac{f(x)}{x^3} = 0$이므로 함수 $f(x)$의 차수를 n이라고 하면

$n \le 2$이다.

$\lim_{x \to 0} \dfrac{f(x)}{x} = 5$에서 $x \to 0$일 때, (분모) $\to 0$이고 극한값이 존재하므로 (분자) $\to 0$이어야 한다.

즉, $\lim_{x \to 0} f(x) = f(0) = 0$

$f(x) = ax^2 + bx$ (a, b는 상수)로 놓으면

$\lim_{x \to 0} \dfrac{f(x)}{x} = \lim_{x \to 0} \dfrac{ax^2 + bx}{x} = \lim_{x \to 0} (ax + b) = b = 5$

이때, 방정식 $f(x) = x$, 즉 $ax^2 + 5x = x$의 한 근이 $x = -2$

이므로 $4a - 10 = -2$에서 $4a = 8$

$\therefore a = 2$

따라서 $f(x) = 2x^2 + 5x$이므로 $f(1) = 7$

10 $\lim_{x \to 1} \dfrac{g(x) - 2x}{x - 1}$에서 $x \to 1$일 때 (분모) $\to 0$이고 극한값이 존재하므로 (분자) $\to 0$이다.

즉, $\lim_{x \to 1} \{g(x) - 2x\} = 0$이고 $g(x)$가 다항함수이므로

$g(1) - 2 = 0$

$\therefore g(1) = 2$

$f(x) + x - 1 = (x-1)g(x)$에서

$f(x) = (x-1)g(x) - (x-1) = (x-1)\{g(x) - 1\}$ ……㉠

㉠을 $\lim_{x \to 1} \dfrac{f(x)g(x)}{x^2 - 1}$에 대입하면

$\lim_{x \to 1} \dfrac{(x-1)\{g(x) - 1\}g(x)}{x^2 - 1} = \lim_{x \to 1} \dfrac{\{g(x) - 1\}g(x)}{x + 1}$

$= \dfrac{\{g(1) - 1\}g(1)}{1 + 1} = \dfrac{(2-1) \times 2}{2} = 1$

11 $f(x) = ax^2 + bx + c$ ($a \ne 0$)로 놓으면

$\lim_{x \to \infty} \dfrac{2x^2 - 3x + 1}{ax^2 + bx + c} = 2$ $\therefore \dfrac{2}{a} = 2$ $\therefore a = 1$

또, $\lim_{x \to 2} \dfrac{x^2 + 2x - 8}{x^2 + bx + c} = 3$에서 $x \to 2$일 때,

(분자) $\to 0$이므로 (분모) $\to 0$이어야 한다.

즉, $\lim_{x \to 2} (x^2 + bx + c) = 0$, $4 + 2b + c = 0$

$\therefore c = -2b - 4$

$\lim_{x \to 2} \dfrac{x^2 + 2x - 8}{f(x)} = \lim_{x \to 2} \dfrac{(x+4)(x-2)}{x^2 + bx - 2b - 4}$

$= \lim_{x \to 2} \dfrac{(x+4)(x-2)}{(x-2)(x+b+2)} = \lim_{x \to 2} \dfrac{x + 4}{x + b + 2} = \dfrac{6}{4 + b} = 3$

$\therefore b = -2$, $c = 0$ $\therefore f(x) = x^2 - 2x$ $\therefore f(2) = 0$

12 조건 (가)에서 $f(x)$는 최고차항의 계수가 2인 이차함수이다.

또, 조건 (나)에서 $x \to 1$일 때 (분모) $\to 0$이고 극한값이 존재하므로 (분자) $\to 0$이다.

$\therefore \lim_{x \to 1} f(x) = f(1) = 0$

즉, $f(x) = 2(x-1)(x+a)$ (a는 상수)로 놓으면

$\lim_{x \to 1} \dfrac{f(x)}{x - 1} = \lim_{x \to 1} \dfrac{2(x-1)(x+a)}{x - 1}$

$= \lim_{x \to 1} 2(x + a) = 2(1 + a) = 3$ $\therefore a = \dfrac{1}{2}$

따라서 $f(x) = 2(x-1)\left(x + \dfrac{1}{2}\right)$이므로

$f(2) = 2 \cdot 1 \cdot \dfrac{5}{2} = 5$

08 함수의 극한의 활용 본문 22쪽

01 점 Q의 좌표를 $(0, y)$, 점 P의 좌표를 (x, x^2)으로 놓으면

$\overline{QO}^2 = \overline{QP}^2$이므로

$y^2 = x^2 + (x^2 - y)^2$, $y^2 = x^2 + x^4 - 2x^2 y + y^2$

$\therefore y = \dfrac{1}{2} + \dfrac{1}{2} x^2$

P $\to$ O이면 $x \to 0$이므로 구하는 값은

$\lim_{x \to 0} y = \lim_{x \to 0} \left(\dfrac{1}{2} + \dfrac{1}{2} x^2\right) = \dfrac{1}{2}$

02 $\overline{PA} = \sqrt{(t-3)^2 + 16t}$, $\overline{PH} = t$이므로

$\lim_{t \to \infty} (\overline{PA} - \overline{PH}) = \lim_{t \to \infty} (\sqrt{(t-3)^2 + 16t} - t)$

$= \lim_{t \to \infty} \dfrac{(t-3)^2 + 16t - t^2}{\sqrt{(t-3)^2 + 16t} + t}$

$= \lim_{t \to \infty} \dfrac{10t + 9}{\sqrt{t^2 + 10t + 9} + t}$

$$=\lim_{t\to\infty}\frac{10+\dfrac{9}{t}}{\sqrt{1+\dfrac{10}{t}+\dfrac{9}{t^2}}+1}=5$$

03 점 $P(a,\,b)$가 곡선 $y=x^2$ 위의 점이므로
$b=a^2$ $\quad\therefore S(a)=a\cdot a^2=a^3$
$L(a)=2(a+a^2)=2a^2+2a$
$$\therefore \lim_{a\to\infty}\frac{S(a)}{aL(a)}=\lim_{a\to\infty}\frac{a^3}{2a^3+2a^2}=\lim_{a\to\infty}\frac{1}{2+\dfrac{2}{a}}=\frac{1}{2}$$

04 점 $P(a,\,b)$가 곡선 $y=2(x+1)^2$ 위의 점이므로
$b=2(a+1)^2$, $Q(-1,\,0)$이므로
$$S(a)=\frac{1}{2}\times\overline{\text{OQ}}\times b=\frac{1}{2}\cdot1\cdot2(a+1)^2=a^2+2a+1$$
$$\therefore \lim_{a\to0}\frac{S(a)-1}{a}=\lim_{a\to0}\frac{a^2+2a}{a}=\lim_{a\to0}(a+2)=2$$

05 직선 $y=x+1$에 수직인 직선의 기울기는 -1이므로
점 $P(t,\,t+1)$을 지나고 기울기가 -1인 직선 PQ의 방정식은
$y-(t+1)=-(x-t)$ $\quad\therefore y=-x+2t+1$
$x=0$일 때, $y=2t+1$이므로 $Q(0,\,2t+1)$
한편, 두 점 $A(-1,\,0)$, $P(t,\,t+1)$에 대하여
$\overline{\text{AP}}^2=(t+1)^2+(t+1)^2=2t^2+4t+2$
$\overline{\text{AQ}}^2=1^2+(2t+1)^2=4t^2+4t+2$
$$\therefore \lim_{t\to\infty}\frac{\overline{\text{AQ}}^2}{\overline{\text{AP}}^2}=\lim_{t\to\infty}\frac{4t^2+4t+2}{2t^2+4t+2}=\lim_{t\to\infty}\frac{4+\dfrac{4}{t}+\dfrac{2}{t^2}}{2+\dfrac{4}{t}+\dfrac{2}{t^2}}=2$$

06

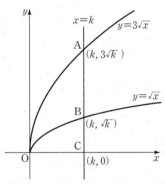

$\overline{\text{OA}}=\sqrt{k^2+(3\sqrt{k})^2}=\sqrt{k^2+9k}$, $\overline{\text{AC}}=3\sqrt{k}$,
$\overline{\text{OB}}=\sqrt{k^2+(\sqrt{k})^2}=\sqrt{k^2+k}$, $\overline{\text{BC}}=\sqrt{k}$이므로
$$\lim_{k\to0+}\frac{\overline{\text{OA}}-\overline{\text{AC}}}{\overline{\text{OB}}-\overline{\text{BC}}}$$
$$=\lim_{k\to0+}\frac{\sqrt{k^2+9k}-3\sqrt{k}}{\sqrt{k^2+k}-\sqrt{k}}=\lim_{k\to0+}\frac{\sqrt{k(k+9)}-3\sqrt{k}}{\sqrt{k(k+1)}-\sqrt{k}}$$
$$=\lim_{k\to0+}\frac{\sqrt{k}(\sqrt{k+9}-3)}{\sqrt{k}(\sqrt{k+1}-1)}\quad(\because k>0)$$
$$=\lim_{k\to0+}\frac{\sqrt{k+9}-3}{\sqrt{k+1}-1}$$
$$=\lim_{k\to0+}\frac{(\sqrt{k+9}-3)(\sqrt{k+9}+3)(\sqrt{k+1}+1)}{(\sqrt{k+1}-1)(\sqrt{k+1}+1)(\sqrt{k+9}+3)}$$
$$=\lim_{k\to0+}\frac{k(\sqrt{k+1}+1)}{k(\sqrt{k+9}+3)}=\lim_{k\to0+}\frac{\sqrt{k+1}+1}{\sqrt{k+9}+3}$$
$$=\frac{\sqrt{1}+1}{\sqrt{9}+3}=\frac{1}{3}$$

07

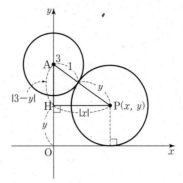

중심이 P인 원이 x축에 접하므로 반지름의 길이는 점 P의 y좌표와 같다.
이때, 중심이 A인 원의 반지름의 길이가 1이고 두 원이 외접하므로 $\overline{\text{PA}}=y+1$
또, 두 점 $A(0,\,3)$, $P(x,\,y)$에 의하여 $\overline{\text{PH}}=|x|$이고
$\overline{\text{OH}}=y$이므로 $\overline{\text{AH}}=|3-y|$
직각삼각형 AHP에서 $\overline{\text{PA}}^2=\overline{\text{PH}}^2+\overline{\text{AH}}^2$이므로
$(y+1)^2=x^2+(3-y)^2$, $1+2y+y^2=x^2+9-6y+y^2$
$x^2=8y-8$ $\quad\therefore y=\dfrac{x^2+8}{8}$
$$\therefore \lim_{x\to\infty}\frac{\overline{\text{PH}}^2}{\overline{\text{PA}}}=\lim_{x\to\infty}\frac{x^2}{y+1}=\lim_{x\to\infty}\frac{x^2}{\dfrac{x^2+8}{8}+1}$$
$$=\lim_{x\to\infty}\frac{8x^2}{x^2+16}=\lim_{x\to\infty}\frac{8}{1+\dfrac{16}{x^2}}=8$$

08 직선 l의 y절편을 b라고 하면 직선 l의 기울기가 -2이므로
직선 l의 방정식은 $2x+y-b=0$
이때, 점 $C(2,\,0)$과 직선 l 사이의 거리는 원 C의 반지름의 길이 r와 같으므로
$$\frac{|2\times2+0-b|}{\sqrt{2^2+1^2}}=\frac{|4-b|}{\sqrt{5}}=r \quad\therefore b=4\pm\sqrt{5}r$$
또한 점 $C'(3,\,3)$과 직선 l 사이의 거리는 원 C'의 반지름의 길이 $f(r)$와 같으므로
$$\frac{|3\times2+3-b|}{\sqrt{2^2+1^2}}=\frac{|9-b|}{\sqrt{5}}=\frac{|5\pm\sqrt{5}r|}{\sqrt{5}}=f(r)$$
$$\therefore \lim_{r\to0+}f(r)=\lim_{r\to0+}\frac{|5\pm\sqrt{5}r|}{\sqrt{5}}=\sqrt{5}$$

09 $x=a$에서 연속인 함수 본문 24쪽

01 $f(a)=c$, $\displaystyle\lim_{x\to a+}f(x)=c$, $\displaystyle\lim_{x\to a-}f(x)=b$이므로
$\displaystyle\lim_{x\to a}f(x)$의 값은 존재하지 않는다.

02 $\displaystyle\lim_{x\to1}f(x)=\lim_{x\to1}(x^2+5)=6=f(1)$이므로
$x=1$에서 연속이다.

03 $\displaystyle\lim_{x\to1}f(x)=\lim_{x\to1}(x^2-3x)=-2=f(1)$이므로
$x=1$에서 연속이다.

04 $\displaystyle\lim_{x\to1}f(x)=\lim_{x\to1}\frac{(x-1)(x^2+x+1)}{x-1}=\lim_{x\to1}(x^2+x+1)=3$
$f(1)=1$이므로 $f(1)\neq\displaystyle\lim_{x\to1}f(x)$이다.
따라서 $x=1$에서 불연속이다.

05 $f(1)$의 값이 존재하지 않으므로 $x=1$에서 불연속이다.

06 $\lim\limits_{x \to 1+} f(x) = \lim\limits_{x \to 1+} [x] = 1$

$\lim\limits_{x \to 1-} f(x) = \lim\limits_{x \to 1-} [x] = 0$

$\therefore \lim\limits_{x \to 1+} f(x) \neq \lim\limits_{x \to 1-} f(x)$

$\lim\limits_{x \to 1} f(x)$의 값이 존재하지 않으므로

$x=1$에서 불연속이다.

08 함수 $f(x)$가 $x=2$에서 연속이려면 $\lim\limits_{x \to 2} f(x) = f(2)$이어야

하므로 $\lim\limits_{x \to 2} \dfrac{x^2 + ax - 6}{x-2} = b$

$x \to 2$일 때 (분모) $\to 0$이므로 (분자) $\to 0$

$\therefore \lim\limits_{x \to 2} (x^2 + ax - 6) = 0$

$4 + 2a - 6 = 0 \quad \therefore a = 1$

$b = \lim\limits_{x \to 2} \dfrac{x^2 + x - 6}{x-2} = \lim\limits_{x \to 2} \dfrac{(x+3)(x-2)}{x-2} = \lim\limits_{x \to 2} (x+3) = 5$

$\therefore a = 1,\ b = 5$

09 함수 $f(x)$가 $x=1$에서 연속이려면 $\lim\limits_{x \to 1} f(x) = f(1)$이어야

하므로 $\lim\limits_{x \to 1} \dfrac{x^2 + ax - 2}{x-1} = b$

$x \to 1$일 때 (분모) $\to 0$이므로 (분자) $\to 0$

$\therefore \lim\limits_{x \to 1} (x^2 + ax - 2) = 0$

$1 + a - 2 = 0 \quad \therefore a = 1$

$b = \lim\limits_{x \to 1} \dfrac{x^2 + x - 2}{x-1} = \lim\limits_{x \to 1} \dfrac{(x+2)(x-1)}{x-1} = \lim\limits_{x \to 1} (x+2) = 3$

$\therefore a = 1,\ b = 3$

10 함수 $f(x)$가 $x=2$에서 연속이려면 $\lim\limits_{x \to 2} f(x) = f(2)$이어야

하므로 $\lim\limits_{x \to 2} \dfrac{a\sqrt{x+7} - b}{x-2} = 2$ ......㉠

$x \to 2$일 때 (분모) $\to 0$이므로 (분자) $\to 0$

$\therefore \lim\limits_{x \to 2} (a\sqrt{x+7} - b) = 0$

$3a - b = 0 \quad \therefore b = 3a$ ......㉡

㉡을 ㉠에 대입하면

$\lim\limits_{x \to 2} \dfrac{a\sqrt{x+7} - b}{x-2} = \lim\limits_{x \to 2} \dfrac{a(\sqrt{x+7} - 3)}{x-2}$

$= a\lim\limits_{x \to 2} \dfrac{x-2}{(x-2)(\sqrt{x+7}+3)}$

$= a\lim\limits_{x \to 2} \dfrac{1}{\sqrt{x+7}+3} = \dfrac{a}{6} = 2$

$\therefore a = 12,\ b = 36$

11 함수 $f(x)$가 $x=1$에서 연속이므로 $\lim\limits_{x \to 1} f(x) = f(1)$

$\lim\limits_{x \to 1} (2x+5) = a,\ 2+5 = a \quad \therefore a = 7$

IO 구간에서 연속인 함수 본문 26쪽

01 함수 $f(x) = x^2 + 2x - 3$은 다항함수이므로 모든 실수 x에서 연속이다.

따라서 연속인 구간은 $(-\infty,\ \infty)$이다.

02 함수 $f(x) = \dfrac{x}{x+5}$는 분수함수이므로 $x \neq -5$일 때 연속이다. 따라서 연속인 구간은 $(-\infty,\ -5) \cup (-5,\ \infty)$이다.

04 함수 $f(x) = \sqrt{x^2 - 4x - 5}$는 $x^2 - 4x - 5 \geq 0$,

즉 $x \leq -1$ 또는 $x \geq 5$일 때 연속이다.

따라서 연속인 구간은 $(-\infty,\ -1] \cup [5,\ \infty)$이다.

06 $\lim\limits_{x \to 1+} f(x) = f(1), \qquad a - b = 1$ ......㉠

$\lim\limits_{x \to -1-} f(x) = f(-1), \quad -a - b = 1$ ......㉡

㉠, ㉡에서 $a = 0,\ b = -1$

08 $f(x)$가 $x=2$와 $x=-2$에서 연속이므로

$\lim\limits_{x \to 2} f(x) = \lim\limits_{x \to 2} \dfrac{x^3 + x^2 - 4x - 4}{x^2 - 4}$

$= \lim\limits_{x \to 2} \dfrac{(x+2)(x-2)(x+1)}{(x+2)(x-2)}$

$= \lim\limits_{x \to 2} (x+1) = 3 = f(2)$

$\lim\limits_{x \to -2} f(x) = \lim\limits_{x \to -2} \dfrac{x^3 + x^2 - 4x - 4}{x^2 - 4}$

$= \lim\limits_{x \to -2} \dfrac{(x+2)(x-2)(x+1)}{(x+2)(x-2)}$

$= \lim\limits_{x \to -2} (x+1) = -1 = f(-2)$

$\therefore f(2) \cdot f(-2) = 3 \cdot (-1) = -3$

10 $x \neq 2,\ x \neq -3$일 때, $f(x) = \dfrac{x^3 + ax + b}{x^2 + x - 6}$

함수 $f(x)$가 $x=2$에서 연속이므로

$f(2) = \lim\limits_{x \to 2} \dfrac{x^3 + ax + b}{x^2 + x - 6}$

$x \to 2$일 때, (분모) $\to 0$이므로 (분자) $\to 0$이어야 한다.

$\lim\limits_{x \to 2} (x^3 + ax + b) = 0$

즉, $8 + 2a + b = 0$이므로 $2a + b = -8$ ......㉠

또, 함수 $f(x)$가 $x=-3$에서 연속이므로

$f(-3) = \lim\limits_{x \to -3} \dfrac{x^3 + ax + b}{x^2 + x - 6}$

$x \to -3$일 때, (분모) $\to 0$이므로 (분자) $\to 0$이어야 한다.

$\lim\limits_{x \to -3} (x^3 + ax + b) = 0$

즉, $-27 - 3a + b = 0$이므로 $3a - b = -27$ ......㉡

㉠, ㉡을 연립하여 풀면 $a = -7,\ b = 6$

II 연속함수의 성질 본문 28쪽

01 $f(x) - 2g(x)$는 다항함수이므로 모든 실수 x에서 연속이다.

02 $f(x)\{g(x)\}^2$는 다항함수이므로 모든 실수 x에서 연속이다.

03 $\dfrac{f(x)}{g(x)}$는 분수함수이므로 $4x + 3 \neq 0$, 즉 $x \neq -\dfrac{3}{4}$일 때 연속이다.

따라서 연속인 구간은 $\left(-\infty,\ -\dfrac{3}{4}\right) \cup \left(-\dfrac{3}{4},\ \infty\right)$이다.

04 $\dfrac{g(x)}{f(x)}$는 분수함수이므로 $x^2 - 2x + 1 \neq 0$,

즉 $x \neq 1$일 때 연속이다.

따라서 연속인 구간은 $(-\infty,\ 1) \cup (1,\ \infty)$이다.

05 $g(x) = x^2,\ h(x) = |x|$로 놓으면 두 함수 $g(x),\ h(x)$는 닫힌구간 $[-1,\ 1]$에서 연속이지만 함수 $f(x) = \dfrac{g(x)}{h(x)}$는 $x=0$에서 정의되지 않으므로 구간 $[-1,\ 1]$에서 불연속이다.

06 $g(x)=x$, $h(x)=|x|$로 놓으면 두 함수 $g(x)$, $h(x)$는 닫힌구간 $[-1, 1]$에서 연속이므로 함수 $f(x)=g(x)h(x)$도 이 구간에서 연속이다.

07 $g(x)=|x|$, $h(x)=|x-1|$로 놓으면 두 함수 $g(x)$, $h(x)$는 닫힌구간 $[-1, 1]$에서 연속이므로 함수 $f(x)=g(x)+h(x)$도 이 구간에서 연속이다.

08 두 함수 $f(x)$, $g(x)$가 $x=a$에서 연속이므로
$\lim\limits_{x\to a}f(x)=f(a)$, $\lim\limits_{x\to a}g(x)=g(a)$

ㄱ. $\lim\limits_{x\to a}\{g(x)\}^2=\lim\limits_{x\to a}g(x)\cdot\lim\limits_{x\to a}g(x)$
$=g(a)\cdot g(a)=\{g(a)\}^2$
따라서 주어진 함수는 $x=a$에서 연속이다.

ㄴ. $\lim\limits_{x\to a}\left\{\dfrac{1}{3}f(x)-2g(x)\right\}=\dfrac{1}{3}\lim\limits_{x\to a}f(x)-2\lim\limits_{x\to a}g(x)$
$=\dfrac{1}{3}f(a)-2g(a)$
따라서 주어진 함수는 $x=a$에서 연속이다.

ㄷ. $f(a)=-g(a)$이면 $x=a$에서 $\dfrac{g(x)}{f(x)+g(x)}$가 정의되지 않으므로 $x=a$에서 불연속이다.
이상에서 $x=a$에서 연속인 함수는 ㄱ, ㄴ이다.

Ⅰ2 최대 · 최소 정리 본문29쪽

02 $f(x)=-x^2+4x+2=-(x-2)^2+6$은 구간 $[-1, 3]$에서 연속이고 $x=2$일 때 최댓값 6, $x=-1$일 때 최솟값 -3을 갖는다.

03 $f(x)=\dfrac{3}{x+1}$은 구간 $[2, 5]$에서 연속이고 $x=2$일 때 최댓값 1, $x=5$일 때 최솟값 $\dfrac{1}{2}$을 갖는다.

04 $f(x)=\dfrac{1}{-x+2}$은 구간 $[3, 5]$에서 연속이고 $x=3$일 때 최솟값 -1, $x=5$일 때 최댓값 $-\dfrac{1}{3}$을 갖는다.

06 $f(x)=\sqrt{12-4x}=\sqrt{-4(x-3)}$은 $x=-2$일 때 최댓값 $2\sqrt{5}$, $x=2$일 때 최솟값 2를 갖는다.

07 $f(x)=(x-1)^2+1$이므로 $x=3$일 때 최댓값 5, $x=1$일 때 최솟값 1을 갖는다.

08 $f(x)=-(x-2)^2+5$이므로
$f(-1)=-4$, $f(2)=5$, $f(3)=4$
따라서 최댓값 5, 최솟값 -4를 갖는다.

09 $f(x)=(x^2-1)^2-2$
$f(-2)=f(2)=7$, $f(-1)=f(1)=-2$
따라서 최댓값 7, 최솟값 -2를 갖는다.

10 함수 $f(x)=\dfrac{1}{x-1}$은 닫힌 구간 $[-2, 0]$에서 연속이므로 최댓값과 최솟값을 모두 가진다.
구간 $[-2, 0]$에서 $y=f(x)$의 그래프는 오른쪽 그림과

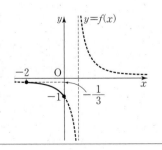

같으므로 $f(x)$는 $x=-2$일 때 최댓값 $-\dfrac{1}{3}$, $x=0$일 때 최솟값 -1을 가진다.

11 ㄱ. $\lim\limits_{x\to 1}f(x)=2$, $f(1)=1$이므로 $\lim\limits_{x\to 1}f(x)\neq f(1)$
따라서 함수 $f(x)$는 $x=1$에서 불연속이다.
ㄴ. 구간 $[0, 2]$에서 함수 $f(x)$의 최댓값은 존재하지 않는다.
ㄷ. 구간 $[2, 4]$에서 함수 $f(x)$가 연속이므로 이 구간에서 최댓값과 최솟값이 모두 존재한다.
이상에서 옳은 것은 ㄷ뿐이다.

Ⅰ3 사잇값 정리 본문31쪽

02 $f(x)=x^2+2x-2$라고 하면 함수 $f(x)$는 닫힌구간 $[-1, 2]$에서 연속이고
$f(-1)=-3<0$, $f(2)=6>0$
이므로 사잇값 정리에 의하여 $f(c)=0$인 c가 구간 $(-1, 2)$에 적어도 하나 존재한다.
따라서 방정식 $x^2+2x-2=0$은 구간 $(-1, 2)$에서 적어도 하나의 실근을 가진다.

03 $f(x)=x^4+x-1$이라고 하면 함수 $f(x)$는 닫힌구간 $[0, 1]$에서 연속이고
$f(0)=-1<0$, $f(1)=1>0$
이므로 사잇값 정리에 의하여 $f(c)=0$인 c가 구간 $(0, 1)$에 적어도 하나 존재한다.
따라서 방정식 $x^4+x-1=0$은 구간 $(0, 1)$에서 적어도 하나의 실근을 갖는다.

04 $f(x)=x^3+3x-3$이라고 하면 함수 $f(x)$는 모든 실수 x에서 연속이고 $f(-1)=-7<0$, $f\left(-\dfrac{1}{2}\right)=-\dfrac{37}{8}<0$,
$f(0)=-3<0$, $f\left(\dfrac{1}{2}\right)=-\dfrac{11}{8}<0$, $f(1)=1>0$,
$f\left(\dfrac{3}{2}\right)=\dfrac{39}{8}>0$ $\therefore f\left(\dfrac{1}{2}\right)f(1)<0$
따라서 사잇값 정리에 의하여 방정식 $f(x)=0$은 구간 $\left(\dfrac{1}{2}, 1\right)$에서 실근을 가진다.

05 $f(x)=x^3+2x-10$이라고 하면 $f(x)$는 모든 실수 x에 대하여 연속이고 $f(-2)=-22<0$, $f(-1)=-13<0$,
$f(0)=-10<0$, $f(1)=-7<0$, $f(2)=2>0$,
$f(3)=23>0$ $\therefore f(1)f(2)<0$
따라서 사잇값 정리에 의하여 방정식 $f(x)=0$은 구간 $(1, 2)$에서 실근을 갖는다.

07 $f(0)-2\cdot 0=-1<0$
$f(1)-2\cdot 1=-3-2=-5<0$
$f(2)-2\cdot 2=5-4=1>0$
$f(3)-2\cdot 3=-4-6=-10<0$
$f(4)-2\cdot 4=-2-8=-10<0$
따라서 방정식 $f(x)-2x=0$은 $0\leq x\leq 4$에서 적어도 2개의 실근을 갖는다.

08 ㄱ. $\lim\limits_{x\to -1-}g(f(x))=\lim\limits_{t\to -2+}g(t)=0$
$\lim\limits_{x\to -1+}g(f(x))=\lim\limits_{t\to -1-}g(t)=0$
$\therefore \lim\limits_{x\to -1}g(f(x))=0$ (거짓)
ㄴ. $\lim\limits_{x\to 0-}g(f(x))=\lim\limits_{t\to 0-}g(t)=0$

$$\lim_{x \to 0+} g(f(x)) = \lim_{t \to 0+} g(t) = 0$$

$$g(f(0)) = g(1) = -1$$

따라서 $\lim_{x \to 0} g(f(x)) \neq g(f(0))$이므로 함수 $g(f(x))$는 $x=0$에서 연속이 아니다. (참)

ㄷ. 두 함수 $f(x)$, $g(x)$는 닫힌구간 $[1, 2]$에서 연속이고 $1 \leq f(x) \leq 2$이므로 함수 $g(f(x))$도 닫힌구간 $[1, 2]$에서 연속이다.

이때, $h(x) = g(f(x)) + \dfrac{1}{2}$이라고 하면 $h(1)h(2) < 0$이므로 사잇값 정리에 의하여 방정식

$h(x) = g(f(x)) + \dfrac{1}{2} = 0$, 즉 $g(f(x)) = -\dfrac{1}{2}$의 실근이 열린구간 $(1, 2)$에 적어도 하나 존재한다. (참)

따라서 옳은 것은 ㄴ, ㄷ이다.

09 ㄱ. $\lim_{x \to 0+} g(x) = -1$ (거짓)

ㄴ. $f(0) = a (a > 3)$라고 하면 $g(f(0)) = g(a)$

이때, 함수 $g(x)$는 $x > 3$에서 연속이므로

$$\lim_{x \to 0} g(f(x)) = \lim_{t \to a} g(t) = g(a)$$

$$\therefore \lim_{x \to 0} g(f(x)) = g(f(0))$$

따라서 함수 $g(f(x))$는 $x=0$에서 연속이다. (참)

ㄷ. $h(x) = g(f(x))$라 하면 함수 $h(x)$는 닫힌구간 $[-3, 3]$에서 연속이다. $h(-3) = g(f(-3)) = g(1) < 0$, $h(3) = g(f(3)) = g(3) > 0$에서 $h(-3)h(3) < 0$이므로 사잇값 정리에 의하여 방정식 $h(x) = 0$은 열린구간 $(-3, 3)$에서 적어도 하나의 실근을 갖는다.

따라서 방정식 $g(f(x)) = 0$은 닫힌구간 $[-3, 3]$에서 적어도 하나의 실근을 갖는다. (참)

따라서 옳은 것은 ㄴ, ㄷ이다.

Ⅱ. 다항함수의 미분법

01 평균변화율 본문 38쪽

02 $\dfrac{\Delta y}{\Delta x} = \dfrac{f(3) - f(1)}{3-1} = \dfrac{(-3^2 + 3) - (-1^2 + 1)}{2}$

$\qquad = \dfrac{-6 - 0}{2} = -3$

03 $\dfrac{\Delta y}{\Delta x} = \dfrac{f(a+h) - f(a)}{(a+h) - a} = \dfrac{(a+h)^2 + (a+h) - (a^2 + a)}{h}$

$\qquad = \dfrac{a^2 + 2ah + h^2 + a + h - a^2 - a}{h} = \dfrac{2ah + h^2 + h}{h}$

$\qquad = 2a + h + 1$

05 $\dfrac{\Delta y}{\Delta x} = \dfrac{f(a) - f(2)}{a-2} = \dfrac{(a^2 - 3a + 4) - 2}{a-2}$

$\qquad = \dfrac{a^2 - 3a + 2}{a-2} = \dfrac{(a-2)(a-1)}{a-2} = a-1$

즉, $a-1 = 7$이므로 $a = 8$

07 $\dfrac{\Delta y}{\Delta x} = \dfrac{f(a+\Delta x) - f(a)}{\Delta x} = \dfrac{\{2(4+\Delta x) - 3\} - 5}{\Delta x}$

$\qquad = \dfrac{2\Delta x}{\Delta x} = 2$

08 $\dfrac{f(4) - f(2)}{4-2} = 3$이므로 $\dfrac{16 - 4a + 2 - (4 - 2a + 2)}{2}$

$\qquad = -a + 6 = 3 \qquad \therefore a = 3$

02 미분계수 본문 39쪽

02 $f'(1) = \lim_{\Delta x \to 0} \dfrac{f(1+\Delta x) - f(1)}{\Delta x}$

$\qquad = \lim_{\Delta x \to 0} \dfrac{3(1+\Delta x)^2 - 3}{\Delta x} = \lim_{\Delta x \to 0} (6 + 3\Delta x) = 6$

03 $f'(1) = \lim_{\Delta x \to 0} \dfrac{f(1+\Delta x) - f(1)}{\Delta x}$

$\qquad = \lim_{\Delta x \to 0} \dfrac{\{(1+\Delta x)^2 + 2(1+\Delta x)\} - (1^2 + 2 \cdot 1)}{\Delta x}$

$\qquad = \lim_{\Delta x \to 0} (4 + \Delta x) = 4$

04 $f'(1) = \lim_{\Delta x \to 0} \dfrac{f(1+\Delta x) - f(1)}{\Delta x}$

$\qquad = \lim_{\Delta x \to 0} \dfrac{\{(1+\Delta x)^2 - (1+\Delta x)\} - (1^2 - 1)}{\Delta x}$

$\qquad = \lim_{\Delta x \to 0} (1 + \Delta x) = 1$

06 x의 값이 0부터 a까지 변할 때의 $f(x)$의 평균변화율은

$\dfrac{f(a) - f(0)}{a - 0} = \dfrac{3a^2 - 2a}{a} = 3a - 2$

$x=1$에서의 미분계수 $f'(1) = 4$

따라서 $3a - 2 = 4$이므로 $a = 2$

07 x의 값이 1부터 a까지 변할 때의 $f(x)$의 평균변화율은

$\dfrac{f(a) - f(1)}{a - 1} = \dfrac{a^2 - a}{a - 1} = a$

$x=1$에서의 미분계수는 $f'(1) = 1 \qquad \therefore a = 1$

09 $\lim_{h \to 0} \dfrac{f(a+5h) - f(a)}{h} = \lim_{h \to 0} \dfrac{f(a+5h) - f(a)}{5h} \times 5$

$\qquad = 5f'(a) = 5 \cdot 3 = 15$

10 $\lim_{h \to 0} \dfrac{f(a+3h) - f(a-h)}{h}$

$\qquad = \lim_{h \to 0} \dfrac{f(a+3h) - f(a) - f(a-h) + f(a)}{h}$

$\qquad = \lim_{h \to 0} \dfrac{f(a+3h) - f(a)}{h} - \lim_{h \to 0} \dfrac{f(a-h) - f(a)}{h}$

$\qquad = \lim_{h \to 0} \dfrac{f(a+3h) - f(a)}{3h} \times 3$

$\qquad \quad - \lim_{h \to 0} \dfrac{f(a-h) - f(a)}{-h} \times (-1)$

$\qquad = 3f'(a) + f'(a) = 4f'(a) = 4 \cdot 3 = 12$

11 $\lim_{h \to 0} \dfrac{f(a+4h) - f(a-2h)}{h}$

$\qquad = \lim_{h \to 0} \dfrac{f(a+4h) - f(a) - f(a-2h) + f(a)}{h}$

$$=\lim_{h\to 0}\frac{f(a+4h)-f(a)}{h}-\lim_{h\to 0}\frac{f(a-2h)-f(a)}{h}$$

$$=\lim_{h\to 0}\frac{f(a+4h)-f(a)}{4h}\times 4$$

$$\quad -\lim_{h\to 0}\frac{f(a-2h)-f(a)}{-2h}\times(-2)$$

$$=4f'(a)+2f'(a)$$

$$=6f'(a)=6\cdot 3=18$$

13 $\lim\limits_{x\to 2}\dfrac{f(x)-2}{x^3-8}=\lim\limits_{x\to 2}\dfrac{f(x)-f(2)}{x-2}\times\dfrac{1}{x^2+2x+4}$

$$=f'(2)\times\frac{1}{12}=4\times\frac{1}{12}=\frac{1}{3}$$

14 $\lim\limits_{x\to 2}\dfrac{2f(x)-xf(2)}{x-2}=\lim\limits_{x\to 2}\dfrac{2f(x)-2f(2)+2f(2)-xf(2)}{x-2}$

$$=2\lim_{x\to 2}\frac{f(x)-f(2)}{x-2}-\lim_{x\to 2}\frac{(x-2)f(2)}{x-2}$$

$$=2f'(2)-f(2)=2\cdot 4-2=6$$

15 $f(x)=x^3+2x$에서 $f(2)=12$이므로

$$\lim_{h\to 0}\frac{f(2+h)-12}{h}=\lim_{h\to 0}\frac{f(2+h)-f(2)}{h}=f'(2)$$

$$f'(2)=14$$

따라서 구하는 값은 14이다.

03 미분계수의 기하학적 의미 본문 41쪽

02 점 $(1, 3)$에서의 접선의 기울기는 $f'(1)$과 같으므로

$$f'(1)=\lim_{\Delta x\to 0}\frac{f(1+\Delta x)-f(1)}{\Delta x}$$

$$=\lim_{\Delta x\to 0}\frac{3(1+\Delta x)^2-3\cdot 1^2}{\Delta x}=\lim_{\Delta x\to 0}(6+3\Delta x)=6$$

03 점 $(1, -1)$에서의 접선의 기울기는 $f'(1)$과 같으므로

$$f'(1)=\lim_{\Delta x\to 0}\frac{f(1+\Delta x)-f(1)}{\Delta x}$$

$$=\lim_{\Delta x\to 0}\frac{\{(1+\Delta x)^2-2\}-(1^2-2)}{\Delta x}$$

$$=\lim_{\Delta x\to 0}(2+\Delta x)=2$$

04 점 $(-1, 5)$에서의 접선의 기울기는 $f'(-1)$과 같으므로

$$f'(-1)=\lim_{\Delta x\to 0}\frac{f(-1+\Delta x)-f(-1)}{\Delta x}$$

$$=\lim_{\Delta x\to 0}\frac{\{2(-1+\Delta x)^2+3\}-\{2\cdot(-1)^2+3\}}{\Delta x}$$

$$=\lim_{\Delta x\to 0}(-4+2\Delta x)=-4$$

05 점 $(1, 5)$에서의 접선의 기울기는 $f'(1)$과 같으므로

$$f'(1)=\lim_{\Delta x\to 0}\frac{f(1+\Delta x)-f(1)}{\Delta x}$$

$$=\lim_{\Delta x\to 0}\frac{\{(1+\Delta x)^2+4(1+\Delta x)\}-(1^2+4\cdot 1)}{\Delta x}$$

$$=\lim_{\Delta x\to 0}(6+\Delta x)=6$$

06 점 $(3, -9)$에서의 접선의 기울기는 $f'(3)$과 같으므로

$$f'(3)=\lim_{\Delta x\to 0}\frac{f(3+\Delta x)-f(3)}{\Delta x}$$

$$=\lim_{\Delta x\to 0}\frac{\{(3+\Delta x)^2-6(3+\Delta x)\}-(3^2-6\cdot 3)}{\Delta x}$$

$$=\lim_{\Delta x\to 0}\Delta x=0$$

07 $f(x)=3x^2+ax$로 놓으면 점 $P(1, 3+a)$에서의 접선의 기울기가 5이므로 $f'(1)=5$

$$\therefore f'(1)=\lim_{x\to 1}\frac{f(x)-f(1)}{x-1}=\lim_{x\to 1}\frac{3x^2+ax-(3+a)}{x-1}$$

$$=\lim_{x\to 1}\frac{3(x+1)(x-1)+a(x-1)}{x-1}$$

$$=\lim_{x\to 1}(3x+3+a)=6+a$$

$f'(1)=6+a=5$ $\quad\therefore a=-1$

04 미분가능성과 연속성 본문 42쪽

01 $f'(a)=0$이므로 미분가능하다.

02 $x=a$에서 연속이 아니므로 미분가능하지 않다.

03 $f'(a)$가 존재하지 않으므로 $x=a$에서 미분가능하지 않다.

04 $f'(a)$가 존재하지 않으므로 $x=a$에서 미분가능하지 않다.

05 $\lim\limits_{h\to 0+}\dfrac{f(1+h)-f(1)}{h}=\lim\limits_{h\to 0+}\dfrac{h}{h}=1$

$$\lim_{h\to 0-}\frac{f(1+h)-f(1)}{h}=\lim_{h\to 0-}\frac{0}{h}=0$$

이므로 $f(x)$는 $x=1$에서 미분가능하지 않다.

06 $xf(x)=g(x)$라고 할 때,

$$\lim_{h\to 0}\frac{g(0+h)-g(0)}{h}=\lim_{h\to 0}\frac{hf(h)}{h}=\lim_{h\to 0}f(h)$$

또, $\lim\limits_{h\to 0+}f(h)=2\neq\lim\limits_{h\to 0-}f(h)=1$

이므로 $\lim\limits_{h\to 0}f(h)$는 존재하지 않는다.

즉, $xf(x)$는 $x=0$에서 미분가능하지 않다.

07 $x^2f(x)=k(x)$라고 할 때,

$$\lim_{h\to 0}\frac{k(0+h)-k(0)}{h}=\lim_{h\to 0}\frac{h^2f(h)}{h}=\lim_{h\to 0}hf(h)=0$$

따라서 $x^2f(x)$는 $x=0$에서 미분가능하다.

08 함수 $f(x)$는 $x=-4$, $x=4$에서 미분가능하지 않다.

09 함수 $f(x)$는 $x=-1$, $x=0$에서 미분가능하지 않다.

10 함수 $f(x)$는 $x=1$, $x=2$, $x=5$에서 미분가능하지 않다.

12 $\lim\limits_{x\to 0}f(x)=f(0)$이므로 함수 $f(x)$는 $x=0$에서 연속이다.

$$\lim_{h\to 0+}\frac{f(0+h)-f(0)}{h}=\lim_{h\to 0+}\frac{h^2}{h}=0$$

$$\lim_{h\to 0-}\frac{f(0+h)-f(0)}{h}=0$$이므로 $f'(0)=0$이다.

따라서 함수 $f(x)$는 $x=0$에서 미분가능하다.

05 도함수 본문 44쪽

01 $f'(x)=\lim\limits_{h\to 0}\dfrac{f(x+h)-f(x)}{h}=\lim\limits_{h\to 0}\dfrac{2(x+h)-2x}{h}$

$$=\lim_{h\to 0}2=2$$

02 $f'(x)=\lim\limits_{h\to 0}\dfrac{f(x+h)-f(x)}{h}=\lim\limits_{h\to 0}\dfrac{10-10}{h}=0$

03
$$f'(x)=\lim_{h\to 0}\frac{f(x+h)-f(x)}{h}$$
$$=\lim_{h\to 0}\frac{(x+h)^2-5(x+h)-(x^2-5x)}{h}$$
$$=\lim_{h\to 0}\frac{2xh+h^2-5h}{h}=\lim_{h\to 0}(2x+h-5)$$
$$=2x-5$$

04
$$f'(x)=\lim_{h\to 0}\frac{f(x+h)-f(x)}{h}=\lim_{h\to 0}\frac{4(x+h)^2-4x^2}{h}$$
$$=\lim_{h\to 0}\frac{8xh+4h^2}{h}=\lim_{h\to 0}(8x+4h)=8x$$

06
$$f'(x)=\lim_{h\to 0}\frac{f(x+h)-f(x)}{h}$$
$$=\lim_{h\to 0}\frac{\{2(x+h)+5\}-(2x+5)}{h}$$
$$=\lim_{h\to 0}\frac{2h}{h}=2$$
따라서 $f(x)$의 $x=3$에서의 미분계수는
$f'(3)=2$

07
$$f'(x)=\lim_{h\to 0}\frac{f(x+h)-f(x)}{h}$$
$$=\lim_{h\to 0}\frac{\{(x+h)^2+(x+h)\}-(x^2+x)}{h}$$
$$=\lim_{h\to 0}\frac{2xh+h^2+h}{h}=\lim_{h\to 0}(2x+h+1)$$
$$=2x+1$$
따라서 $f(x)$의 $x=3$에서의 미분계수는
$f'(3)=2\cdot 3+1=7$

06 미분법의 공식 본문 45쪽

01 $y'=5x^{5-1}=5x^4$

02 $y'=9x^{9-1}=9x^8$

03 $y'=0$

04 $y'=(3x+2)'=(3x)'+(2)'=3$

05 $y'=(-x^2+8x+5)'$
$=(-x^2)'+(8x)'+(5)'=-2x+8$

06 $y'=\left(\frac{1}{5}x^5+\frac{1}{4}x^4+\frac{1}{3}x^3+\frac{1}{2}x^2+x\right)'$
$=\left(\frac{1}{5}x^5\right)'+\left(\frac{1}{4}x^4\right)'+\left(\frac{1}{3}x^3\right)'+\left(\frac{1}{2}x^2\right)'+(x)'$
$=x^4+x^3+x^2+x+1$

08 $y'=(2x^2+5)'(x^2-2)+(2x^2+5)(x^2-2)'$
$=4x\times(x^2-2)+(2x^2+5)\times 2x$
$=8x^3+2x$

09 $y'=(2x^2+3)'(x^3-x+3)+(2x^2+3)(x^3-x+3)'$
$=4x(x^3-x+3)+(2x^2+3)(3x^2-1)$
$=10x^4+3x^2+12x-3$

10 $y'=(x^2-x)'(x^3+1)+(x^2-x)(x^3+1)'$
$=(2x-1)(x^3+1)+(x^2-x)\times 3x^2$
$=5x^4-4x^3+2x-1$

12 $y'=x'(x+2)(2x+1)+x(x+2)'(2x+1)$
$\qquad +x(x+2)(2x+1)'$
$=1\cdot(x+2)(2x+1)+x\cdot 1\cdot(2x+1)+x(x+2)\cdot 2$
$=6x^2+10x+2$

14 $y'=5(x^2-2x+1)^4\cdot(2x-2)=10(x-1)^9$

16 $f'(x)=(x^2+3)'(x^3+9)+(x^2+3)(x^3+9)'$
$=2x(x^3+9)+(x^2+3)\times 3x^2$
$=5x^4+9x^2+18x$
$\therefore f'(1)=5+9+18=32$

17 $f'(x)=(2x+1)'(x^2+3x+1)+(2x+1)(x^2+3x+1)'$
$=2(x^2+3x+1)+(2x+1)(2x+3)$
$=6x^2+14x+5$
$\therefore f'(1)=6+14+5=25$

18 $f'(x)=3(2x+1)^2\cdot 2=6(2x+1)^2$
$\therefore f'(1)=6(2+1)^2=54$

19 $f'(x)=6(-3x+4)^5\times(-3)=-18(-3x+4)^5$
$\therefore f'(1)=-18(-3+4)^5=-18$

20 $f(x)=x^2+x+3$이므로 $f'(x)=2x+1$
$\therefore f'(10)=20+1=21$

21 $f(x)=200x-\frac{3}{2}x^2-\frac{1}{3}x^3$이므로 $f'(x)=200-3x-x^2$
$\therefore f'(10)=200-30-100=70$

22 $f(x)=7x^3-ax+3$이므로 $f'(x)=21x^2-a$
이때, $f'(1)=2$이므로 $21-a=2$ $\therefore a=19$

23 $f(x)=x^2+3x$이므로 $f(2)=4+6=10$
$f'(x)=2x+3$이므로 $f'(2)=4+3=7$
$\therefore f(2)+f'(2)=10+7=17$

24 $f(x)=(x^3+5)(x^2-1)$이므로
$f'(x)=(x^3+5)'(x^2-1)+(x^3+5)(x^2-1)'$
$=3x^2(x^2-1)+(x^3+5)\times 2x$
$\therefore f'(1)=3\cdot 0+6\cdot 2=12$

25 $f(x)=(2x^3+1)(x-1)^2$이므로
$f'(x)=(2x^3+1)'(x-1)^2+(2x^3+1)\{(x-1)^2\}'$
$=6x^2(x-1)^2+(2x^3+1)\times 2(x-1)$
$\therefore f'(-1)=6\cdot 4+(-1)\cdot(-4)=28$

26 $f(x)=(x^2+1)(x^2+x-2)$이므로
$f'(x)=(x^2+1)'(x^2+x-2)+(x^2+1)(x^2+x-2)'$
$=2x(x^2+x-2)+(x^2+1)(2x+1)$
$\therefore f'(2)=4\cdot 4+5\cdot 5=41$

28 $f(x)=ax^2+bx+c$에서 $f(0)=3$이므로 $c=3$
$f'(x)=2ax+b$에서 $f'(1)=-2$, $f'(-1)=-6$이므로
$2a+b=-2$, $-2a+b=-6$
두 식을 연립하여 풀면 $a=1$, $b=-4$
$\therefore a=1$, $b=-4$, $c=3$

29 $f(2)=6$이므로 $4a+2b+c=6$ $\cdots\cdots$ ㉠
$f'(x)=2ax+b$에서
$f'(0)=2$이므로 $b=2$ $\cdots\cdots$ ㉡
$f'(1)=4$이므로 $2a+b=4$ $\cdots\cdots$ ㉢
㉠, ㉡, ㉢에서 $a=1$, $b=2$, $c=-2$

30 $f(2)=13$이므로 $4a+2b+c=13$ ······ ㉠

$f'(x)=2ax+b$에서

$f'(0)=1$이므로 $b=1$ ······ ㉡

$f'(1)=5$이므로 $2a+b=5$ ······ ㉢

㉠, ㉡, ㉢에서 $a=2$, $b=1$, $c=3$

31 $f(x)=ax^2+bx+c$라고 하면 $f(0)=c=1$

$f'(x)=2ax+b$에서 $f'(0)=b=-5$

$f'(1)=2a+b=1$이므로 $a=3$

$\therefore f(x)=3x^2-5x+1$　$\therefore f(2)=3$

07 미분계수를 이용한 극한값의 계산 본문 49쪽

01 $\lim\limits_{h \to 0}\dfrac{f(1+h)-f(1)}{h}=f'(1)$

이때, $f(x)=x^2+5$이므로 $f'(x)=2x$　$\therefore f'(1)=2$

02 $f(x)=x^2+2x$에서 $f(1)=3$이므로

$\lim\limits_{x \to 1}\dfrac{f(x)-3}{x-1}=\lim\limits_{x \to 1}\dfrac{f(x)-f(1)}{x-1}=f'(1)$

이때, $f(x)=x^2+2x$이므로 $f'(x)=2x+2$

$\therefore f'(1)=2+2=4$

03 $\lim\limits_{x \to 1}\dfrac{f(x)-f(1)}{x-1}=f'(1)$

이때, $f(x)=x^3+9x+2$이므로 $f'(x)=3x^2+9$

$\therefore f'(1)=3+9=12$

04 $\lim\limits_{h \to 0}\dfrac{f(1+h)-f(1)}{2h}=\lim\limits_{h \to 0}\dfrac{f(1+h)-f(1)}{h}\cdot\dfrac{1}{2}=\dfrac{1}{2}f'(1)$

이때, $f(x)=x^2+4x$에서 $f'(x)=2x+4$이므로

$f'(1)=2+4=6$

따라서 구하는 값은 $\dfrac{1}{2}f'(1)=\dfrac{1}{2}\cdot6=3$

05 $\lim\limits_{h \to 0}\dfrac{f(1+2h)-f(1)}{h}=\lim\limits_{h \to 0}\dfrac{f(1+2h)-f(1)}{2h}\cdot2=2f'(1)$

이때, $f(x)=x^4+4x^2+1$에서 $f'(x)=4x^3+8x$이므로

$f'(1)=4+8=12$

따라서 구하는 값은 $2f'(1)=2\cdot12=24$

06 $\lim\limits_{h \to 0}\dfrac{f(1+3h)-f(1)}{2h}=\lim\limits_{h \to 0}\dfrac{f(1+3h)-f(1)}{3h}\cdot\dfrac{3}{2}$

$\qquad\qquad\qquad\qquad\qquad=\dfrac{3}{2}f'(1)$

이때, $f(x)=x^3-x$에서 $f'(x)=3x^2-1$이므로

$f'(1)=3-1=2$

따라서 구하는 값은 $\dfrac{3}{2}f'(1)=\dfrac{3}{2}\cdot2=3$

07 $\lim\limits_{h \to 0}\dfrac{f(1+h)-f(1)}{h}=f'(1)$이므로 $f'(1)=6$

이때, $f(x)=2x^2+ax$에서 $f'(x)=4x+a$이므로

$f'(1)=4+a=6$　$\therefore a=2$

08 $\lim\limits_{h \to 0}\dfrac{f(a+h)-f(a-h)}{h}$

$=\lim\limits_{h \to 0}\dfrac{\{f(a+h)-f(a)\}-\{f(a-h)-f(a)\}}{h}$

$=\lim\limits_{h \to 0}\dfrac{f(a+h)-f(a)}{h}-\lim\limits_{h \to 0}\dfrac{f(a-h)-f(a)}{-h}\cdot(-1)$

$=f'(a)+f'(a)=2f'(a)$

이므로 $2f'(a)=8$　$\therefore f'(a)=4$

이때, $f(x)=x^2-6x+5$에서 $f'(x)=2x-6$이므로

$f'(a)=2a-6=4$

$\therefore a=5$

09 $\lim\limits_{x \to 2}\dfrac{f(x)-1}{x-2}=2$에서 $x \to 2$일 때 (분모) $\to 0$이고 극한값

이 존재하므로 (분자) $\to 0$이다.

즉, $\lim\limits_{x \to 2}\{f(x)-1\}=0$이므로 $f(2)=1$

$\lim\limits_{x \to 2}\dfrac{f(x)-1}{x-2}=\lim\limits_{x \to 2}\dfrac{f(x)-f(2)}{x-2}=f'(2)$이므로 $f'(2)=2$

$\therefore \lim\limits_{h \to 0}\dfrac{f(2+h)-f(2-h)}{h}$

$=\lim\limits_{h \to 0}\dfrac{\{f(2+h)-f(2)\}-\{f(2-h)-f(2)\}}{h}$

$=\lim\limits_{h \to 0}\dfrac{f(2+h)-f(2)}{h}-\lim\limits_{h \to 0}\dfrac{f(2-h)-f(2)}{-h}\cdot(-1)$

$=f'(2)+f'(2)=2f'(2)$

$=2\cdot2=4$

10 $\lim\limits_{x \to 1}\dfrac{f(x)-f(1)}{x^2-1}=\lim\limits_{x \to 1}\dfrac{f(x)-f(1)}{x-1}\cdot\dfrac{1}{x+1}=\dfrac{1}{2}f'(1)$

이므로 $\dfrac{1}{2}f'(1)=-1$　$\therefore f'(1)=-2$

$\therefore \lim\limits_{h \to 0}\dfrac{f(1-2h)-f(1+5h)}{h}$

$=\lim\limits_{h \to 0}\dfrac{\{f(1-2h)-f(1)\}-\{f(1+5h)-f(1)\}}{h}$

$=\lim\limits_{h \to 0}\dfrac{f(1-2h)-f(1)}{-2h}\cdot(-2)$

$\quad-\lim\limits_{h \to 0}\dfrac{f(1+5h)-f(1)}{5h}\cdot5$

$=-2f'(1)-5f'(1)=-7f'(1)=-7\cdot(-2)=14$

11 $f'(2)=\lim\limits_{h \to 0}\dfrac{f(2+h)-f(2)}{h}$

이때, $f(x+2)-f(2)=x^3+6x^2+14x$에서

$f(2+h)-f(2)=h^3+6h^2+14h$이므로

$f'(2)=\lim\limits_{h \to 0}\dfrac{h^3+6h^2+14h}{h}=\lim\limits_{h \to 0}(h^2+6h+14)=14$

12 $\lim\limits_{x \to 1}\dfrac{f(x)-2}{x^2-1}=3$에서 $x \to 1$일 때 (분모) $\to 0$이고 극한값

이 존재하므로 (분자) $\to 0$이다.

즉, $\lim\limits_{x \to 1}\{f(x)-2\}=0$이므로 $f(1)=2$

$\lim\limits_{x \to 1}\dfrac{f(x)-2}{x^2-1}=\lim\limits_{x \to 1}\dfrac{f(x)-f(1)}{x^2-1}$

$\qquad\qquad\qquad=\lim\limits_{x \to 1}\dfrac{f(x)-f(1)}{x-1}\cdot\dfrac{1}{x+1}=\dfrac{1}{2}f'(1)$

이므로 $\dfrac{1}{2}f'(1)=3$　$\therefore f'(1)=6$

$\therefore \dfrac{f'(1)}{f(1)}=\dfrac{6}{2}=3$

13 $\lim\limits_{x \to 2}\dfrac{f(x+1)-8}{x^2-4}=5$에서 $x \to 2$일 때 (분모) $\to 0$이고 극

한값이 존재하므로 (분자) $\to 0$이다.

즉, $\lim_{x \to 2}\{f(x+1)-8\}=0$이므로 $f(3)=8$

$x+1=t$로 놓으면 $x \to 2$일 때, $t \to 3$이므로

$\lim_{x \to 2}\dfrac{f(x+1)-8}{x^2-4}=\lim_{x \to 2}\dfrac{f(x+1)-8}{(x+2)(x-2)}$

$\qquad =\lim_{t \to 3}\dfrac{f(t)-f(3)}{(t+1)(t-3)}$

$\qquad =\lim_{t \to 3}\dfrac{f(t)-f(3)}{t-3}\cdot\dfrac{1}{t+1}=\dfrac{1}{4}f'(3)$

즉, $\dfrac{1}{4}f'(3)=5$ $\quad \therefore f'(3)=20$

$\therefore f(3)+f'(3)=8+20=28$

08 미분가능한 함수의 미정계수 구하기 본문 52쪽

02 함수 $f(x)$가 $x=2$에서 미분가능하므로 $x=2$에서 연속이다.

즉, $\lim_{x \to 2}f(x)=f(2)$이므로 $4+b=-4+2a+2$

$\therefore 2a-b=6$ ...... ㉠

이때, $f'(x)=\begin{cases}-2x+a & (x>2)\\ 2 & (x<2)\end{cases}$

이고 함수 $f(x)$가 $x=2$에서 미분가능하므로

$\lim_{x \to 2+}f'(x)=\lim_{x \to 2-}f'(x)$

즉, $-4+a=2$이므로 $a=6$

$a=6$을 ㉠에 대입하면 $12-b=6$ $\quad \therefore b=6$

$\therefore a=6,\ b=6$

03 함수 $f(x)$는 $x=1$에서 연속이므로

$\lim_{x \to 1}(ax+b)=f(1)$

$\therefore a+b=1$ ...... ㉠

또 $f(x)$의 $x=1$에서의 미분계수가 존재하므로

$\lim_{h \to 0+}\dfrac{f(1+h)-f(1)}{h}=\lim_{h \to 0+}\dfrac{(1+h)^2-1^2}{h}$

$\qquad =\lim_{h \to 0+}\dfrac{2h+h^2}{h}=\lim_{h \to 0+}(2+h)=2$

$\lim_{h \to 0-}\dfrac{f(1+h)-f(1)}{h}=\lim_{h \to 0-}\dfrac{a(1+h)+b-(a+b)}{h}$

$\qquad =\lim_{h \to 0-}\dfrac{ah}{h}=a$ $\quad \therefore a=2$ ...... ㉡

㉠, ㉡에서 $a=2,\ b=-1$

04 함수 $f(x)$가 $x=0$에서 미분가능하므로 $x=0$에서 연속이다.

즉, $\lim_{x \to 0-}f(x)=f(0)$이므로 $1=a+b$ ...... ㉠

이때, $f'(x)=\begin{cases}-1 & (x<0)\\ 2a(x-1) & (x>0)\end{cases}$

이고 함수 $f(x)$가 $x=0$에서 미분가능하므로

$\lim_{x \to 0+}f'(x)=\lim_{x \to 0-}f'(x)$

즉, $-2a=-1$이므로 $a=\dfrac{1}{2}$

$a=\dfrac{1}{2}$을 ㉠에 대입하면 $1=\dfrac{1}{2}+b$ $\quad \therefore b=\dfrac{1}{2}$

따라서 $f(x)=\begin{cases}-x+1 & (x<0)\\ \dfrac{1}{2}(x-1)^2+\dfrac{1}{2} & (x \geq 0)\end{cases}$

이므로 $f(1)=\dfrac{1}{2}$

09 미분의 항등식에의 활용 본문 53쪽

02 $f'(x)=3x^2+a$이므로

$3f(x)=x\{f'(x)+2\}$에서

$3(x^3+ax+b)=x\{(3x^2+a)+2\}$

$3x^3+3ax+3b=3x^3+(a+2)x$

$(2a-2)x+3b=0$

이 식은 x에 대한 항등식이므로

$2a-2=0,\ 3b=0$ $\quad \therefore a=1,\ b=0$

05 $f(x)$를 n차식이라 하면 $f'(x)$는 $(n-1)$차식이므로 좌변 $f(x)f'(x)$는 $n+(n-1)$차식이고, 우변 $9x+12$는 1차식이므로

$n+(n-1)=1$ $\quad \therefore n=1$

즉, $f(x)$는 일차식이므로 $f(x)=ax+b\ (a \neq 0)$로 놓으면

$f(x)f'(x)=(ax+b)a=a^2x+ab=9x+12$

위의 식은 x에 대한 항등식이므로 계수를 비교하면

$a^2=9,\ ab=12$

$\therefore a=\pm3,\ b=\pm4$ (복호동순)

즉, $f(x)=\pm(3x+4)$

$\therefore f(1)f(2)=(\pm7)\times(\pm10)$ (복호동순) $=70$

10 미분과 다항식의 나눗셈 본문 54쪽

02 x^{10}을 $x(x-1)^2$으로 나누었을 때의 몫을 $Q(x)$, 나머지를 $R(x)=ax^2+bx+c$라고 하면

$x^{10}=x(x-1)^2Q(x)+ax^2+bx+c$ ...... ㉠

㉠의 양변에 $x=0$을 대입하면 $c=0$

㉠의 양변에 $x=1$을 대입하면

$1=a+b+c$ $\quad \therefore a+b=1$ ...... ㉡

㉠의 양변을 x에 대하여 미분하면

$10x^9=(x-1)^2Q(x)+2x(x-1)Q(x)+x(x-1)^2Q'(x)$
$\qquad +2ax+b$ ...... ㉢

㉢의 양변에 $x=1$을 대입하면 $10=2a+b$ ...... ㉣

㉡, ㉣을 연립하여 풀면 $a=9,\ b=-8$

따라서 $R(x)=9x^2-8x$이므로 $R(-1)=9+8=17$

03 x^5+ax^2+bx+8을 $(x-2)^2$으로 나누었을 때의 몫을 $Q(x)$라고 하면

$x^5+ax^2+bx+8=(x-2)^2Q(x)$ ...... ㉠

로 놓고 $x=2$를 대입하면

$32+4a+2b+8=0$ $\quad \therefore 2a+b+20=0$ ...... ㉡

㉠의 양변을 x에 대하여 미분하면

$5x^4+2ax+b=2(x-2)Q(x)+(x-2)^2Q'(x)$

$x=2$를 대입하면

$80+4a+b=0$ ...... ㉢

㉡, ㉢에서 $a=-30,\ b=40$

04 $f(x)=ax^3+x^2+bx-5$를 $(x+1)^2$으로 나누었을 때의 몫을 $Q(x)$라고 하면

$ax^3+x^2+bx-5=(x+1)^2Q(x)$ ...... ㉠

㉠의 양변에 $x=-1$을 대입하면 $-a+1-b-5=0$

$\therefore a+b=-4$ ...... ㉡

㉠의 양변을 x에 대하여 미분하면

$3ax^2+2x+b=2(x+1)Q(x)+(x+1)^2Q'(x)$ ...... ㉢

㉢의 양변에 $x=-1$을 대입하면

$3a-2+b=0$ $\therefore 3a+b=2$ $\cdots\cdots$ ㉣

㉡, ㉣에서 $a=3$, $b=-7$

05 $x^{100}-2x^3+4$ 를 $(x-1)^2$ 으로 나누었을 때의 몫을 $Q(x)$ 라고 하면

$x^{100}-2x^3+4=(x-1)^2Q(x)+ax+b$ $\cdots\cdots$ ㉠

㉠의 양변에 $x=1$ 을 대입하면

$3=a+b$ $\cdots\cdots$ ㉡

㉠의 양변을 x 에 대하여 미분하면

$100x^{99}-6x^2=2(x-1)Q(x)+(x-1)^2Q'(x)+a$

양변에 $x=1$ 을 대입하면

$94=a$ $\cdots\cdots$ ㉢

㉡, ㉢에서 $a=94$, $b=-91$

$\therefore a-b=94-(-91)=185$

II 접선의 방정식 본문 55쪽

02 $f(x)=x^3+x$ 라고 하면 $f'(x)=3x^2+1$

점 $(2, 10)$ 에서의 접선의 기울기는 $f'(2)=13$

따라서 구하는 접선의 방정식은 $y-10=13(x-2)$

$\therefore y=13x-16$

03 $f(x)=x^3-4x$ 라고 하면 $f'(x)=3x^2-4$

점 $(2, 0)$ 에서의 접선의 기울기는 $f'(2)=8$

따라서 구하는 접선의 방정식은 $y-0=8(x-2)$

$\therefore y=8x-16$

04 $f(x)=-2x^2+3x+1$ 이라고 하면 $f'(x)=-4x+3$

점 $(1, 2)$ 에서의 접선의 기울기는 $f'(1)=-1$

따라서 구하는 접선의 방정식은 $y-2=-1\times(x-1)$

$\therefore y=-x+3$

05 $f(x)=2x^3-4x+3$ 이라고 하면 $f'(x)=6x^2-4$

점 $(1, 1)$ 에서의 접선의 기울기는 $f'(1)=2$

따라서 구하는 접선의 방정식은 $y-1=2\times(x-1)$

$\therefore y=2x-1$

06 $f(x)=x^3+2x^2-6$ 이라고 하면 $f'(x)=3x^2+4x$

$f'(1)=7$ 이므로 점 $(1, -3)$ 에서의 접선의 방정식은

$y+3=7(x-1)$ $\therefore y=7x-10$

따라서 $a=7$, $b=-10$ 이므로 $2a+b=4$

08 $f(x)=-x^2+2x-1$ 이라고 하면 $f'(x)=-2x+2$

접점의 x 좌표를 a 라고 하면 접선의 기울기가 -2 이므로

$f'(a)=-2a+2=-2$ $\therefore a=2$

이때, $f(2)=-4+4-1=-1$ 이므로

구하는 접선의 방정식은 $y-(-1)=-2(x-2)$

$\therefore y=-2x+3$

09 $f(x)=-x^3+5x$ 라고 하면

$f'(x)=-3x^2+5$

접점의 좌표를 $(a, -a^3+5a)$ 라고 하면

접선의 기울기가 2이므로

$f'(a)=-3a^2+5=2$ $\therefore a=\pm1$

따라서 접점의 좌표는 각각 $(-1, -4)$ 또는 $(1, 4)$ 이므로

구하는 접선의 방정식은 $y=2x-2$ 또는 $y=2x+2$

10 $f(x)=2x^2-x+1$ 이라고 하면 $f'(x)=4x-1$

접점의 좌표를 $(a, 2a^2-a+1)$ 이라고 하면,

직선 $y=2x+5$ 와 평행한 접선의 기울기는 2이므로

$f'(a)=4a-1=2$ $\therefore a=\dfrac{3}{4}$

따라서 접점의 좌표는 $\left(\dfrac{3}{4}, \dfrac{11}{8}\right)$ 이므로 구하는 접선의 방정식은 $y-\dfrac{11}{8}=2\left(x-\dfrac{3}{4}\right)$ $\therefore y=2x-\dfrac{1}{8}$

11 $f(x)=x^2-3x+4$ 라고 하면 $f'(x)=2x-3$

직선 $x+5y-3=0$ 에 수직인 직선의 기울기는 5이므로

접점을 (a, a^2-3a+4) 라고 하면

$f'(a)=2a-3=5$ $\therefore a=4$

따라서 접점의 좌표는 $(4, 8)$ 이므로

구하는 접선의 방정식은

$y-8=5(x-4)$ $\therefore y=5x-12$

12 $y'=x^2$ 이므로 $y=\dfrac{1}{3}x^3+\dfrac{4}{3}$ 위의 점 $(2, 4)$ 에서의 접선의

방정식은

$y-4=4(x-2)$ $\therefore y=4x-4$ $\cdots\cdots$ ㉠

$y'=2x+a$ 이므로 $y=x^2+ax+b$ 위의 점 $(1, 0)$ 에서의 접선의 방정식은 $y-0=(2+a)(x-1)$

$\therefore y=(2+a)x-(2+a)$ $\cdots\cdots$ ㉡

㉠과 ㉡이 같은 접선이므로 $a=2$

한편 점 $(1, 0)$ 은 곡선 $y=x^2+ax+b$ 위의 점이므로

$0=1+a+b$ $\therefore b=-3$ $\therefore a=2$, $b=-3$

14 $f(x)=x^2+1$ 이라고 하면 $f'(x)=2x$

접점의 좌표를 (a, a^2+1) 이라고 하면

접선의 기울기는 $f'(a)=2a$ 이므로 접선의 방정식은

$y-(a^2+1)=2a(x-a)$

이 접선이 점 $(1, -2)$ 를 지나므로

$-2-(a^2+1)=2a(1-a)$ $\therefore a=-1$ 또는 $a=3$

따라서 구하는 접선의 방정식은 $y=-2x$ 또는 $y=6x-8$

15 $f(x)=x^3-2x$ 라고 하면 $f'(x)=3x^2-2$

접점의 좌표를 (a, a^3-2a) 라고 하면 접선의 기울기는

$f'(a)=3a^2-2$ 이므로 접선의 방정식은

$y-(a^3-2a)=(3a^2-2)(x-a)$

이 접선이 점 $(0, 2)$ 를 지나므로

$2-(a^3-2a)=(3a^2-2)(0-a)$ $\therefore a=-1$

따라서 구하는 접선의 방정식은 $y=x+2$

16 $f(x)=x^3-3x^2-5$ 라고 하면 $f'(x)=3x^2-6x$

접점의 좌표를 (a, a^3-3a^2-5) 라고 하면

접선의 기울기는 $f'(a)=3a^2-6a$ 이므로 접선의 방정식은

$y-(a^3-3a^2-5)=(3a^2-6a)(x-a)$

이 접선이 점 $(0, 0)$ 을 지나므로

$0-(a^3-3a^2-5)=(3a^2-6a)(0-a)$ $\therefore a=-1$

따라서 구하는 접선의 방정식은 $y=9x$

17 $f(x)=-x^2-x+2$ 라고 하면 $f'(x)=-2x-1$

접점의 좌표를 $(a, -a^2-a+2)$ 라고 하면

접선의 기울기는 $f'(a)=-2a-1$ 이므로 접선의 방정식은

$y-(-a^2-a+2)=(-2a-1)(x-a)$

이 접선이 점 $(1, 4)$ 를 지나므로

$4-(-a^2-a+2)=(-2a-1)(1-a)$

$\therefore a=-1$ 또는 $a=3$

따라서 구하는 접선의 방정식은

$y=x+3$ 또는 $y=-7x+11$

18 $f(x)=x^2$이라고 하면 $f'(x)=2x$

이때, 점 $(-2, 4)$에서의 접선의 기울기는
$f'(-2)=-4$이므로 접선의 방정식은
$y-4=-4(x+2)$ $\therefore y=-4x-4$
$g(x)=x^3+ax-2$라고 하면 $g'(x)=3x^2+a$
접점의 좌표를 (t, t^3+at-2)라고 하면 접선의 기울기는
$g'(t)=3t^2+a$이므로 접선의 방정식은
$y-(t^3+at-2)=(3t^2+a)(x-t)$
$\therefore y=(3t^2+a)x-2t^3-2$
이 직선이 $y=-4x-4$와 일치해야 하므로
$3t^2+a=-4,\ -2t^3-2=-4$
두 식을 연립하여 풀면 $t=1,\ a=-7$

20 $f(x)=x^2+3$이라고 하면 $f'(x)=2x$
접점을 (a, a^2+3)이라고 하면 접선의 방정식은
$y-(a^2+3)=2a(x-a)$
이 접선이 점 $(0, -1)$을 지나므로
$-1-(a^2+3)=2a(0-a)$ $\therefore a=\pm2$
따라서 접선의 기울기는 $4,\ -4$
$\therefore m_1 \cdot m_2=-16$

21 $f(x)=3x^2-4x$라고 하면 $f'(x)=6x-4$
접점을 $(a, 3a^2-4a)$라고 하면 접선의 방정식은
$y-(3a^2-4a)=(6a-4)(x-a)$
이 접선이 점 $(0, -27)$를 지나므로
$-27-(3a^2-4a)=(6a-4)(0-a)$ $\therefore a=\pm3$
따라서 접선의 기울기는 $14,\ -22$
$\therefore m_1+m_2=-8$

22 $f(x)=x^3-2$로 놓으면 $f'(x)=3x^2$
점 $(0, -4)$에서 곡선 $y=f(x)$에 그은 접선의 접점의 좌표를 (t, t^3-2)라고 하면 접선의 기울기는
$f'(t)=3t^2$이므로 접선의 방정식은
$y-(t^3-2)=3t^2(x-t)$ $\therefore y=3t^2x-2t^3-2$
이때, 이 접선이 점 $(0, -4)$를 지나므로
$-4=-2t^3-2,\ t^3=1$ $\therefore t=1\ (\because t$는 실수$)$
즉, 점 $(0, -4)$에서 곡선 $y=f(x)$에 그은 접선의 방정식은
$y=3x-4$ $\cdots\cdots\ \bigcirc$

$\bigcirc$에 $y=0$을 대입하면 $x=\dfrac{4}{3}$

따라서 직선 $\bigcirc$은 x축과 점 $\left(\dfrac{4}{3}, 0\right)$에서 만나므로 $a=\dfrac{4}{3}$

I2 롤의 정리 본문 59쪽

02 함수 $f(x)=3x-x^2$은 닫힌구간 $[0, 3]$에서 연속이고 열린구간 $(0, 3)$에서 미분가능하다.
$f(0)=f(3)$이므로 롤의 정리에 의하여 $f'(c)=0$인 상수 c가 적어도 하나 존재한다.
$f'(x)=3-2x$에서
$f'(c)=3-2c=0$ $\therefore c=\dfrac{3}{2}$

03 함수 $f(x)=x^2-5x+4$는 닫힌구간 $[1, 4]$에서 연속이고 열린구간 $(1, 4)$에서 미분가능하다.
$f(1)=f(4)$이므로 롤의 정리에 의하여 $f'(c)=0$인 상수 c가

적어도 하나 존재한다.
$f'(x)=2x-5$에서
$f'(c)=2c-5=0$ $\therefore c=\dfrac{5}{2}$

04 함수 $f(x)=-x^3+9x$는 닫힌구간 $[0, 3]$에서 연속이고 열린구간 $(0, 3)$에서 미분가능하다.
$f(0)=f(3)$이므로 롤의 정리에 의하여 $f'(c)=0$인 실수 c가 적어도 하나 존재한다.
$f'(x)=-3x^2+9$에서
$f'(c)=-3c^2+9=0$ $\therefore c=\sqrt{3}\ (\because 0<c<3)$

05 함수 $f(x)=x^3-4x+1$은 닫힌구간 $[0, 2]$에서 연속이고 열린구간 $(0, 2)$에서 미분가능하다.
$f(0)=f(2)$이므로 롤의 정리에 의하여 $f'(c)=0$인 실수 c가 적어도 하나 존재한다.
$f'(x)=3x^2-4$에서
$f'(c)=3c^2-4=0$ $\therefore c=\dfrac{2\sqrt{3}}{3}\ (\because 0<c<2)$

06 함수 $f(x)=(x-a)(x-b)$는 닫힌구간 $[a, b]$에서 연속이고 열린구간 (a, b)에서 미분가능하다.
$f(a)=f(b)$이므로 롤의 정리에 의하여 $f'(c)=0$인 실수 c가 적어도 하나 존재한다.
$f'(x)=2x-(a+b)$에서
$f'(c)=2c-(a+b)=0$ $\therefore c=\dfrac{a+b}{2}$

I3 평균값 정리 본문 60쪽

02 함수 $f(x)=-x^2+3x$는 닫힌구간 $[0, 2]$에서 연속이고 열린구간 $(0, 2)$에서 미분가능하므로 평균값 정리에 의하여
$\dfrac{f(2)-f(0)}{2-0}=f'(c)$인 실수 c가 구간 $(0, 2)$에 적어도 하나 존재한다.
$f(x)=-x^2+3x$에서 $f'(x)=-2x+3$이므로
$\dfrac{2-0}{2}=-2c+3$ $\therefore c=1$

03 함수 $f(x)=x^2-2x-1$은 닫힌구간 $[0, 3]$에서 연속이고 열린구간 $(0, 3)$에서 미분가능하므로 평균값 정리에 의하여
$\dfrac{f(3)-f(0)}{3-0}=f'(c)$인 실수 c가 구간 $(0, 3)$에 적어도 하나 존재한다.
$f(x)=x^2-2x-1$에서 $f'(x)=2x-2$이므로
$\dfrac{2-(-1)}{3}=2c-2$ $\therefore c=\dfrac{3}{2}$

04 함수 $f(x)=x^3-3x^2+2x$는 닫힌구간 $[0, 3]$에서 연속이고 열린구간 $(0, 3)$에서 미분가능하므로 평균값 정리에 의하여
$\dfrac{f(3)-f(0)}{3-0}=f'(c)$인 실수 c가 구간 $(0, 3)$에 적어도 하나 존재한다.
$f(x)=x^3-3x^2+2x$에서 $f'(x)=3x^2-6x+2$이므로
$\dfrac{6-0}{3}=3c^2-6c+2$ $\therefore c=2\ (\because 0<c<3)$

05 평균값 정리에 의하여

$$g'(c) = \frac{g(3) - g(1)}{3 - 1} = \frac{3f(3) - 1f(1)}{2}$$

$$= \frac{3 \times 4 - 1 \times 2}{2} = \frac{10}{2} = k \qquad \therefore k = 5$$

14 함수의 증가와 감소 _{본문 61쪽}

02 임의의 두 양수 a, b에 대하여 $a < b$일 때, $f(a) < f(b)$이므로 함수 $f(x) = x^2 - 1$은 구간 $(0, \infty)$에서 증가한다.

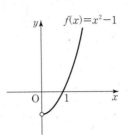

03 임의의 두 실수 a, b에 대하여 $a < b$일 때, $f(a) > f(b)$이므로 함수 $f(x) = -x^3$은 구간 $(-\infty, \infty)$에서 감소한다.

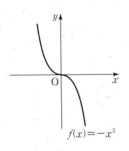

04 임의의 두 음수 a, b에 대하여 $a < b$일 때, $f(a) < f(b)$이므로 함수 $f(x) = -\dfrac{1}{x}$은 구간 $(-\infty, 0)$에서 증가한다.

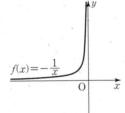

06 $f(x) = -x^2 + 4x - 3$에서
$f'(x) = -2x + 4$
$f'(x) = 0$에서 $x = 2$
따라서 함수 $f(x)$는 구간

x	$\cdots$	2	$\cdots$
$f'(x)$	$+$	0	$-$
$f(x)$	↗		↘

$(-\infty, 2)$에서 $f'(x) > 0$이므로 증가하고, 구간 $(2, \infty)$에서 $f'(x) < 0$이므로 감소한다.

07 $f(x) = x^3 + 6x^2 + 1$에서 $f'(x) = 3x^2 + 12x = 3x(x + 4) = 0$
$\therefore x = -4$ 또는 $x = 0$

x	$\cdots$	-4	$\cdots$	0	$\cdots$
$f'(x)$	$+$	0	$-$	0	$+$
$f(x)$	↗		↘		↗

따라서 함수 $f(x)$는 구간 $(-\infty, -4)$, $(0, \infty)$에서 $f'(x) > 0$이므로 증가하고, 구간 $(-4, 0)$에서 $f'(x) < 0$이므로 감소한다.

09 함수 $f(x)$가 구간 $(-\infty, \infty)$에서 증가하려면 모든 실수 x에 대하여 $f'(x) = 3x^2 - 2ax + (a + 6) \geq 0$이어야 한다.
이차방정식 $3x^2 - 2ax + (a + 6) = 0$의 판별식을 D라고 하면
$$\frac{D}{4} = a^2 - 3(a + 6) \leq 0, \ a^2 - 3a - 18 \leq 0$$
$$(a + 3)(a - 6) \leq 0$$
$$\therefore -3 \leq a \leq 6$$

10 함수 $f(x)$가 구간 $(-\infty, \infty)$에서 증가하려면 모든 실수 x에 대하여 $f'(x) = 3x^2 + 2(a + 1)x + (a + 1) \geq 0$이어야 한다.
이차방정식 $3x^2 + 2(a + 1)x + (a + 1) = 0$의 판별식을 D라고 하면
$$\frac{D}{4} = (a + 1)^2 - 3(a + 1) \leq 0$$
$$(a + 1)(a - 2) \leq 0 \qquad \therefore -1 \leq a \leq 2$$

11 함수 $f(x)$가 실수 전체의 구간에서 감소하므로 모든 실수 x에 대하여 $f'(x) = -3x^2 + 2kx - 3 \leq 0$이어야 한다.
이차방정식 $-3x^2 + 2kx - 3 = 0$의 판별식을 D라고 하면
$$\frac{D}{4} = k^2 - 9 \leq 0 \qquad \therefore -3 \leq k \leq 3$$

12 함수 $f(x)$가 실수 전체의 구간에서 증가하므로 모든 실수 x에 대하여 $f'(x) = x^2 + 2kx + (5k - 4) \geq 0$이어야 한다.
이차방정식 $x^2 + 2kx + (5k - 4) = 0$의 판별식을 D라고 하면
$$\frac{D}{4} = k^2 - (5k - 4) = (k - 1)(k - 4) \leq 0 \qquad \therefore 1 \leq k \leq 4$$

13 함수 $f(x)$가 실수 전체의 구간에서 증가하므로 모든 실수 x에 대하여 $f'(x) = 3x^2 - 6kx + 3k \geq 0$이어야 한다.
이차방정식 $3x^2 - 6kx + 3k = 0$의 판별식을 D라고 하면
$$\frac{D}{4} = 9k^2 - 9k \leq 0$$
$$\therefore 0 \leq k \leq 1$$

15 함수 $f(x) = x^3 - 3x^2 + ax + 1$에서
$f'(x) = 3x^2 - 6x + a$
함수 $f(x)$가 구간 $(0, 3)$에서 감소하려면 오른쪽 그림과 같이 $0 < x < 3$에서 $f'(x) \leq 0$이어야 하므로
$f'(0) = a \leq 0$,
$f'(3) = 27 - 18 + a \leq 0$
$\therefore a \leq -9$

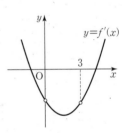

16 함수 $f(x) = x^3 - 6x^2 + ax + 1$에서 $f'(x) = 3x^2 - 12x + a$
함수 $f(x)$가 구간 $(-2, 1)$에서 감소하려면 오른쪽 그림과 같이 $-2 < x < 1$에서 $f'(x) \leq 0$이어야 하므로
$f'(-2) = 12 + 24 + a \leq 0$,
$f'(1) = 3 - 12 + a \leq 0$
$\therefore a \leq -36$

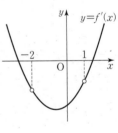

18 주어진 그래프에서 $f'(x)$의 부호의 변화를 조사하여 $f(x)$의 증가와 감소를 표로 나타내면 다음과 같다.

x	$\cdots$	0	$\cdots$	2	$\cdots$	4	$\cdots$
$f'(x)$	$-$	0	$+$	0	$-$	0	$+$
$f(x)$	↘		↗		↘		↗

따라서 함수 $f(x)$는 구간 $(-\infty, 0)$과 $(2, 4)$에서 감소하고, 구간 $(0, 2)$와 $(4, \infty)$에서 증가한다.

19 주어진 그래프에서 $f'(x)$의 부호의 변화를 조사하여 보면 ⑤ 구간 $(1, 2)$에서 $f'(x) < 0$이므로 $f(x)$는 구간 $(1, 2)$에서 감소한다.

15 함수의 극대와 극소 본문 64쪽

02 함수 $f(x)$는 $x=0$에서 극대이고
극댓값은 $f(0)=2$, $x=1$에서 극
소이고 극솟값은 $f(1)=1$

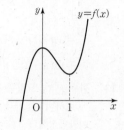

03 함수 $f(x)$는 $x=1$에서 극대이고
극댓값은 $f(1)=5$, $x=-1$에서
극소이고 극솟값은 $f(-1)=1$

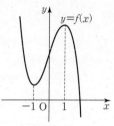

05 $f'(x)=-3x^2+12=-3(x+2)(x-2)$
$f'(x)=0$에서 $x=-2$ 또는 $x=2$

x	$\cdots$	-2	$\cdots$	2	$\cdots$
$f'(x)$	$-$	0	$+$	0	$-$
$f(x)$	$\searrow$	-11	$\nearrow$	21	$\searrow$

따라서 함수 $f(x)$는
$x=-2$에서 극소이고, 극솟값은 $f(-2)=-11$
$x=2$에서 극대이고, 극댓값은 $f(2)=21$

06 $f(x)=2x^4-4x^2+1$에서
$f'(x)=8x^3-8x=8x(x+1)(x-1)$
$f'(x)=0$에서 $x=-1$ 또는 $x=0$ 또는 $x=1$

x	$\cdots$	-1	$\cdots$	0	$\cdots$	1	$\cdots$
$f'(x)$	$-$	0	$+$	0	$-$	0	$+$
$f(x)$	$\searrow$	-1	$\nearrow$	1	$\searrow$	-1	$\nearrow$

따라서 함수 $f(x)$는
$x=-1$과 $x=1$일 때 극소이고 극솟값은 -1
$x=0$일 때 극대이고 극댓값은 1

07 $f'(x)=12x^3+12x^2=12x^2(x+1)$이므로
$f'(x)=0$에서 $x=-1$ 또는 $x=0$

x	$\cdots$	-1	$\cdots$	0	$\cdots$
$f'(x)$	$-$	0	$+$	0	$+$
$f(x)$	$\searrow$	1	$\nearrow$	2	$\nearrow$

따라서 함수 $f(x)$는 $x=-1$에서 극소이고,
극솟값은 $f(-1)=1$

08 $f'(x)=4x^3+12x^2-16=4(x-1)(x+2)^2$이므로
$f'(x)=0$에서 $x=-2$ 또는 $x=1$

x	$\cdots$	-2	$\cdots$	1	$\cdots$
$f'(x)$	$-$	0	$-$	0	$+$
$f(x)$	$\searrow$	15	$\searrow$	-12	$\nearrow$

따라서 함수 $f(x)$는 $x=1$일 때 극소이고 극솟값은
$f(1)=-12$이다.

09 $f'(x)=4x^3-12x-8=4(x+1)^2(x-2)$이므로
$f'(x)=0$에서 $x=-1$ 또는 $x=2$

x	$\cdots$	-1	$\cdots$	2	$\cdots$
$f'(x)$	$-$	0	$-$	0	$+$
$f(x)$	$\searrow$	4	$\searrow$	-23	$\nearrow$

따라서 함수 $f(x)$는 $x=2$에서 극소이고 극솟값은
$f(2)=-23$이다.

10 $f'(x)=-6x^2-12x-6=-6(x+1)^2$이므로
$f'(x)=0$에서 $x=-1$

x	$\cdots$	-1	$\cdots$
$f'(x)$	$-$	0	$-$
$f(x)$	$\searrow$	3	$\searrow$

따라서 함수 $f(x)$는 극값을 갖지 않는다.

12 $f'(x)=3x^2+2ax+b$
$x=-2$, $x=4$에서 극값을 가지므로
$f'(-2)=12-4a+b=0$ $\cdots\cdots$ ㉠
$f'(4)=48+8a+b=0$ $\cdots\cdots$ ㉡
㉠, ㉡을 연립하여 풀면 $a=-3$, $b=-24$
$f(-2)=30$이므로 $-8+4a-2b+c=30$ $\therefore c=2$

13 $f(x)=2x^3-12x^2+ax-4$에서 $f'(x)=6x^2-24x+a$
함수 $f(x)$가 $x=1$에서 극댓값 M을 가지므로
$f(1)=M$에서 $2-12+a-4=M$
$\therefore a-14=M$ $\cdots\cdots$ ㉠
$f'(1)=0$에서 $6-24+a=0$ $\therefore a=18$
$a=18$을 ㉠에 대입하면 $M=4$ $\therefore a+M=22$

16 함수의 극대와 극소의 판정 본문 66쪽

02 $y=f'(x)$의 그래프에서 $f'(x)=0$인 x의 값은
-3, 1, 3이므로 함수 $f(x)$의 증감표는 다음과 같다.

x	$\cdots$	-3	$\cdots$	1	$\cdots$	3	$\cdots$
$f'(x)$	$+$	0	$-$	0	$+$	0	$-$
$f(x)$	$\nearrow$	극대	$\searrow$	극소	$\nearrow$	극대	$\searrow$

따라서 극댓값을 갖는 x의 값은 -3, 3이고,
극솟값을 갖는 x의 값은 1이다.

04 x가 증가하면서 $x=a$를 지날 때, $f'(x)$의 부호가
(i) 음에서 양으로 바뀌면 $x=a$에서 극소이므로 $x=-3$,
$x=7$에서 극소이다.
(ii) 양에서 음으로 바뀌면 $x=a$에서 극대이므로 $x=2$에서
극대
(iii) $x=-1$, $x=4$에서는 $f'(x)$의 부호가 바뀌지 않으므로
극값을 갖지 않는다.
따라서 부호의 변화가 있는 3개의 점에서 극값을 갖는다.

06

x	$\cdots$	-1	$\cdots$	2	$\cdots$	4	$\cdots$
$f'(x)$	$+$	0	$-$	0	$+$	0	$-$
$f(x)$	$\nearrow$	극대	$\searrow$	극소	$\nearrow$	극대	$\searrow$

ㄱ. 구간 $(-2, 1)$에서 $f(x)$는 증가하다가 감소한다.
ㄴ. 구간 $(1, 3)$에서 $f(x)$는 감소하다가 증가한다.
ㄹ. $x=3$인 점의 좌우에서 $f'(x)$의 값의 부호가 변화가 없으
므로 극값을 갖지 않는다.

따라서 옳은 것은 ㄷ, ㅁ이다.

07 $y=f'(x)$의 그래프에서 $f'(x)=0$인 x의 값은
a, c, e, g이므로 함수 $f(x)$의 증감표는 다음과 같다.

x	$\cdots$	a	$\cdots$	c	$\cdots$	e	$\cdots$	g	$\cdots$
$f'(x)$	$-$	0	$+$	0	$-$	0	$+$	0	$+$
$f(x)$	$\searrow$	극소	$\nearrow$	극대	$\searrow$	극소	$\nearrow$		$\nearrow$

ㄱ. 구간 (b, c)에서 $f(x)$는 증가한다.
ㄷ. $x=b$인 점의 좌우에서 $f'(x)$의 값의 부호가 변화가 없으므로 극값을 갖지 않는다.
ㅁ. $x=g$인 점의 좌우에서 $f'(x)$의 값의 부호가 변화가 없으므로 극값을 갖지 않는다.
따라서 옳은 것은 ㄴ, ㄹ이다.

08 $y=f'(x)$의 그래프에서 $f'(x)=0$인 x의 값은
0, 2, 4이므로 함수 $f(x)$의 증감표는 다음과 같다.

x	$\cdots$	0	$\cdots$	2	$\cdots$	4	$\cdots$
$f'(x)$	$+$	0	$-$	0	$+$	0	$-$
$f(x)$	$\nearrow$	극대	$\searrow$	극소	$\nearrow$	극대	$\searrow$

① 함수 $f(x)$는 $x=0$, $x=4$에서 극대이다.

17 함수의 그래프 본문 68쪽

02 $f'(x)=3x^2-3=3(x+1)(x-1)$이므로
$f'(x)=0$에서 $x=-1$ 또는 $x=1$
함수 $f(x)$의 증가와 감소를 표로 나타내면 다음과 같다.

x	$\cdots$	-1	$\cdots$	1	$\cdots$
$f'(x)$	$+$	0	$-$	0	$+$
$f(x)$	$\nearrow$	5	$\searrow$	1	$\nearrow$

한편, $f(0)=3$이므로 함수 $f(x)$의 그래프는 오른쪽 그림과 같다.

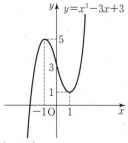

03 $f'(x)=3x^2+12x+9=3(x+1)(x+3)$
$f'(x)=0$에서 $x=-3$ 또는 $x=-1$
함수 $f(x)$의 증가와 감소를 표로 나타내면 다음과 같다.

x	$\cdots$	-3	$\cdots$	-1	$\cdots$
$f'(x)$	$+$	0	$-$	0	$+$
$f(x)$	$\nearrow$	4	$\searrow$	0	$\nearrow$

한편, $f(0)=4$이므로 함수 $f(x)$의 그래프는 오른쪽 그림과 같다.

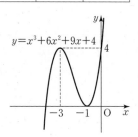

04 $f'(x)=-3x^2+12x-9=-3(x-1)(x-3)$
$f'(x)=0$에서 $x=1$ 또는 $x=3$
함수 $f(x)$의 증가와 감소를 표로 나타내면 다음과 같다.

x	$\cdots$	1	$\cdots$	3	$\cdots$
$f'(x)$	$-$	0	$+$	0	$-$
$f(x)$	$\searrow$	1	$\nearrow$	5	$\searrow$

한편, $f(0)=5$이므로 함수 $f(x)$의 그래프는 오른쪽 그림과 같다.

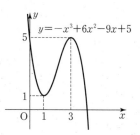

06 $f'(x)=3x^2-12x+12=3(x-2)^2$
$f'(x)=0$에서 $x=2$
함수 $f(x)$의 증가와 감소를 표로 나타내면 다음과 같다.

x	$\cdots$	2	$\cdots$
$f'(x)$	$+$	0	$+$
$f(x)$	$\nearrow$	3	$\nearrow$

함수 $f(x)$의 극값이 존재하지 않는다.
따라서 함수 $f(x)$의 그래프는 오른쪽 그림과 같다.

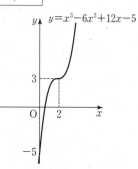

07 $f'(x)=-4x^3+4x=-4x(x-1)(x+1)$
$f'(x)=0$에서 $x=-1$ 또는 $x=0$ 또는 $x=1$
함수 $f(x)$의 증가와 감소를 표로 나타내면 다음과 같다.

x	$\cdots$	-1	$\cdots$	0	$\cdots$	1	$\cdots$
$f'(x)$	$+$	0	$-$	0	$+$	0	$-$
$f(x)$	$\nearrow$	2	$\searrow$	1	$\nearrow$	2	$\searrow$

따라서 함수 $f(x)$의 그래프는 오른쪽 그림과 같다.

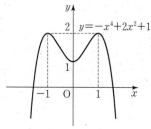

08 $f'(x)=12x^3-12x^2=12x^2(x-1)$
$f'(x)=0$에서 $x=0$ 또는 $x=1$
따라서 함수 $f(x)$의 증가와 감소를 표로 나타내면 다음과 같다.

x	$\cdots$	0	$\cdots$	1	$\cdots$
$f'(x)$	$-$	0	$-$	0	$+$
$f(x)$	$\searrow$	1	$\searrow$	0	$\nearrow$

함수 $f(x)$는 $x=0$에서 극값을
갖지 않고 $x=1$에서 극솟값 0
을 갖는다.
따라서 함수 $f(x)$의 그래프는
오른쪽 그림과 같다.

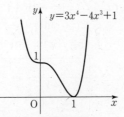

10 $f'(x)=3x^2+2ax-3a$

삼차함수 $f(x)$가 극값을 가지려면 이차방정식 $f'(x)=0$이
서로 다른 두 실근을 가져야 하므로 $f'(x)=0$의 판별식을 D
라고 하면

$\dfrac{D}{4}=a^2+9a>0,\ a(a+9)>0$

$\therefore a<-9$ 또는 $a>0$

11 $f(x)=x^3-ax^2+ax+1$에서

$f'(x)=3x^2-2ax+a$

삼차함수 $f(x)$가 극값을 갖지 않으려면 이차방정식
$f'(x)=0$이 중근 또는 허근을 가져야 하므로

$\dfrac{D}{4}=a^2-3a\leq0,\ a(a-3)\leq0$

$\therefore 0\leq a\leq3$

12 $f(x)=x^4-4x^3+3ax^2+1$에서

$f'(x)=4x^3-12x^2+6ax=x(4x^2-12x+6a)$

사차함수 $f(x)$가 극댓값을 가지려면 삼차방정식 $f'(x)=0$이
서로 다른 세 실근을 가져야 한다.

$f'(x)=0$의 한 실근이 $x=0$이므로 이차방정식
$4x^2-12x+6a=0$이 서로 다른 두 실근을 가져야 하므로
$4x^2-12x+6a=0$의 판별식을 D라고 하면

$\dfrac{D}{4}=36-24a>0 \qquad \therefore a<\dfrac{3}{2}$

이때, $x=0$이 $4x^2-12x+6a=0$의 근이 아니어야 하므로

$6a\neq0 \qquad \therefore a\neq0$

따라서 구하는 실수 a의 값의 범위는

$a<0$ 또는 $0<a<\dfrac{3}{2}$

13 $f(x)=-\dfrac{3}{4}x^4+4x^3+ax^2$에서

$f'(x)=-3x^3+12x^2+2ax=-x(3x^2-12x-2a)$

사차함수 $f(x)$가 극솟값을 가지려면 삼차방정식 $f'(x)=0$이
서로 다른 세 실근을 가져야 한다.

$f'(x)=0$의 한 실근이 $x=0$이므로 이차방정식
$3x^2-12x-2a=0$이 서로 다른 두 실근을 가져야 한다.

$3x^2-12x-2a=0$의 판별식을 D라고 하면

$\dfrac{D}{4}=36+6a>0 \qquad \therefore a>-6$

이때, $x=0$이 $3x^2-12x-2a=0$의 근이 아니어야 하므로

$-2a\neq0 \qquad \therefore a\neq0$

따라서 구하는 실수 a의 값의 범위는

$-6<a<0$ 또는 $a>0$

18 함수의 그래프와 최댓값, 최솟값 본문 71쪽

02 $f'(x)=12x^3+12x^2-12x-12=12(x+1)^2(x-1)$

$f'(x)=0$에서 $x=-1$ 또는 $x=1$

x	-2	$\cdots$	-1	$\cdots$	1	$\cdots$	2
$f'(x)$		$-$	0	$-$	0	$+$	
$f(x)$	14	$\searrow$	3	$\searrow$	-13	$\nearrow$	30

따라서 함수 $f(x)$는 $x=2$에서 최댓값 30,
$x=1$에서 최솟값 -13을 갖는다.

03 $f'(x)=-12x^3+12x^2=-12x^2(x-1)$

$f'(x)=0$에서 $x=0$ 또는 $x=1$

x	0	$\cdots$	1	$\cdots$	2
$f'(x)$		$+$	0	$-$	
$f(x)$	1	$\nearrow$	2	$\searrow$	-15

따라서 함수 $f(x)$는 $x=1$에서 최댓값 2,
$x=2$에서 최솟값 -15를 갖는다.

04 $f'(x)=3x^2+6x=3x(x+2)$

$f'(x)=0$에서 $x=0\ (\because -1\leq x\leq1)$

x	-1	$\cdots$	0	$\cdots$	1
$f'(x)$		$-$	0	$+$	
$f(x)$	12	$\searrow$	10	$\nearrow$	14

따라서 함수 $f(x)$는 $x=1$에서 최댓값 14,
$x=0$에서 최솟값 10을 갖는다.

06 $f'(x)=-3x^2+24x=-3x(x-8)$

$f'(x)=0$에서 $x=0\ (\because -2\leq x\leq1)$

x	-2	$\cdots$	0	$\cdots$	1
$f'(x)$		$-$	0	$+$	
$f(x)$	$56+a$	$\searrow$	a	$\nearrow$	$11+a$

따라서 함수 $f(x)$는 $x=-2$일 때 최댓값 $56+a$,
$x=0$일 때 최솟값 a를 가지므로 $56+a=50 \qquad \therefore a=-6$
따라서 구하는 최솟값은 $x=0$일 때 -6이다.

07 $f'(x)=3x^2-6x=3x(x-2)$

$f'(x)=0$에서 $x=2\ (\because 1\leq x\leq4)$

x	1	$\cdots$	2	$\cdots$	4
$f'(x)$		$-$	0	$+$	
$f(x)$	$a-2$	$\searrow$	$a-4$	$\nearrow$	$a+16$

따라서 함수 $f(x)$는 $x=4$일 때 최댓값 $a+16$,
$x=2$에서 최솟값 $a-4$를 가지므로 $M=a+16,\ m=a-4$
$M+m=20$이므로 $(a+16)+(a-4)=20$
$2a=8 \qquad \therefore a=4$

09 점 P의 좌표를 $\left(t,\ \dfrac{1}{2}t^2\right)$이라고 하면

$l^2=(t-6)^2+\left(\dfrac{1}{2}t^2-0\right)^2=\dfrac{1}{4}t^4+t^2-12t+36$

$f(t)=\dfrac{1}{4}t^4+t^2-12t+36$으로 놓으면

$f'(t)=t^3+2t-12$

$\qquad =(t-2)(t^2+2t+6)$

$f'(t)=0$에서 $t=2\ (\because t^2+2t+6=(t+1)^2+5>0)$

t	$\cdots$	2	$\cdots$
$f'(t)$	$-$	0	$+$
$f(t)$	$\searrow$	극소	$\nearrow$

따라서 $f(t)$는 $t=2$일 때 극소이면서 최소이므로 구하는 점 $P\left(t, \dfrac{1}{2}t^2\right)$의 좌표는 $P(2, 2)$이다.

11 오른쪽 그림과 같이 직사각형
ABCD의 한 꼭짓점 D의 x좌표
를 a라고 하면
$D(a, 3-a^2)$, $A(-a, 3-a^2)$
직사각형 ABCD의 넓이를
$S(a)$라고 하면

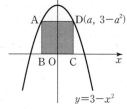

$S(a)=2a(3-a^2)=-2a^3+6a$
$S'(a)=-6a^2+6$
$\qquad =-6(a+1)(a-1)$
$S'(a)=0$에서 $a=1$ ($\because 0<a<\sqrt{3}$)

a	(0)	$\cdots$	1	$\cdots$	$(\sqrt{3})$
$S'(a)$		$+$	0	$-$	
$S(a)$		↗	극대	↘	

따라서 $S(a)$는 $a=1$일 때 극대이면서 최대이므로 직사각형
의 y축과 평행한 변의 길이는
$\overline{CD}=3-a^2=3-1^2=2$이다.

13 잘라낼 정사각형의 한 변의 길이를 x cm라고 하면 상자의 가
로와 세로의 길이는 $(12-2x)$이므로 x 값의 범위는 $0<x<6$
상자의 부피를 $V(x)\text{cm}^3$라고 하면
$V(x)=x(12-2x)^2=4x^3-48x^2+144x$
$V'(x)=12x^2-96x+144=12(x-6)(x-2)$
$V'(x)=0$에서 $x=2$ ($\because 0<x<6$)

x	(0)	$\cdots$	2	$\cdots$	(6)
$V'(x)$		$+$	0	$-$	
$V(x)$		↗	극대	↘	

따라서 $V(x)$는 $x=2$일 때 극대이면서 최대이므로 잘라낼 정
사각형의 한 변의 길이는 2 cm이다.

15 만들어지는 상자의 밑면은 한 변의 길이가
$(6-2x)$cm $(0<x<3)$인 정삼각형이고, 높이는 $\dfrac{x}{\sqrt{3}}$이다.

상자의 부피를 $V(x)\text{cm}^3$라고 하면
$V(x)=\dfrac{x}{\sqrt{3}}\cdot\dfrac{\sqrt{3}}{4}(6-2x)^2=x(3-x)^2=x^3-6x^2+9x$
$V'(x)=3x^2-12x+9=3(x-3)(x-1)$
$V'(x)=0$에서 $x=1$ ($\because 0<x<3$)

x	(0)	$\cdots$	1	$\cdots$	(3)
$V'(x)$		$+$	0	$-$	
$V(x)$		↗	극대	↘	

따라서 $V(x)$는 $x=1$일 때 극대이면서 최대이므로 상자의 부
피의 최댓값은 $V(1)=4(\text{cm}^3)$이다.

17 원기둥의 밑면의 반지름의 길이를 x cm $(0<x<6)$라고 하
면 원기둥의 높이는 $(18-3x)$cm이다.
원기둥의 부피를 $V(x)\text{cm}^3$라고 하면
$V(x)=\pi x^2(18-3x)=-3\pi x^3+18\pi x^2$
$V'(x)=-9\pi x^2+36\pi x=-9\pi x(x-4)$
$V'(x)=0$에서 $x=4$ ($\because 0<x<6$)

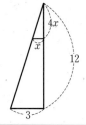

x	(0)	$\cdots$	4	$\cdots$	(6)
$V'(x)$		$+$	0	$-$	
$V(x)$		↗	극대	↘	

따라서 $V(x)$는 $x=4$일 때 극대이면서 최대이므로 원기둥의
부피의 최댓값은 $V(4)=96\pi(\text{cm}^3)$이다.

19 함수의 그래프와 방정식의 실근 본문 75쪽

02 $f(x)=x^3+6x^2+9x+4$로 놓으면
$f'(x)=3x^2+12x+9=3(x+1)(x+3)$
$f'(x)=0$에서 $x=-1$ 또는 $x=-3$
함수 $f(x)$의 증가와 감소를 표로 나타내면 다음과 같다.

x	$\cdots$	-3	$\cdots$	-1	$\cdots$
$f'(x)$	$+$	0	$-$	0	$+$
$f(x)$	↗	4	↘	0	↗

따라서 함수 $f(x)$의 그래프는
x축과 서로 다른 두 점에서 만
나므로 주어진 방정식의 실근은
2개이다.

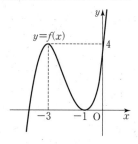

03 $x^3+3x=3x^2+2$에서 $x^3-3x^2+3x-2=0$
$f(x)=x^3-3x^2+3x-2$로 놓으면
$f'(x)=3x^2-6x+3=3(x-1)^2$
$f'(x)=0$에서 $x=1$
함수 $f(x)$의 증가와 감소를 표로 나타내면 다음과 같다.

x	$\cdots$	1	$\cdots$
$f'(x)$	$+$	0	$+$
$f(x)$	↗	-1	↗

따라서 함수 $f(x)$의 그래프는 x축
과 한 점에서 만나므로 주어진 방
정식의 실근은 1개이다.

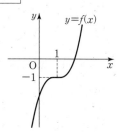

04 $3x^4=6x^2-3$에서 $3x^4-6x^2+3=0$
$f(x)=3x^4-6x^2+3$로 놓으면
$f'(x)=12x^3-12x=12x(x-1)(x+1)$
$f'(x)=0$에서 $x=-1$ 또는 $x=0$ 또는 $x=1$
함수 $f(x)$의 증가와 감소를 표로 나타내면 다음과 같다.

x	$\cdots$	-1	$\cdots$	0	$\cdots$	1	$\cdots$
$f'(x)$	$-$	0	$+$	0	$-$	0	$+$
$f(x)$	↘	0	↗	3	↘	0	↗

따라서 함수 $f(x)$의 그래프는 x축과 서로 다른 두 점에서 만나므로 주어진 방정식의 실근은 2개이다.

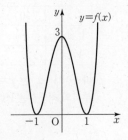

06 $x^3-3x+a=0$에서 $x^3-3x=-a$

$f(x)=x^3-3x$로 놓으면

$f'(x)=3x^2-3=3(x+1)(x-1)$

$f'(x)=0$에서 $x=-1$ 또는 $x=1$

x	$\cdots$	-1	$\cdots$	1	$\cdots$
$f'(x)$	$+$	0	$-$	0	$+$
$f(x)$	$\nearrow$	2	$\searrow$	-2	$\nearrow$

따라서 $f(x)$의 그래프는 오른쪽 그림과 같고, $y=-a$와의 교점의 x좌표가 한 개는 음수, 다른 두 개는 양수이어야 하므로

$-2<-a<0$

$\therefore 0<a<2$

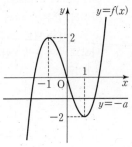

07 $x^3-a=6x^2-9x$에서 $x^3-6x^2+9x=a$

$f(x)=x^3-6x^2+9x$로 놓으면

$f'(x)=3x^2-12x+9=3(x-1)(x-3)$

$f'(x)=0$에서 $x=1$ 또는 $x=3$

x	$\cdots$	1	$\cdots$	3	$\cdots$
$f'(x)$	$+$	0	$-$	0	$+$
$f(x)$	$\nearrow$	4	$\searrow$	0	$\nearrow$

따라서 $f(x)$의 그래프는 오른쪽 그림과 같고, $y=a$와의 교점의 x좌표가 한 개뿐이어야 하므로

$a<0$ 또는 $a>4$

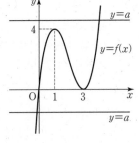

08 $f(x)=2x^3+3x^2$, $g(x)=a$라고 하면

$f'(x)=6x^2+6x=6x(x+1)$

$f'(x)=0$에서 $x=0$ 또는 $x=-1$

x	-2	$\cdots$	-1	$\cdots$	0	$\cdots$	1
$f'(x)$		$+$	0	$-$	0	$+$	
$f(x)$	-4	$\nearrow$	1	$\searrow$	0	$\nearrow$	5

구간 $[-2,\ 1]$에서 $f(x)$의 최댓값은 5, 최솟값은 -4이므로 $-4\leq a\leq5$이면 적어도 하나의 실근을 가진다. 따라서 정수 a의 개수는 10개이다.

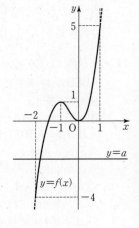

20 삼차방정식의 근의 판별 본문77쪽

02 $f(x)=x^3-3x-2$로 놓으면

$f'(x)=3x^2-3=3(x+1)(x-1)$

$f'(x)=0$에서 $x=-1$ 또는 $x=1$

함수 $f(x)$의 증가와 감소를 표로 나타내면 다음과 같다.

x	$\cdots$	-1	$\cdots$	1	$\cdots$
$f'(x)$	$+$	0	$-$	0	$+$
$f(x)$	$\nearrow$	0	$\searrow$	-4	$\nearrow$

따라서 (극댓값)$\times$(극솟값)$=0$이므로 주어진 방정식은 서로 다른 두 실근을 갖는다.

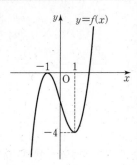

03 $f(x)=x^3-3x^2+4$로 놓으면

$f'(x)=3x^2-6x=3x(x-2)$

$f'(x)=0$에서 $x=0$ 또는 $x=2$

함수 $f(x)$의 증가와 감소를 표로 나타내면 다음과 같다.

x	$\cdots$	0	$\cdots$	2	$\cdots$
$f'(x)$	$+$	0	$-$	0	$+$
$f(x)$	$\nearrow$	4	$\searrow$	0	$\nearrow$

따라서 (극댓값)$\times$(극솟값)$=0$이므로 주어진 방정식은 서로 다른 두 실근을 갖는다.

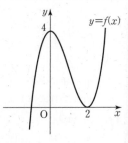

04 $f(x)=2x^3-9x^2+12x-2$로 놓으면

$f'(x)=6x^2-18x+12=6(x-1)(x-2)$

$f'(x)=0$에서 $x=1$ 또는 $x=2$

함수 $f(x)$의 증가와 감소를 표로 나타내면 다음과 같다.

x	$\cdots$	1	$\cdots$	2	$\cdots$
$f'(x)$	+	0	−	0	+
$f(x)$	↗	3	↘	2	↗

따라서 (극댓값)×(극솟값)>0
이므로 주어진 방정식은 한 실근
과 두 허근을 갖는다.

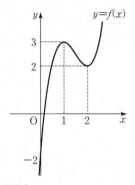

06 두 곡선이 서로 다른 세 점에서 만나려면
$x^3-x^2+9x=5x^2-a$, 즉 $x^3-6x^2+9x+a=0$
이 서로 다른 세 실근을 가져야 한다.
$f(x)=x^3-6x^2+9x+a$라고 하면
$f'(x)=3x^2-12x+9=3(x-1)(x-3)$
$f'(x)=0$에서 $x=1$ 또는 $x=3$
따라서 $f(x)=0$이 서로 다른 세 실근을 가지려면
$f(1)f(3)<0$이어야 하므로 $(4+a)a<0$
∴ $-4<a<0$

07 두 곡선이 서로 다른 세 점에서 만나려면
$x^3+x^2=4x^2-a$, 즉 $x^3-3x^2+a=0$
이 서로 다른 세 실근을 가져야 한다.
$f(x)=x^3-3x^2+a$로 놓으면
$f'(x)=3x^2-6x=3x(x-2)$
$f'(x)=0$에서 $x=0$ 또는 $x=2$
따라서 $f(x)=0$이 서로 다른 세 실근을 가지려면
$f(0)f(2)<0$이어야 하므로 $a(-4+a)<0$
∴ $0<a<4$

08 두 곡선이 서로 다른 세 점에서 만나려면
$x^3-4x^2+6x=2x^2-3x+a$, 즉 $x^3-6x^2+9x-a=0$
이 서로 다른 세 실근을 가져야 한다.
$f(x)=x^3-6x^2+9x-a$로 놓으면
$f'(x)=3x^2-12x+9=3(x-1)(x-3)$
$f'(x)=0$에서 $x=1$ 또는 $x=3$
따라서 $f(x)=0$이 서로 다른 세 실근을 가지려면
$f(1)f(3)<0$이어야 하므로 $(4-a)(-a)<0$, $(a-4)a<0$
∴ $0<a<4$

09 두 곡선이 서로 다른 세 점에서 만나려면
$x^3-9x=-3x^2-a$, 즉 $x^3+3x^2-9x+a=0$
이 서로 다른 세 실근을 가져야 한다.
$f(x)=x^3+3x^2-9x+a$로 놓으면
$f'(x)=3x^2+6x-9=3(x+3)(x-1)$
$f'(x)=0$에서 $x=-3$ 또는 $x=1$
따라서 $f(x)=0$이 서로 다른 세 실근을 가지려면
$f(-3)f(1)<0$이어야 하므로 $(27+a)(-5+a)<0$
∴ $-27<a<5$

10 두 곡선이 서로 다른 세 점에서 만나려면
$x^3-n=6x^2$, 즉 $x^3-6x^2-n=0$
이 서로 다른 세 실근을 가져야 한다.

$f(x)=x^3-6x^2-n$으로 놓으면
$f'(x)=3x^2-12x=3x(x-4)$
$f'(x)=0$에서 $x=0$ 또는 $x=4$
따라서 $f(x)=0$이 서로 다른 세 실근을 가지려면
$f(0)f(4)<0$이어야 하므로
$(-n)(-32-n)<0$, $n(n+32)<0$
∴ $-32<n<0$
따라서 정수 n은 -31, -30, -29, $\cdots$, -1의 31개이다.

21 부등식에의 활용 본문 79쪽

02 $f(x)=3x^4-4x^3+1$로 놓으면
$f'(x)=12x^3-12x^2=12x^2(x-1)$
$f'(x)=0$에서 $x=0$ 또는 $x=1$

x	$\cdots$	0	$\cdots$	1	$\cdots$
$f'(x)$	−	0	−	0	+
$f(x)$	↘	1	↘	0	↗

모든 실수 x에 대하여 $f(x)$의 최솟값이 0이므로
$f(x)\geq0$
따라서 모든 실수 x에 대하여 $3x^4+1\geq4x^3$이 성립한다.

03 $f(x)=x^3-x^2-x+1$로 놓으면
$f'(x)=3x^2-2x-1=(3x+1)(x-1)$
$f'(x)=0$에서 $x=-\dfrac{1}{3}$ 또는 $x=1$

x	0	$\cdots$	1	$\cdots$
$f'(x)$		−	0	+
$f(x)$	1	↘	0	↗

$x\geq0$일 때, 함수 $f(x)$의 최솟값이 0이므로
$f(x)\geq0$
따라서 $x\geq0$일 때, $x^3-x^2\geq x-1$이 성립한다.

04 $f(x)=x^3-3x^2+4$로 놓으면
$f'(x)=3x^2-6x=3x(x-2)$
$f'(x)=0$에서 $x=0$ 또는 $x=2$

x	0	$\cdots$	2	$\cdots$
$f'(x)$		−	0	+
$f(x)$	4	↘	0	↗

$x\geq0$일 때, 함수 $f(x)$의 최솟값이 0이므로
$f(x)=x^3-3x^2+4\geq0$
따라서 $x\geq0$일 때, $x^3\geq3x^2-4$가 성립한다.

05 $f(x)=x^3-3x+3$으로 놓으면
$f'(x)=3x^2-3=3(x+1)(x-1)$
$f'(x)=0$에서 $x=-1$ 또는 $x=1$

x	1	$\cdots$
$f'(x)$	0	+
$f(x)$	1	↗

$x\geq1$일 때, 함수 $f(x)$의 최솟값이 1이므로 $f(x)>0$
따라서 $x\geq1$일 때, $x^3-x>2x-3$이 성립한다.

06 $f(x)=x^3-3x^2+5$로 놓으면
$f'(x)=3x^2-6x=3x(x-2)$

$f'(x)=0$에서 $x=0$ 또는 $x=2$

x	-1	$\cdots$	0	$\cdots$	1
$f'(x)$		$+$	0	$-$	
$f(x)$	1	↗	5	↘	3

구간 $[-1, 1]$에서 함수 $f(x)$의 최솟값이 1이므로
$f(x)>0$
구간 $[-1, 1]$에서 $x^3+3x^2>6x^2-5$가 성립한다.

08 $f(x)=x^4-4x+k$로 놓으면
$f'(x)=4x^3-4=4(x-1)(x^2+x+1)$
$f'(x)=0$에서 $x=1$

x	$\cdots$	1	$\cdots$
$f'(x)$	$-$	0	$+$
$f(x)$	↘	$k-3$	↗

따라서 모든 실수 x에 대하여 부등식 $f(x)\geq0$이 성립하려면
$k-3\geq0$ $\therefore k\geq3$

09 $f(x)=3x^4-4x^3-k$로 놓으면
$f'(x)=12x^3-12x^2=12x^2(x-1)$
$f'(x)=0$에서 $x=0$ 또는 $x=1$

x	$\cdots$	0	$\cdots$	1	$\cdots$
$f'(x)$	$-$	0	$-$	0	$+$
$f(x)$	↘	$-k$	↘	$-k-1$	↗

따라서 모든 실수 x에 대하여 부등식 $f(x)\geq0$이 성립하려면
$-k-1\geq0$ $\therefore k\leq-1$

10 $f(x)=2x^3-3x^2-12x+k$로 놓으면
$f'(x)=6x^2-6x-12=6(x+1)(x-2)$
$f'(x)=0$에서 $x=-1$ 또는 $x=2$

x	0	$\cdots$	2	$\cdots$
$f'(x)$		$-$	0	$+$
$f(x)$	k	↘	$k-20$	↗

따라서 $x\geq0$일 때, 부등식 $f(x)\geq0$이 성립하려면
$k-20\geq0$ $\therefore k\geq20$

11 $f(x)=x^3-3x^2-9x+k$로 놓으면
$f'(x)=3x^2-6x-9=3(x+1)(x-3)$
$f'(x)=0$에서 $x=-1$ 또는 $x=3$

x	-2	$\cdots$	-1	$\cdots$	1
$f'(x)$		$+$	0	$-$	
$f(x)$	$k-2$	↗	$k+5$	↘	$k-11$

따라서 구간 $[-2, 1]$에서 부등식 $f(x)\geq0$이 성립하려면
$k-11\geq0$ $\therefore k\geq11$

12 $h(x)=f(x)-g(x)$로 놓으면
$h(x)=x^3-3x^2-k$
$\therefore h'(x)=3x^2-6x=3x(x-2)$
$h'(x)=0$에서 $x=0$ 또는 $x=2$

x	1	$\cdots$	2	$\cdots$	3
$h'(x)$		$-$	0	$+$	
$h(x)$	$-k-2$	↘	$-k-4$	↗	$-k$

따라서 구간 $[1, 3]$에서 부등식 $h(x)\geq0$이 성립하려면
$-k-4\geq0$ $\therefore k\leq-4$

22 속도와 가속도 본문81쪽

01 (1) t초 후의 속도를 v, 가속도를 a라고 하면
$$v=\frac{dx}{dt}=3t^2-3,\ a=\frac{dv}{dt}=6t$$
따라서 $t=3$일 때의 속도와 가속도는
$v=3\cdot3^2-3=24,\ a=6\cdot3=18$
(2) 점 P가 움직이는 방향을 바꿀 때, $v=0$이므로
$v=3t^2-3=3(t+1)(t-1)=0$ $\therefore t=1\ (\because t>0)$

02 (1) t초 후의 속도를 v, 가속도를 a라고 하면
$$v=\frac{dx}{dt}=3t^2-12t,\ a=\frac{dv}{dt}=6t-12$$
따라서 $t=3$일 때의 속도와 가속도는
$v=3\cdot3^2-12\cdot3=-9,\ a=6\cdot3-12=6$
(2) 점 P가 움직이는 방향을 바꿀 때, $v=0$이므로
$v=3t^2-12t=3t(t-4)=0$ $\therefore t=4\ (\because t>0)$

03 속도를 v, 가속도를 a라고 하면
$$v=\frac{dx}{dt}=12t^2-12t,\ a=\frac{dv}{dt}=24t-12$$
$v=9$이므로 $12t^2-12t=9$
$3(4t^2-4t-3)=0,\ 3(2t-3)(2t+1)=0$
$\therefore t=\frac{3}{2}\ (\because t>0)$
따라서 $t=\frac{3}{2}$일 때의 가속도는 $a=24\cdot\frac{3}{2}-12=24$

04 속도를 v, 가속도를 a라고 하면
$$v=\frac{dx}{dt}=6t^2-6t-12,\ a=\frac{dv}{dt}=12t-6$$
$v=24$이므로 $6t^2-6t-12=24$
$6(t^2-t-6)=0,\ 6(t-3)(t+2)=0$ $\therefore t=3\ (\because t>0)$
따라서 $t=3$일 때의 가속도는 $a=12\cdot3-6=30$

05 점 P, Q의 시각 t에서의 속도는 각각 $2t+4$, $3t^2-1$이고 점 Q의 가속도는 $6t$이다.
$2t+4=3t^2-1$
$3t^2-2t-5=(t+1)(3t-5)=0$ $\therefore t=\frac{5}{3}\ (\because t>0)$
따라서 $t=\frac{5}{3}$일 때 점 Q의 가속도는 $6t=6\times\frac{5}{3}=10$

06 (1) t초 후의 물체의 속도와 가속도를 각각 v, a라고 하면
$v=20-10t,\ a=-10$
따라서 $t=1$일 때 속도는 $10\ \text{m/초}$, 가속도는 $-10\ \text{m/초}^2$이다.
(2) 물체가 최고 높이에 도달했을 때의 속도는 0이므로
$20-10t=0$ $\therefore t=2$
따라서 최고 높이는 $15+20\times2-5\times2^2=35$

07 (1) t초 후의 물체의 속도와 가속도를 각각 v, a라고 하면
$v=30-10t,\ a=-10$
따라서 $t=2$일 때 속도는 $10\ \text{m/초}$, 가속도는 $-10\ \text{m/초}^2$이다.

(2) 물체가 최고 높이에 도달했을 때의 속도는 0이므로

$30 - 10t = 0$ ∴ $t = 3$

따라서 최고 높이는 $30 \times 3 - 5 \times 3^2 = 45$

08 (1) t초 후의 기차의 속도와 가속도를 각각 v, a라고 하면

$$v = \frac{dx}{dt} = 26 - 1.3t, \quad a = \frac{dv}{dt} = -1.3$$

$t = 2$일 때 $v = 26 - 1.3 \times 2 = 23.4$

$a = -1.3$

(2) 기차가 정지할 때의 속도는 $v = 0$이므로

$26 - 1.3t = 0$ ∴ $t = 20$

20초 동안 움직인 거리는

$x = 26 \times 20 - 0.65 \times 20^2 = 260$

09 (1) t초 후의 자동차의 속도와 가속도를 각각 v, a라고 하면

$$v = \frac{dx}{dt} = 27 - 1.8t, \quad a = \frac{dv}{dt} = -1.8$$

$t = 10$일 때 $v = 27 - 1.8 \times 10 = 9$

$a = -1.8$

(2) 자동차가 정지할 때의 속도는 $v = 0$이므로

$27 - 1.8t = 0$ ∴ $t = 15$

15초 동안 움직인 거리는

$x = 27 \times 15 - 0.9 \times 15^2 = 202.5$

10 t분 동안 사람이 움직인 거리를
x m, 그림자까지의 거리를 y m라
고 하면 $3 : 1.8 = y : (y - x)$
∴ $y = 2.5x$

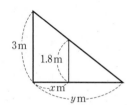

$\dfrac{dx}{dt} = 60$이고 $\dfrac{dy}{dt} = 2.5\dfrac{dx}{dt}$

이므로 $\dfrac{dy}{dt} = 2.5 \times 60 = 150$

따라서 이 사람의 그림자 끝부분은 매분 150 m의 속도로 움직인다.

11 t초 동안 사람이 움직인 거리를
x m, 사람의 그림자의 길이를
y m라고 하면
$3 : 1.8 = (x + y) : y$

∴ $y = \dfrac{3}{2}x$

그런데 $x = 2t$이므로 $y = 3t$

∴ $\dfrac{dy}{dt} = 3$

따라서 그림자 길이의 변화율은 3.0 m/초이다.

12 t초 후의 정삼각형의 한 변의 길이는 $(3 + 0.5t)$cm이므로 정
삼각형의 넓이를 S cm²라고 하면

$$S = \frac{\sqrt{3}}{4}(3 + 0.5t)^2 = \frac{\sqrt{3}}{4}(9 + 3t + 0.25t^2)$$

∴ $\dfrac{dS}{dt} = \dfrac{\sqrt{3}}{4}(3 + 0.5t)$

따라서 $t = 10$일 때의 넓이의 변화율은

$\dfrac{\sqrt{3}}{4}(3 + 5) = 2\sqrt{3}$ (cm²/초)

13 t초 후의 정육면체의 한 모서리의 길이는 $(2 + t)$cm이므로
정육면체의 부피를 V cm³라고 하면

$V = (2 + t)^3 = t^3 + 6t^2 + 12t + 8$

∴ $\dfrac{dV}{dt} = 3t^2 + 12t + 12$

따라서 $t = 2$일 때 정육면체의 부피의 변화율은

$12 + 24 + 12 = 48$ (cm³/초)

14 ㄱ. $v'(b) = 0$이므로 $t = b$일 때 점 P의 가속도는 0이다.

ㄴ. $d < t < e$일 때 점 P의 속도는 증가한다.

ㄷ. $t = f$의 좌우에서 $v(t)$의 부호가 바뀌지 않으므로 $t = f$일
때 점 P는 운동방향을 바꾸지 않는다.

ㄹ. $t = d$와 $t = g$의 좌우에서 $v(t)$의 부호가 바뀌므로 점 P의
운동 방향은 2번 바뀐다.

15 ㄱ. $v'(a) = v'(c) = 0$이므로 $t = a$, $t = c$일 때 점 P의 가속도
는 0이다.

ㄴ. $v(a) < 0$, $v(c) > 0$이므로 $t = a$일 때와 $t = c$일 때 점 P의
운동 방향은 서로 반대이다.

ㄷ. $t = c$의 좌우에서 $v(t)$의 부호가 바뀌지 않으므로 $t = c$일
때 점 P는 운동 방향을 바꾸지 않는다.

ㄹ. $b < t < d$일 때, 속도가 증가하다가 감소한다.

이상에서 옳은 것은 ㄱ, ㄷ이다.

16 ㄱ. $t = c$일 때 $|x(t)|$의 값이 가장 크므로 점 P가 원점에서
가장 멀리 떨어져 있다.

ㄴ. $a < t < c$에서 $v(t) = x'(t) < 0$이므로 $a < t < c$일 때 점 P
의 운동 방향은 일정하다.

ㄷ. $t = c$일 때 $x'(t) = 0$이므로 점 P의 속도는 0이다.

ㄹ. $t = b$일 때 $x'(t) < 0$이므로 점 P의 속도는 음의 값이다.

이상에서 옳은 것은 ㄱ, ㄷ이다.

17 주어진 그림에서 점 P가 원점을 지나는 시각은

$t = 9$ 또는 $t = 15$

이 중 처음으로 원점을 지나는 시각은 $t = 9$이고, 이때의 속도
는 $t = 9$에서의 접선의 기울기이므로 $f'(9)$의 값과 같다.

Ⅲ. 다항함수의 적분법

01 부정적분의 뜻 본문 90쪽

02 양변을 x에 대하여 미분하면

$f(x) = (3x + C)' = 3$

03 양변을 x에 대하여 미분하면

$f(x) = (4x^2 + 2x + C)' = 8x + 2$

04 양변을 x에 대하여 미분하면

$f(x) = (3x^3 - 2x^2 + 5x + C)' = 9x^2 - 4x + 5$

05 양변을 x에 대하여 미분하면

$f(x) = (5x^4 + 4x^2 - 3x + C)' = 20x^3 + 8x - 3$

06 $(x)' = 1$이므로 $\displaystyle\int 1\, dx = x + C$

07 $(x^2)' = 2x$이므로 $\displaystyle\int 2x\, dx = x^2 + C$

08 $(x^3)'=3x^2$이므로 $\displaystyle\int 3x^2\,dx=x^3+C$

09 $(x^4)'=4x^3$이므로 $\displaystyle\int 4x^3\,dx=x^4+C$

10 $3x^2+2ax+b=(cx^3+2x^2+3x+C)'$이므로
$3x^2+2ax+b=3cx^2+4x+3$
위의 식이 x에 대한 항등식이므로
$3=3c,\ 2a=4,\ b=3$ $\therefore a=2,\ b=3,\ c=1$

02 부정적분의 계산 본문 91쪽

01 $\displaystyle\int x^2\,dx=\frac{1}{3}x^3+C$

02 $\displaystyle\int x^3\,dx=\frac{1}{4}x^4+C$

03 $\displaystyle\int x^6\,dx=\frac{1}{7}x^7+C$

04 $\displaystyle\int x^{10}\,dx=\frac{1}{11}x^{11}+C$

05 $\displaystyle\int 3\,dx=3x+C$

06 $\displaystyle\int 2x\,dx=2\int x\,dx=2\cdot\frac{1}{2}x^2+C=x^2+C$

07 $\displaystyle\int 8x^7\,dx=8\int x^7\,dx=8\cdot\frac{1}{8}x^8+C=x^8+C$

09 $\displaystyle\int(6x^5-12x^3+4x)dx=\int 6x^5\,dx-\int 12x^3\,dx+\int 4x\,dx$
$\displaystyle=6\int x^5\,dx-12\int x^3\,dx+4\int x\,dx=x^6-3x^4+2x^2+C$

11 $\displaystyle\int(3x+1)(2x-2)dx=\int(6x^2-4x-2)dx$
$=2x^3-2x^2-2x+C$

12 $\displaystyle\int(2x+1)(6x-3)dx=\int(12x^2-3)dx$
$=4x^3-3x+C$

13 $\displaystyle\int(4x^2+2x)dx-\int(x^2-4x+1)dx$
$\displaystyle=\int(3x^2+6x-1)dx=x^3+3x^2-x+C$

14 $\displaystyle\int(x-1)^2\,dx-\int(x+1)^2\,dx$
$\displaystyle=\int\{(x-1)^2-(x+1)^2\}dx=\int-4x\,dx$
$=-2x^2+C$

16 $f'(x)=6x^2+2x-3$이므로
$f(x)=\displaystyle\int(6x^2+2x-3)dx=2x^3+x^2-3x+C$
$f(0)=1$이므로 $C=1$
$\therefore f(x)=2x^3+x^2-3x+1$

17 $f'(x)=3(x+1)(x-1)=3x^2-3$이므로
$f(x)=\displaystyle\int(3x^2-3)dx=x^3-3x+C$
$f(-1)=-1+3+C=2$이므로 $C=0$
$\therefore f(x)=x^3-3x$

18 $f'(x)=(3x-1)(5x-3)=15x^2-14x+3$이므로
$f(x)=\displaystyle\int(15x^2-14x+3)dx=5x^3-7x^2+3x+C$

$f(0)=1$이므로 $C=1$ $\therefore f(x)=5x^3-7x^2+3x+1$

19 $f(x)=\displaystyle\int f'(x)dx=\int(2x+1)dx=x^2+x+C$
$f(0)=C=3$이므로
$f(x)=x^2+x+3$ $\therefore f(-1)=1+(-1)+3=3$

21 $f'(x)=-4x+3$이므로
$f(x)=\displaystyle\int(-4x+3)dx=-2x^2+3x+C$
이 곡선이 점 $(1,\ 2)$를 지나므로
$f(1)=-2+3+C=2$에서 $C=1$
$\therefore f(x)=-2x^2+3x+1$

22 $f'(x)=6x^2-8x$이므로
$f(x)=\displaystyle\int(6x^2-8x)dx=2x^3-4x^2+C$
이 곡선이 점 $(1,\ -1)$을 지나므로
$f(1)=2-4+C=-1$ $\therefore C=1$
$\therefore f(x)=2x^3-4x^2+1$

24 $f'(x)=3x^2+2x$이므로
$f(x)=\displaystyle\int(3x^2+2x)dx=x^3+x^2+C$
이 곡선이 점 $(-1,\ 6)$을 지나므로
$f(-1)=-1+1+C=6$ $\therefore C=6$
즉, $f(x)=x^3+x^2+6$ $\therefore f(1)=1+1+6=8$

25 $f'(x)=6x^2-4x$이므로
$f(x)=\displaystyle\int(6x^2-4x)dx=2x^3-2x^2+C$
이 곡선이 점 $(1,\ 0)$을 지나므로
$f(1)=2-2+C=0$ $\therefore C=0$
즉, $f(x)=2x^3-2x^2$ $\therefore f(2)=16-8=8$

03 부정적분과 미분의 관계 본문 94쪽

02 $(x+2)f(x)=\left(\dfrac{1}{3}x^3-4x+C\right)'$이므로
$(x+2)f(x)=x^2-4$
$(x+2)f(x)=(x+2)(x-2)$ $\therefore f(x)=x-2$

03 $(x+3)f(x)=\left(\dfrac{1}{3}x^3+\dfrac{5}{2}x^2+6x+C\right)'$이므로
$(x+3)f(x)=x^2+5x+6$
$(x+3)f(x)=(x+2)(x+3)$ $\therefore f(x)=x+2$

05 주어진 등식의 양변을 x에 대하여 미분하면
$f(x)=f(x)+xf'(x)-6x^2-4x$
$xf'(x)=6x^2+4x$, 즉 $f'(x)=6x+4$
$\therefore f'(1)=6+4=10$

06 주어진 등식의 양변을 x에 대하여 미분하면
$f(x)=f(x)+xf'(x)-6x^2+2x$
$xf'(x)=6x^2-2x$, 즉 $f'(x)=6x-2$
$f(x)=\displaystyle\int(6x-2)dx=3x^2-2x+C$이므로
$f(1)=3-2+C=4$에서 $C=3$
$\therefore f(x)=3x^2-2x+3$
$\therefore f(2)=12-4+3=11$

08 $f(x)=x^2-4x+3=(x-1)(x-3)=0$이므로
$F(x)$는 $x=1$에서 극댓값, $x=3$에서 극솟값을 갖는다.

$F(x)=\dfrac{1}{3}x^3-2x^2+3x+C$이므로

$F(1)-F(3)=\left(\dfrac{1}{3}-2+3+C\right)-(9-18+9+C)=\dfrac{4}{3}$

09 주어진 그래프에서 $f'(x)=ax(x-2)$이므로

$f(x)=\displaystyle\int f'(x)dx=\dfrac{1}{3}ax^3-ax^2+C$

이때, $x=0$에서 극소, $x=2$에서 극대이므로

$f(0)=1$에서 $C=1$

$f(2)=5$에서 $\dfrac{8}{3}a-4a+C=-\dfrac{4}{3}a+1=5$

$\therefore a=-3$ $\therefore f(x)=-x^3+3x^2+1$

10 주어진 그래프에서 $f'(x)=ax(x-3)$이므로

$f(x)=\displaystyle\int f'(x)dx=\dfrac{1}{3}ax^3-\dfrac{3}{2}ax^2+C$

이때, $x=0$에서 극대, $x=3$에서 극소이므로

$f(0)=11$에서 $C=11$

$f(3)=2$에서 $9a-\dfrac{27}{2}a+C=-\dfrac{9}{2}a+11=2$

$\therefore a=2$

$\therefore f(x)=\dfrac{2}{3}x^3-3x^2+11$

$\therefore f(1)=\dfrac{2}{3}-3+11=\dfrac{26}{3}$

11 주어진 그래프에서 $f'(x)=x^2-4x$이므로

$f(x)=\displaystyle\int f'(x)dx=\int (x^2-4x)dx$

$\qquad =\dfrac{1}{3}x^3-2x^2+C$

$f(0)=1$에서 $C=1$이므로 $f(x)=\dfrac{1}{3}x^3-2x^2+1$

$\therefore f(3)=9-18+1=-8$

04 정적분과 미분의 관계 본문 96쪽

02 주어진 등식의 양변에 $x=a$를 대입하면

$\displaystyle\int_a^a f(t)dt=0$이므로

$a^2-4a+4=(a-2)^2=0,\ a=2$

주어진 등식의 양변을 x에 대하여 미분하면 정적분과 미분의 관계에서

$f(x)=(x^2-4x+4)'=2x-4$

$\therefore a=2,\ f(x)=2x-4$

03 주어진 등식의 양변에 $x=1$을 대입하면

$\displaystyle\int_1^1 f(t)dt=0$이므로 $0=1+1+a$ $\therefore a=-2$

주어진 등식의 양변을 x에 대하여 미분하면

$f(x)=3x^2+2x+a$

$a=-2$를 대입하면 $f(x)=3x^2+2x-2$

$\therefore f(1)=3$

04 $\displaystyle\int_0^x (t-1)f(t)dt=x^3-x^2-x+a$의 양변에 $x=0$을 대입하면

$\displaystyle\int_0^0 (t-1)f(t)dt=0$이므로 $a=0$

주어진 등식의 양변을 x에 대하여 미분하면

$(x-1)f(x)=3x^2-2x-1=(3x+1)(x-1)$

$\therefore f(x)=3x+1$ $\therefore f(1)=4$

05 정적분의 기본 정리 본문 97쪽

01 $\displaystyle\int_1^2 3x^2 dx=\Big[x^3\Big]_1^2=8-1=7$

02 $\displaystyle\int_0^1 10x^4 dx=\Big[2x^5\Big]_0^1=2-0=2$

03 $\displaystyle\int_1^2 (2x^3-3x^2+2x-4)dx=\Big[\dfrac{1}{2}x^4-x^3+x^2-4x\Big]_1^2$

$=\left(\dfrac{1}{2}\cdot 2^4-2^3+2^2-4\cdot 2\right)-\left(\dfrac{1}{2}-1+1-4\right)=-\dfrac{1}{2}$

04 $\displaystyle\int_1^3 (x-1)(x+2)dx$

$=\displaystyle\int_1^3 (x^2+x-2)dx=\Big[\dfrac{1}{3}x^3+\dfrac{1}{2}x^2-2x\Big]_1^3$

$=\left(\dfrac{1}{3}\cdot 3^3+\dfrac{1}{2}\cdot 3^2-2\cdot 3\right)-\left(\dfrac{1}{3}+\dfrac{1}{2}-2\right)=\dfrac{26}{3}$

05 $\displaystyle\int_8^8 (x-1)^8 dx=0$

06 $\displaystyle\int_1^0 (x^2+x)dx=\Big[\dfrac{1}{3}x^3+\dfrac{1}{2}x^2\Big]_1^0$

$\qquad\qquad =0-\left(\dfrac{1}{3}+\dfrac{1}{2}\right)=-\dfrac{5}{6}$

07 $\displaystyle\int_1^{-2} (3x^2-4x)dx=\Big[x^3-2x^2\Big]_1^{-2}=(-8-8)-(1-2)$

$\qquad\qquad\qquad\qquad\qquad =-16+1=-15$

08 $\displaystyle\int_0^k \left(\dfrac{1}{2}x+1\right)dx=\Big[\dfrac{1}{4}x^2+x\Big]_0^k=\dfrac{1}{4}k^2+k$

즉, $\dfrac{1}{4}k^2+k=\dfrac{5}{4}$이므로

$k^2+4k-5=0,\ (k+5)(k-1)=0$

$\therefore k=-5$ 또는 $k=1$

$k>0$이므로 $k=1$

06 함수의 실수배, 합, 차의 정적분 본문 98쪽

02 $\displaystyle\int_0^1 (2x-x^2)dx+\int_0^1 (2x+x^2)dx$

$=\displaystyle\int_0^1 \{(2x-x^2)+(2x+x^2)\}dx$

$=\displaystyle\int_0^1 4xdx=\Big[2x^2\Big]_0^1=2-0=2$

03 $\displaystyle\int_1^3 (x+1)^2 dx-\int_1^3 (x-1)^2 dx$

$=\displaystyle\int_1^3 \{(x+1)^2-(x-1)^2\}dx$

$=\displaystyle\int_1^3 4xdx=\Big[2x^2\Big]_1^3=18-2=16$

04 $\displaystyle\int_1^3 (x-1)^2 dx-\int_3^1 2x\,dx=\int_1^3 (x-1)^2 dx+\int_1^3 2xdx$

$=\displaystyle\int_1^3 \{(x^2-2x+1)+2x\}dx$

$$= \int_1^3 (x^2+1)dx = \left[\frac{1}{3}x^3 + x \right]_1^3$$

$$= (9+3) - \left(\frac{1}{3} + 1 \right) = \frac{32}{3}$$

05 $\int_{-1}^0 (x^3-3x^2+2x)dx + \int_0^{-1} (x^3-3x^2-2x)dx$

$$= \int_{-1}^0 (x^3-3x^2+2x)dx - \int_{-1}^0 (x^3-3x^2-2x)dx$$

$$= \int_{-1}^0 \{(x^3-3x^2+2x)-(x^3-3x^2-2x)\}dx$$

$$= \int_{-1}^0 4x\,dx = \left[2x^2 \right]_{-1}^0 = 0-2 = -2$$

06 $\int_{-1}^1 (x^2+1)dx - \int_{-1}^1 x^2\,dx = \int_{-1}^1 \{(x^2+1)-x^2\}dx$

$$= \int_{-1}^1 1\,dx = \left[x \right]_{-1}^1 = 2$$

07 정적분의 성질 본문99쪽

02 $\int_0^1 (x^2+1)dx + \int_1^3 (x^2+1)dx = \int_0^3 (x^2+1)dx$

$$= \left[\frac{1}{3}x^3 + x \right]_0^3 = (9+3)-0 = 12$$

03 $\int_{-2}^1 (x^3-x)dx + \int_1^2 (x^3-x)dx$

$$= \int_{-2}^2 (x^3-x)dx = \left[\frac{1}{4}x^4 - \frac{1}{2}x^2 \right]_{-2}^2$$

$$= (4-2)-(4-2) = 0$$

04 $\int_0^2 (x-1)^2\,dx - \int_3^2 (x-1)^2\,dx$

$$= \int_0^2 (x-1)^2\,dx + \int_2^3 (x-1)^2\,dx$$

$$= \int_0^3 (x-1)^2\,dx = \int_0^3 (x^2-2x+1)dx$$

$$= \left[\frac{1}{3}x^3 - x^2 + x \right]_0^3 = (9-9+3)-0 = 3$$

05 $\int_{-1}^2 (4x^3-6x-1)dx - \int_3^2 (4x^3-6x-1)dx$

$$= \int_{-1}^2 (4x^3-6x-1)dx + \int_2^3 (4x^3-6x-1)dx$$

$$= \int_{-1}^3 (4x^3-6x-1)dx = \left[x^4-3x^2-x \right]_{-1}^3$$

$$= (81-27-3)-(1-3+1) = 51+1 = 52$$

06 $\int_0^7 f(x)dx = \int_0^4 f(x)dx + \int_4^7 f(x)dx$

$$= \int_0^4 f(x)dx + \left(\int_4^1 f(x)dx + \int_1^7 f(x)dx \right)$$

$$= \int_0^4 f(x)dx - \int_1^4 f(x)dx + \int_1^7 f(x)dx = 3-2+6 = 7$$

08 구간에 따라 다르게 정의된 함수의 정적분 본문100쪽

02 $\int_0^4 |x-1|dx$

$$= \int_0^1 (-x+1)dx + \int_1^4 (x-1)dx$$

$$= \left[-\frac{1}{2}x^2+x \right]_0^1 + \left[\frac{1}{2}x^2-x \right]_1^4 = 5$$

03 $\int_0^6 |x-4|dx$

$$= \int_0^4 (-x+4)dx + \int_4^6 (x-4)dx$$

$$= \left[-\frac{1}{2}x^2+4x \right]_0^4 + \left[\frac{1}{2}x^2-4x \right]_4^6 = 10$$

04 $\int_0^2 |x^2-1|dx$

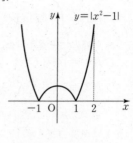

$$= \int_0^1 (-x^2+1)dx$$

$$\quad + \int_1^2 (x^2-1)dx$$

$$= \left[-\frac{x^3}{3}+x \right]_0^1 + \left[\frac{x^3}{3}-x \right]_1^2$$

$$= 2$$

05 $\int_0^3 |3x^2-6x|dx$

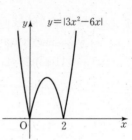

$$= \int_1^2 (-3x^2+6x)dx$$

$$\quad + \int_2^3 (3x^2-6x)dx$$

$$= \left[-x^3+3x^2 \right]_1^2 + \left[x^3-3x^2 \right]_2^3$$

$$= 6$$

06 $6x|x-1| = \begin{cases} 6x(1-x) & (x \le 1) \\ 6x(x-1) & (x > 1) \end{cases}$

이므로

$$\int_0^3 6x|x-1|dx$$

$$= \int_0^1 6x(1-x)dx + \int_1^3 6x(x-1)dx$$

$$= \int_0^1 (6x-6x^2)dx + \int_1^3 (6x^2-6x)dx$$

$$= \left[3x^2-2x^3 \right]_0^1 + \left[2x^3-3x^2 \right]_1^3 = 29$$

08 $\int_{-1}^1 f(x)dx = \int_{-1}^0 f(x)dx + \int_0^1 f(x)dx$

$$= \int_{-1}^0 x^2\,dx + \int_0^1 2x\,dx$$

$$= \left[\frac{1}{3}x^3 \right]_{-1}^0 + \left[x^2 \right]_0^1 = \frac{4}{3}$$

09 $f(x) = \begin{cases} 2 & (x \le 0) \\ -3x+2 & (x > 0) \end{cases}$ 이므로

$$xf(x) = \begin{cases} 2x & (x \le 0) \\ -3x^2+2x & (x > 0) \end{cases}$$

$$\int_{-1}^1 xf(x)dx = \int_{-1}^0 2x\,dx + \int_0^1 (-3x^2+2x)dx$$

$$= \left[x^2 \right]_{-1}^0 + \left[-x^3+x^2 \right]_0^1 = -1$$

10 $f(x) = \begin{cases} 3 & (x \le 0) \\ -\frac{3}{2}x+3 & (x > 0) \end{cases}$ 이므로

$$\int_{-1}^1 xf(x)dx = \int_{-1}^0 3x\,dx + \int_0^1 \left(-\frac{3}{2}x^2+3x \right)dx$$

$$= \left[\frac{3}{2}x^2 \right]_{-1}^0 + \left[-\frac{1}{2}x^3+\frac{3}{2}x^2 \right]_0^1$$

$$= -\frac{1}{2}$$

11 $f(x) = \begin{cases} -x+1 & (x \le 0) \\ 1 & (x > 0) \end{cases}$ 이므로

$$\int_{-1}^{1} xf(x)dx=\int_{-1}^{0}(-x^2+x)dx+\int_{0}^{1}xdx$$
$$=\left[-\frac{1}{3}x^3+\frac{1}{2}x^2\right]_{-1}^{0}+\left[\frac{1}{2}x^2\right]_{0}^{1}=-\frac{1}{3}$$

12 $f'(x)=\begin{cases}x & (x\leq2)\\4-x & (x>2)\end{cases}$ 이므로

$$\int_{0}^{4}f'(x)dx=\int_{0}^{2}xdx+\int_{2}^{4}(4-x)dx$$
$$=\left[\frac{x^2}{2}\right]_{0}^{2}+\left[4x-\frac{x^2}{2}\right]_{2}^{4}=4$$
$$\int_{0}^{4}f'(x)dx=\left[f(x)\right]_{0}^{4}=f(4)-f(0)$$ 이므로
$$f(4)-f(0)=4$$

O9 그래프의 대칭을 이용한 정적분 본문 102쪽

02 $\int_{-1}^{1}(x^5+2x)dx=0$

03 $\int_{-1}^{1}(5x^4+4x^3+3x^2+2x+1)dx$
$$=2\int_{0}^{1}(5x^4+3x^2+1)dx=2\left[x^5+x^3+x\right]_{0}^{1}=6$$

04 $\int_{-1}^{1}(11x^{10}+12x^{11}+13x^{12}+14x^{13})dx$
$$=2\int_{0}^{1}(11x^{10}+13x^{12})dx=2\left[x^{11}+x^{13}\right]_{0}^{1}=4$$

05 $\int_{-1}^{1}x^3(1+x)^2dx$
$$=\int_{-1}^{1}x^3(1+2x+x^2)dx$$
$$=2\int_{0}^{1}2x^4dx=2\left[\frac{2}{5}x^5\right]_{0}^{1}=\frac{4}{5}$$

06 $\int_{-1}^{0}(3x^2+4x^3+5x^4)dx-\int_{1}^{0}(3x^2+4x^3+5x^4)dx$
$$=\int_{-1}^{0}(3x^2+4x^3+5x^4)dx+\int_{0}^{1}(3x^2+4x^3+5x^4)dx$$
$$=\int_{-1}^{1}(3x^2+4x^3+5x^4)dx=2\int_{0}^{1}(3x^2+5x^4)dx$$
$$=2\left[x^3+x^5\right]_{0}^{1}=4$$

07 $\int_{a}^{b}f(x)dx=\int_{-b}^{-a}f(x)dx$ 를 만족하면 함수 $y=f(x)$의 그래프는 y축에 대하여 대칭이다.
보기의 함수 중 y축에 대하여 대칭인 것은 ㄱ, ㄴ이다.

IO 정적분으로 나타내어진 함수 본문 103쪽

02 $\int_{0}^{2}f(t)dt=k$ (k는 상수)······ ㉠으로 놓으면
$f(x)=-3x^2+2x+k$ 이것을 ㉠에 대입하면
$$\int_{0}^{2}(-3t^2+2t+k)dt=k$$
$$\left[-t^3+t^2+kt\right]_{0}^{2}=k$$
$$-8+4+2k=k \quad \therefore k=4$$
따라서 $f(x)=-3x^2+2x+4$이므로
$$f(1)=-3+2+4=3$$

03 $\int_{0}^{2}f(t)dt=k$ (k는 상수)······ ㉠으로 놓으면

$f(x)=2x-3k$
이것을 ㉠에 대입하면
$$\int_{0}^{2}(2t-3k)dt=k$$
$$\left[t^2-3kt\right]_{0}^{2}=k, \quad 4-6k=k \quad \therefore k=\frac{4}{7}$$
따라서 $f(x)=2x-\frac{12}{7}$ 이므로
$$f(1)=2-\frac{12}{7}=\frac{2}{7}$$

04 $\int_{0}^{1}tf(t)dt=k$ (k는 상수)······ ㉠으로 놓으면
$f(x)=x^2-2x+k$
이것을 ㉠에 대입하면
$$\int_{0}^{1}t(t^2-2t+k)dt=k, \quad \int_{0}^{1}(t^3-2t^2+kt)dt=k$$
$$\left[\frac{1}{4}t^4-\frac{2}{3}t^3+\frac{k}{2}t^2\right]_{0}^{1}=k, \quad \frac{1}{4}-\frac{2}{3}+\frac{k}{2}=k$$
$$\frac{k}{2}=-\frac{5}{12} \quad \therefore k=-\frac{5}{6}$$
따라서 $f(x)=x^2-2x-\frac{5}{6}$이므로
$$f(3)=9-6-\frac{5}{6}=\frac{13}{6}$$

06 $\int_{1}^{x}f(t)dt=x^3-2ax^2+ax$의 양변에 $x=1$을 대입하면
$$\int_{1}^{1}f(t)dt=1-2a+a, \quad 0=1-a \quad \therefore a=1$$
$\int_{1}^{x}f(t)dt=x^3-2ax^2+ax$의 양변을 x에 대하여 미분하면
$$\frac{d}{dx}\int_{1}^{x}f(t)dt=\frac{d}{dx}(x^3-2ax^2+ax)$$
$$f(x)=3x^2-4ax+a=3x^2-4x+1$$
$$\therefore f(3)=27-12+1=16$$

07 $\int_{2}^{x}f(t)dt=x^2-ax-6$의 양변에 $x=2$를 대입하면
$$0=4-2a-6 \quad \therefore a=-1$$
$\int_{2}^{x}f(t)dt=x^2-ax-6$의 양변을 x에 대하여 미분하면
$$f(x)=2x+1 \quad \therefore f(5)=2\cdot5+1=11$$

08 $F(x)=\int_{0}^{x}(t^3-1)dt$의 양변을 x에 대하여 미분하면
$$F'(x)=\frac{d}{dx}\int_{0}^{x}(t^3-1)dt=x^3-1$$
$$\therefore F'(2)=8-1=7$$

II 정적분으로 정의된 함수의 극대·극소, 최대·최소

본문 105쪽

02 $f(x)=\int_{0}^{x}(t^2-6t+8)dt$의 양변을 x에 대하여 미분하면
$$f'(x)=x^2-6x+8=(x-2)(x-4)$$
$$f'(x)=0$에서 $x=2$ 또는 $x=4$$

x	$\cdots$	2	$\cdots$	4	$\cdots$
$f'(x)$	+	0	−	0	+
$f(x)$	↗	극대	↘	극소	↗

따라서 함수 $f(x)$는 $x=2$에서 극대이므로 극댓값은

$f(2)=\int_0^2 (t^2-6t+8)dt=\left[\dfrac{1}{3}t^3-3t^2+8t\right]_0^2=\dfrac{20}{3}$

03 $F(x)=\int_0^x f(t)dt$의 양변을 x에 대하여 미분하면

$F'(x)=f(x)$

$f(x)=0$에서 $x=0$ 또는 $x=2$

x	$\cdots$	0	$\cdots$	2	$\cdots$
$f(x)$	$-$	0	$+$	0	$-$
$F(x)$	$\searrow$	극소	$\nearrow$	극대	$\searrow$

따라서 함수 $F(x)$는 $x=0$에서 극소이면서 최소이므로
구하는 최솟값은 $F(0)$

04 $f(x)=\int_x^{x+1}(t^2+t)dt$의 양변을 x에 대하여 미분하면

$f'(x)=\{(x+1)^2+(x+1)\}-(x^2+x)=2(x+1)$

$f'(x)=0$에서 $x=-1$

x	$\cdots$	-1	$\cdots$
$f'(x)$	$-$	0	$+$
$f(x)$	$\searrow$	극소	$\nearrow$

따라서 함수 $f(x)$는 $x=-1$에서 최소이므로 구하는 최솟값은

$f(-1)=\int_{-1}^0 (t^2+t)dt=-\int_0^{-1}(t^2+t)dt$

$\qquad = -\left[\dfrac{1}{3}t^3+\dfrac{1}{2}t^2\right]_0^{-1}=-\dfrac{1}{6}$

12 정적분으로 정의된 함수의 극한 본문 106쪽

02 $\displaystyle\lim_{x\to 0}\dfrac{1}{x}\int_0^x f(t)dt=\lim_{x\to 0}\dfrac{F(x)-F(0)}{x}$

$\qquad\qquad = F'(0)=f(0)=-1$

04 $\displaystyle\lim_{x\to 1}\dfrac{1}{x^2-1}\int_1^x f(t)dt=\lim_{x\to 1}\dfrac{F(x)-F(1)}{x-1}\cdot\dfrac{1}{x+1}$

$\qquad = \dfrac{1}{2}F'(1)=\dfrac{1}{2}f(1)=\dfrac{1}{2}(4-3+1)=1$

05 $\displaystyle\lim_{x\to 0}\dfrac{1}{x}\int_1^{1+x} f(t)dt=\lim_{x\to 0}\dfrac{F(1+x)-F(1)}{x}$

$\qquad = F'(1)=f(1)=4-3=1$

06 $\displaystyle\lim_{x\to 0}\dfrac{1}{2x}\int_3^{3+x} f(t)dt=\dfrac{1}{2}\lim_{x\to 0}\dfrac{F(3+x)-F(3)}{x}$

$\qquad = \dfrac{1}{2}F'(3)=\dfrac{1}{2}f(3)=\dfrac{1}{2}(3\cdot 3^2+1)=14$

13 곡선과 x축 사이의 넓이 본문 107쪽

02 곡선과 x축의 교점의 x좌표는

$x^2-2x=x(x-2)=0$

에서 $x=0$ 또는 $x=2$

구간 $[0, 2]$에서 $y\leq 0$이므로

$S=-\displaystyle\int_0^2 (x^2-2x)dx$

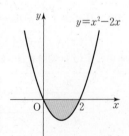

$\qquad = -\left[\dfrac{x^3}{3}-x^2\right]_0^2=\dfrac{4}{3}$

03 곡선과 x축의 교점의 x좌표는

$x^2-4x+3=(x-1)(x-3)=0$

에서 $x=1$ 또는 $x=3$

구간 $[1, 3]$에서 $y\leq 0$이므로

$S=-\displaystyle\int_1^3 (x^2-4x+3)dx$

$\qquad = -\left[\dfrac{x^3}{3}-2x^2+3x\right]_1^3=\dfrac{4}{3}$

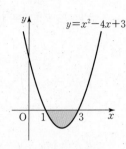

05 곡선과 x축의 교점의 x좌표는

x^3+3x^2+2x

$=x(x+1)(x+2)=0$

에서 $x=-2$, $x=-1$, $x=0$

구간 $[-2, -1]$에서 $y\geq 0$이
고 $[-1, 0]$에서 $y\leq 0$이므로

$S=\displaystyle\int_{-2}^{-1}(x^3+3x^2+2x)dx$

$\qquad -\displaystyle\int_{-1}^0 (x^3+3x^2+2x)dx$

$= \displaystyle\int_{-2}^{-1}(x^3+3x^2+2x)dx+\int_0^{-1}(x^3+3x^2+2x)dx$

$= \left[\dfrac{x^4}{4}+x^3+x^2\right]_{-2}^{-1}+\left[\dfrac{x^4}{4}+x^3+x^2\right]_0^{-1}=\dfrac{1}{2}$

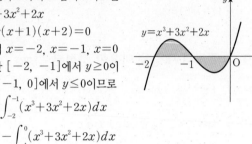

07 $y=x^2+x-2$의 그래프는 오른
쪽 그림과 같다.

따라서 구하는 넓이 S는

$S=-\displaystyle\int_0^1 (x^2+x-2)dx$

$\qquad +\displaystyle\int_1^2 (x^2+x-2)dx$

$= -\left[\dfrac{1}{3}x^3+\dfrac{1}{2}x^2-2x\right]_0^1$

$\qquad +\left[\dfrac{1}{3}x^3+\dfrac{1}{2}x^2-2x\right]_1^2=3$

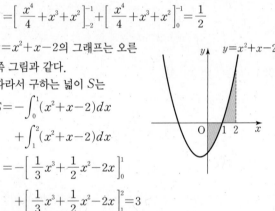

08 $y=x^2-4x+3$의 그래프는 오른
쪽 그림과 같다.

따라서 구하는 넓이 S는

$S=\displaystyle\int_0^1 (x^2-4x+3)dx$

$\qquad -\displaystyle\int_1^2 (x^2-4x+3)dx$

$= \left[\dfrac{1}{3}x^3-2x^2+3x\right]_0^1$

$\qquad -\left[\dfrac{1}{3}x^3-2x^2+3x\right]_1^2=2$

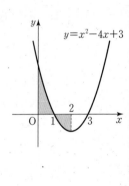

09 $y=x(x-1)(x-3)$

$=x^3-4x^2+3x$

의 그래프는 오른쪽 그림과 같
다.

따라서 구하는 넓이 S는

$S=\displaystyle\int_0^1 (x^3-4x^2+3x)dx$

$\qquad -\displaystyle\int_1^2 (x^3-4x^2+3x)dx$

$=\left[\dfrac{1}{4}x^4-\dfrac{4}{3}x^3+\dfrac{3}{2}x^2\right]_0^1-\left[\dfrac{1}{4}x^4-\dfrac{4}{3}x^3+\dfrac{3}{2}x^2\right]_1^2=\dfrac{3}{2}$

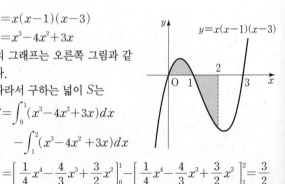

10 $y=x^2(x-2)=x^3-2x^2$의 그래프는 오른쪽 그림과 같다.
따라서 구하는 넓이 S는

$$S=-\int_0^2(x^3-2x^2)dx$$
$$+\int_2^4(x^3-2x^2)dx$$
$$=-\left[\frac{1}{4}x^4-\frac{2}{3}x^3\right]_0^2$$
$$+\left[\frac{1}{4}x^4-\frac{2}{3}x^3\right]_2^4=24$$

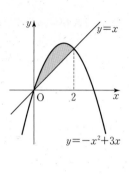

11 $S_2=\int_0^1 x^5 dx=\left[\frac{1}{6}x^6\right]_0^1=\frac{1}{6}$

$S_1+S_2=1$이므로 $S_1=\frac{5}{6}$ $\therefore S_1:S_2=5:1$

14 곡선과 y축 사이의 넓이 본문 109쪽

01 $y=\sqrt{x}$에서 $x=y^2$이고
$1\le y\le 2$일 때 $x\ge 0$이므로

$$S=\int_1^2 y^2 dy=\left[\frac{1}{3}y^3\right]_1^2$$
$$=\frac{1}{3}(8-1)=\frac{7}{3}$$

02 곡선 $x=y^2-4$와 y축의 교점의 y좌표는 $y^2-4=0$에서
$(y+2)(y-2)=0$
$\therefore y=-2$ 또는 $y=2$
$-2\le y\le 2$일 때 $x\le 0$이므로

$$S=-2\int_0^2(y^2-4)dy$$
$$=-2\left[\frac{y^3}{3}-4y\right]_0^2=\frac{32}{3}$$

04 $x=y^2-2y$와 y축의 교점의 y좌표는 $y^2-2y=0$에서
$y(y-2)=0$
$\therefore y=0$ 또는 $y=2$
$1\le y\le 2$일 때 $x\le 0$,
$2\le y\le 3$일 때 $x\ge 0$이므로

$$S=-\int_1^2(y^2-2y)dy$$
$$+\int_2^3(y^2-2y)dy$$
$$=-\left[\frac{1}{3}y^3-y^2\right]_1^2+\left[\frac{1}{3}y^3-y^2\right]_2^3=\frac{2}{3}+\frac{4}{3}=2$$

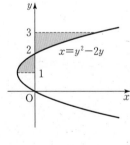

15 두 곡선 사이의 넓이 본문 110쪽

02 교점의 x좌표는
$x^2+2=-x+2$에서
$x^2+x=0$, $x(x+1)=0$
$\therefore x=-1$ 또는 $x=0$
따라서 구하는 도형의 넓이 S는

$$S=\int_{-1}^0\{(-x+2)-(x^2+2)\}dx$$

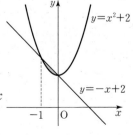

$$=\int_{-1}^0(-x-x^2)dx$$
$$=\int_0^{-1}(x+x^2)dx$$
$$=\left[\frac{1}{2}x^2+\frac{1}{3}x^3\right]_0^{-1}=\frac{1}{6}$$

03 교점의 x좌표는
$-x^2+3x=x$에서 $x(x-2)=0$
$\therefore x=0$ 또는 $x=2$
따라서 구하는 도형의 넓이 S는

$$S=\int_0^2\{(-x^2+3x)-x\}dx$$
$$=\int_0^2(-x^2+2x)dx$$
$$=\left[-\frac{x^3}{3}+x^2\right]_0^2=\frac{4}{3}$$

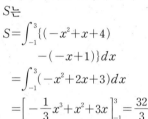

04 교점의 x좌표는
$-x^2+x+4=-x+1$에서
$(x+1)(x-3)=0$
$\therefore x=-1$ 또는 $x=3$
따라서 구하는 도형의 넓이 S는

$$S=\int_{-1}^3\{(-x^2+x+4)$$
$$-(-x+1)\}dx$$
$$=\int_{-1}^3(-x^2+2x+3)dx$$
$$=\left[-\frac{1}{3}x^3+x^2+3x\right]_{-1}^3=\frac{32}{3}$$

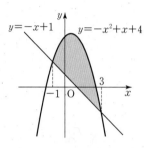

05 두 곡선의 교점의 x좌표는
$-x^2+4x-3=x^2-6x+5$,
$2(x-1)(x-4)=0$
$\therefore x=1$ 또는 $x=4$
따라서 구하는 도형의 넓이 S는

$$S=\int_1^4\{(-x^2+4x-3)$$
$$-(x^2-6x+5)\}dx$$
$$=\int_1^4(-2x^2+10x-8)dx$$
$$=\left[-\frac{2}{3}x^3+5x^2-8x\right]_1^4=9$$

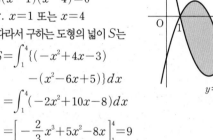

06 두 곡선의 교점의 x좌표는
$2x^2-4x-4=x^2-2x+4$,
$(x+2)(x-4)=0$
$\therefore x=-2$ 또는 $x=4$
따라서 구하는 도형의 넓이 S는

$$S=\int_{-2}^4\{(x^2-2x+4)$$
$$-(2x^2-4x-4)\}dx$$
$$=\int_{-2}^4(-x^2+2x+8)dx$$
$$=\left[-\frac{1}{3}x^3+x^2+8x\right]_{-2}^4=36$$

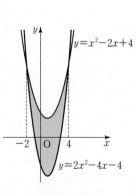

07 두 곡선의 교점의 x좌표는

$x^2-2x-1=-2x^2+4x-1$,

$3x(x-2)=0$

$\therefore x=0$ 또는 $x=2$

따라서 구하는 도형의 넓이 S는

$S=\int_0^2\{(-2x^2+4x-1)$

$\qquad-(x^2-2x-1)\}dx$

$=\int_0^2(-3x^2+6x)dx$

$=\Big[-x^3+3x^2\Big]_0^2=4$

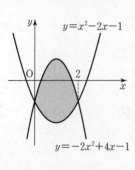

$y=x^2-2x-1$

$y=-2x^2+4x-1$

08 두 곡선의 교점의 x좌표는

$x^3-2x^2=-x^2+2x$,

$x(x+1)(x-2)=0$

$\therefore x=0$ 또는 $x=-1$ 또는

$\quad x=2$

따라서 구하는 도형의 넓이 S는

$S=\int_{-1}^0\{(x^3-2x^2)$

$\qquad-(-x^2+2x)\}dx$

$\quad+\int_0^2\{(-x^2+2x)$

$\qquad-(x^3-2x^2)\}dx$

$=\int_{-1}^0(x^3-x^2-2x)dx+\int_0^2(-x^3+x^2+2x)dx$

$=\Big[\frac{1}{4}x^4-\frac{1}{3}x^3-x^2\Big]_{-1}^0+\Big[-\frac{1}{4}x^4+\frac{1}{3}x^3+x^2\Big]_0^2=\frac{37}{12}$

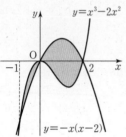

$y=x^3-2x^2$

$y=-x(x-2)$

09 두 곡선의 교점의 x좌표는

$x(x+2)=x(x+2)(x-1)$,

$x(x+2)(x-2)=0$

$\therefore x=-2$ 또는 $x=0$ 또는 $x=2$

따라서 구하는 도형의 넓이 S는

$S=\int_{-2}^0\{x(x+2)(x-1)$

$\qquad+\int_0^2\{x(x+2)$

$\qquad-x(x+2)(x-1)\}dx$

$=\int_{-2}^0(x^3-4x)dx+\int_0^2(-x^3+4x)dx$

$=\Big[\frac{x^4}{4}-2x^2\Big]_{-2}^0+\Big[-\frac{x^4}{4}+2x^2\Big]_0^2=8$

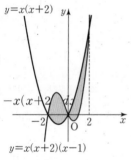

$y=x(x+2)$

$-x(x+2)$

$y=x(x+2)(x-1)$

11 곡선 $y=2(x+1)(x-2)$와 x축의 교점의 x좌표는 $x=-1$ 또는 $x=2$이므로 구하는 도형의 넓이 S는

$S=\dfrac{|2|\{2-(-1)\}^3}{6}=9$

13 곡선 $y=-x^2+7x$와 직선 $y=2x+4$로 둘러싸인 도형의 넓이는 $y=(-x^2+7x)-(2x+4)=-x^2+5x-4$의 그래프와 x축으로 둘러싸인 도형의 넓이와 같다.

교점의 x좌표는 $-x^2+5x-4=-(x-1)(x-4)=0$에서 $x=1$ 또는 $x=4$이므로 구하는 도형의 넓이 S는

$S=\dfrac{|-1|(4-1)^3}{6}=\dfrac{9}{2}$

15 두 곡선 $y=x^2-3x$, $y=-x^2+5x-6$으로 둘러싸인 도형의 넓이는

$y=(-x^2+5x-6)-(x^2-3x)=-2x^2+8x-6$의 그래프

와 x축으로 둘러싸인 도형의 넓이와 같다.

교점의 x좌표는

$-2x^2+8x-6=-2(x-1)(x-3)=0$에서

$x=1$ 또는 $x=3$이므로 구하는 도형의 넓이 S는

$S=\dfrac{|-2|(3-1)^3}{6}=\dfrac{8}{3}$

16 역함수의 그래프로 둘러싸인 넓이 본문 113쪽

02 두 곡선 $y=f(x)$와 $y=g(x)$는 직선 $y=x$에 대하여 대칭이므로 구하는 넓이를 S라고 하면 S는 곡선 $y=f(x)$와 직선 $y=x$로 둘러싸인 부분의 넓이의 2배이다.

곡선 $y=f(x)$와 직선 $y=x$의 교점의 x좌표는 $\dfrac{1}{4}x^3=x$에서

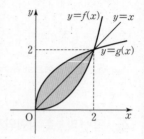

$y=f(x)$

$y=x$

$y=g(x)$

$x(x+2)(x-2)=0$

$\therefore x=0$ 또는 $x=2$ ($\because x\ge0$)

따라서 구하는 넓이 S는

$S=2\int_0^2\Big(x-\dfrac{1}{4}x^3\Big)dx=2\Big[\dfrac{1}{2}x^2-\dfrac{1}{16}x^4\Big]_0^2=2$

04 $f(x)=x^2$ ($x\ge0$)에서

$f(2)=4$, $f(3)=9$

이때, $\displaystyle\int_2^3 f(x)dx=S_1$,

$\displaystyle\int_4^9 g(x)dx=S_2$라고 하면

그 값은 그림의 색칠한 부분의 넓이와 같다.

$\therefore \displaystyle\int_2^3 f(x)dx+\int_4^9 g(x)dx$

$=S_1+S_2=3\times9-2\times4=19$

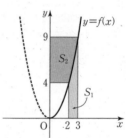

$y=f(x)$

S_2

S_1

17 속도와 거리 본문 114쪽

01 시각 $t=0$일 때의 물체의 위치가 $x=3$이므로 시각 t일 때의 물체의 위치 x는

$x=3+\displaystyle\int_0^t(t^2-3t+2)dt=3+\Big[\dfrac{1}{3}t^3-\dfrac{3}{2}t^2+2t\Big]_0^t$

$=\dfrac{1}{3}t^3-\dfrac{3}{2}t^2+2t+3$

02 물체의 위치의 변화량은 $\displaystyle\int_a^b v(t)dt$이므로

$\displaystyle\int_0^2(t^2-3t+2)dt$

$=\Big[\dfrac{1}{3}t^3-\dfrac{3}{2}t^2+2t\Big]_0^2=\dfrac{2}{3}$

03 $v(t)=t^2-3t+2=(t-1)(t-2)$
이므로
구간 $[0, 1]$에서 $v(t)\geq0$
구간 $[1, 2]$에서 $v(t)\leq0$
따라서 시각 $t=0$에서 $t=2$까지
물체가 움직인 거리는

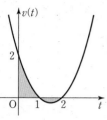

$\int_0^2|t^2-3t+2|dt$

$=\int_0^1(t^2-3t+2)dt+\int_1^2(-t^2+3t-2)dt$

$=\left[\dfrac{1}{3}t^3-\dfrac{3}{2}t^2+2t\right]_0^1+\left[-\dfrac{1}{3}t^3+\dfrac{3}{2}t^2-2t\right]_1^2=1$

05 두 점 P, Q가 t초 후 같은 위치에 있어야 하므로

$\int_0^t 7t(4-t)dt=\int_0^t 2t(3-t)(6-t)dt$

$\int_0^t(2t^3-11t^2+8t)dt=\left[\dfrac{1}{2}t^4-\dfrac{11}{3}t^3+4t^2\right]_0^t$

$=\dfrac{1}{6}t^2(3t-4)(t-6)=0$

$\therefore t=0$ 또는 $t=\dfrac{4}{3}$ 또는 $t=6$

따라서 움직이기 시작하여 두 번째 만나는 것은 6초 후이다.

07 기차가 정지하는 시각은 $v(t)=60-3t=0$에서 $t=20$
기차가 20초 동안 움직인 거리는

$\int_0^{20}|v(t)|dt=\int_0^{20}(60-3t)dt$

$=\left[60t-\dfrac{3}{2}t^2\right]_0^{20}=600(\text{m})$

08 $v(t)=30-2t=0$에서 $t=15$
전동차가 15초 동안 움직인 거리는

$\int_0^{15}|30-2t|dt=\int_0^{15}(30-2t)dt$

$=\left[30t-t^2\right]_0^{15}=225(\text{m})$

09 $v(t)=\dfrac{dx}{dt}=t^2-4t+3$

$v(t)=0$이면 $t=1$ 또는 $t=3$
$v(t)<0$이면 $1<t<3$
$v(t)>0$이면 $t<1$ 또는 $t>3$
이므로, 물체의 운동은 다음 그림과 같다.

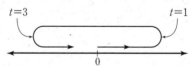

따라서 $t=0$에서의 운동 방향과 반대 방향으로 이동한 거리는

$\int_1^3|t^2-4t+3|dt=\int_1^3(t^2-4t+3)dt$

$=\dfrac{1}{6}(3-1)^3=\dfrac{4}{3}$

10 3 km를 달리는 동안, 출발 후 t분 후의 위치 $s(t)$는

$s(t)=\int_0^t\left(\dfrac{3}{4}t^2+\dfrac{1}{2}t\right)dt=\dfrac{1}{4}t^3+\dfrac{1}{4}t^2$

따라서 속력이 일정해지는 시각은 $\dfrac{1}{4}t^3+\dfrac{1}{4}t^2=3$

$(t-2)(t^2+3t+6)=0$ $\therefore t=2(\text{분})$

또, 그 때의 일정한 속도는 $v(2)=4(\text{km/분})$

따라서 5분 동안 이 열차가 달린 거리는
$3+4\times3=15(\text{km})$

11 t초 후의 높이를 $h(t)$라고 하면

$h(t)=55+\int_0^t(50-10t)dt$

$=-5t^2+50t+55$

따라서 구하는 높이는
$h(6)=-5\cdot6^2+50\cdot6+55=175(\text{m})$

12 최고점에 도달할 때 속도 $v(t)=0$이므로
$v(t)=50-10t=0$에서 $t=5$
즉, 5초 후에 최고점에 도달한다.
따라서 최고점에 도달하였을 때 물체의 높이는
$h(5)=-5\cdot5^2+50\cdot5+55=180(\text{m})$

13 지면에 떨어지는 순간의 물체의 높이 $h(t)=0$이므로
$-5t^2+50t+55=0$에서 $t=-1$ 또는 $t=11$
이때, $t>0$이므로 지면에 떨어지는 순간의 시각 t는
$t=11$
따라서 $t=11$일 때의 속도는
$v(11)=50-10\cdot11=-60(\text{m/초})$

14 $t=5$에서 최고점에 도달하므로 던진 후 2초부터 8초까지 움직인 거리는

$\int_2^8|50-10t|dt$

$=\int_2^5(50-10t)dt+\int_5^8(-50+10t)dt$

$=\left[50t-5t^2\right]_2^5+\left[-50t+5t^2\right]_5^8=90(\text{m})$

15 발사 후 t초가 지나는 순간의 물체의 높이를 $h(t)$라고 하면

$h(t)=\int_0^t v(t)dt+h(0)$

지상으로부터 20 m의 높이에서 쏘아 올렸으므로 $t=0$일 때
물체의 높이는 $h(0)=20$

$\therefore h(t)=\int_0^t(49-9.8t)dt+20=49t-4.9t^2+20$

따라서 $t=1$일 때의 지상으로부터의 물체의 높이 $h(1)$은
$h(1)=49\cdot1-4.9\cdot1^2+20=64.1(\text{m})$

16 시각 t초일 때 야구공의 지면으로부터의 높이 h m는

$h=1.4+\int_0^t(-9.8t+14)dt$

$=1.4+\left[-4.9t^2+14t\right]_0^t=-4.9t^2+14t+1.4$

이고, 지면에 닿는 순간의 높이는 $h=0$이므로
$-4.9t^2+14t+1.4=0$, 즉 $7t^2-20t-2=0$

$t>0$이므로 $t=\dfrac{10+\sqrt{114}}{7}$

따라서 야구공이 운동장 지면에 닿을 때까지 걸리는 시간은
$\dfrac{10+\sqrt{114}}{7}$초이다.

18 속도 그래프의 해석 본문 117쪽

01 원점에서 출발하였으므로 $t=3$일 때 점 P의 위치는
$\int_0^3 v(t)dt$이고 실제 움직인 거리가 $\int_0^3|v(t)|dt$이다.

02 $0 \le t \le 5$에서 점 P가 움직인 거리는 $\int_0^5 |v(t)| dt$이다.

03 $t=2$, $t=4$에서 속도가 0이고 $t=2$, $t=4$의 좌우에서 속도의 부호가 바뀌므로 운동 방향이 바뀐다.

04 점 P는 $t=2$, $t=4$에서 정지하므로 $0 \le t \le 5$에서 두 번 정지한다.

05 $\int_0^2 v(t)dt = \int_2^4 \{-v(t)\}dt$이면
$\int_0^2 v(t)dt + \int_2^4 v(t)dt = \int_0^4 v(t)dt = 0$이므로
점 P의 $t=4$에서의 위치는 원점이다.

06 ㄱ. 원점을 출발한 후 2초까지 수직선의 양의 방향으로 움직이므로 출발 후 2초에서 점 P의 위치는 원점이 아니다.

ㄴ. $0 < t < 2$, $5 < t < 6$일 때, $v(t) > 0$이므로 점 P는 수직선의 양의 방향으로 움직이고, $2 < t < 5$일 때, $v(t) < 0$이므로 점 P는 수직선의 음의 방향으로 간다.

ㄷ. $v(t)$의 부호가 바뀌는 시각은 $t=2$와 $t=5$일 때이므로 6초 동안 움직이면서 운동 방향을 2번 바꿨다.

07 ㄱ. 점 P의 진행 방향은 $t=\dfrac{7}{3}$, $t=5$일 때 바뀐다.

ㄴ. $|v(t)|$의 값이 가장 큰 것은 $t=3$일 때이다.

ㄷ. $t=7$일 때 점 P의 위치는 $\int_0^7 v(t)dt=0$이므로 $t=7$일 때 점 P는 원점에 놓여 있다.

08 (1) $\int_0^c v(t)dt = -3+4-20 = -19$

(2) $\int_0^c |v(t)|dt = 3+4+20 = 27$

(3) $t=a$일 때의 위치는 $5 + \int_0^a v(t)dt = 5-3 = 2$

$t=b$일 때의 위치는 $5 + \int_0^b v(t)dt = 5-3+4 = 6$

$t=c$일 때의 위치는 $5 + \int_0^c v(t)dt = 5-3+4-20 = -14$

09
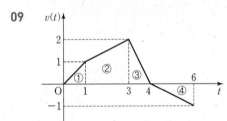

점 P가 시각 $t=0$에서 $t=6$까지 움직인 거리는
$\int_0^6 |v(t)|dt = ① + ② + ③ + ④$
$= \dfrac{1}{2} \cdot 1 \cdot 1 + \dfrac{1}{2} \cdot (1+2) \cdot 2 + \dfrac{1}{2} \cdot 1 \cdot 2 + \dfrac{1}{2} \cdot 2 \cdot 1$
$= \dfrac{1}{2} + 3 + 1 + 1 = \dfrac{11}{2}$

10 주어진 그림에서 이차함수 $f'(t)$는 $t=1$, $t=3$에서 t축과 만나고 점 $(0, 3)$을 지나므로
$f'(t) = (t-1)(t-3)$
함수 $f'(t)$에 대하여 $t=1$의 좌우에서 $f'(t)$의 부호가 양$(+)$에서 음$(-)$으로 바뀌고, $t=3$의 좌우에서 음$(-)$에서 양$(+)$으로 바뀌므로 점 P가 출발할 때의 운동 방향에 대하여 반대 방향으로 움직인 구간은 $1 \le t \le 3$이다.

$\therefore d = \int_1^3 |f'(t)|dt = \int_1^3 \{-f'(t)\}dt$
$= \int_1^3 \{-(t-1)(t-3)\}dt = \int_1^3 (-t^2 + 4t - 3)dt$
$= \left[-\dfrac{1}{3}t^3 + 2t^2 - 3t \right]_1^3 = \dfrac{4}{3}$
$\therefore 12d = 12 \cdot \dfrac{4}{3} = 16$

11 t초일 때의 물체의 위치를 $x(t)$라고 하면
$v(t) = x'(t)$
$x(t) = \int_0^t v(t)dt + x(0)$
$= \int_0^t v(t)dt$ (∵ 원점 출발)

따라서 물체가 다시 원점을 통과하는 때는 위쪽의 넓이 S_1과 아래쪽의 넓이 S_2가 같게 되는 때이므로 $t=12$(초)일 때이다.

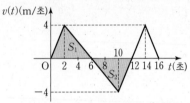